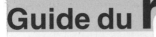
Guide du routard

Directeur de collection
Philippe Gl...

Cofondateurs
Philippe GLOAGUEN et Michel DUVAL

Rédacteur en chef
Pierre JOSSE

Rédacteurs en chef adjoints
Amanda KERAVEL et Benoît LUCCHINI

Directrice de la coordination
Florence CHARMETANT

Rédaction
Olivier PAGE, Véronique de CHARDON,
Isabelle AL SUBAIHI, Anne-Caroline DUMAS,
Carole BORDES, André PONCELET,
Marie BURIN des ROZIERS, Thierry BROUARD,
Géraldine LEMAUF-BEAUVOIS,
Anne POINSOT, Mathilde de BOISGROLLIER,
Alain PALLIER, Gavin's CLEMENTE-RUÏZ
et Fiona DEBRABANDER

FLORENCE

2008

Hachette

Avis aux hôteliers et aux restaurateurs

Les enquêteurs du *Guide du routard* travaillent dans le plus strict anonymat. Aucune réduction, aucun avantage quelconque, aucune rétribution n'est jamais demandé en contrepartie. Face aux aigrefins, la loi autorise les hôteliers et restaurateurs à porter plainte.

Hors-d'œuvre

Le *Guide du routard,* ce n'est pas comme le bon vin, il vieillit mal. On ne veut pas pousser à la consommation, mais évitez de partir avec une édition ancienne. Les modifications sont souvent importantes.

ON EN EST FIERS : www.routard.com

• *www.routard.com* • Tout pour préparer votre périple. Des fiches sur plus de 180 destinations, de nombreuses informations et des services pratiques : photos, cartes, météo, dossiers, agenda, itinéraires, billets d'avion, réservation d'hôtels, location de voitures, visas... Mais aussi un espace communautaire pour échanger ses bons plans et partager ses photos. Sans oublier *routard mag,* ses reportages, ses carnets de route et ses infos pour bien voyager. La boîte à outils indispensable du routard.

Petits restos des grands chefs

Ce qui est bon, n'est pas forcément cher ! Partout en France, nous avons dégoté de fameuses petites tables de grands chefs aux prix aussi raisonnables que la cuisine est fameuse. Évidemment, tous les grands chefs n'ont pas été retenus : certains font payer cher leur nom pour une petite table qu'ils ne fréquentent guère. Au total, plus de 700 adresses réactualisées, retenues pour le plaisir des papilles sans pour autant ruiner votre portefeuille. À proximité des restaurants sélectionnés, 280 hôtels de charme pour prolonger la fête.

Nos meilleurs campings en France

Se réveiller au milieu des prés, dormir au bord de l'eau ou dans une hutte, voici nos 1 700 meilleures adresses en pleine nature. Du camping à la ferme aux équipements les plus sophistiqués, nous avons sélectionné les plus beaux emplacements : mer, montagne, campagne ou lac. Sans oublier les balades à proximité, les jeux pour enfants... Des centaines de réductions pour nos lecteurs.

Avis aux lecteurs

Les réductions accordées à nos lecteurs ne sont jamais demandées par nos rédacteurs afin de préserver leur indépendance. Les hôteliers et restaurateurs sont sollicités par une société de mailing, totalement indépendante de la rédaction, qui reste donc libre de ses choix. De même pour les autocollants et plaques émaillées.

Pour que votre pub voyage autant que nos lecteurs,
contactez nos régies publicitaires :
• fbrunel@hachette-livre.fr •
• veronique@routard.com •

Le contenu des annonces publicitaires insérées dans ce guide n'engage en rien la responsabilité de l'éditeur.

Mille excuses, on ne peut plus répondre individuellement aux centaines de CV reçus chaque année.

TABLE
DES MATIÈRES

FLORENCE

INFORMATIONS ET ADRESSES UTILES

OÙ DORMIR ?

OÙ MANGER ?

OÙ SORTIR ?

SHOPPING

À VOIR

LES ENVIRONS DE FLORENCE

QUITTER FLORENCE

Nous avons divisé ce pays en plusieurs guides, à la demande de nos lecteurs. En effet, la très grande majorité d'entre vous ne parcourez pas tout le pays. En revanche, vous préférez plus d'adresses, plus d'histoire, plus de références culturelles, plus de visites. Au total, un guide unique comporterait plus de 2 000 pages et serait intransportable. Ce découpage n'est pas une opération commerciale, mais permet avant tout de voyager sans grever votre porte-monnaie.

La rédaction

LES GUIDES DU ROUTARD 2008-2009

(dates de parution sur **www.routard.com**)

France

Nationaux

- Nos meilleures chambres d'hôtes en France
- Nos meilleurs campings en France
- Nos meilleurs hôtels et restos en France
- Petits restos des grands chefs
- Tables à la ferme et boutiques du terroir
- Poitou-Charentes
- Provence
- Pyrénées, Gascogne

Villes françaises

- Bordeaux
- Lille
- Lyon
- Marseille
- Montpellier
- Nice
- Strasbourg
- Toulouse

Régions françaises

- Alpes
- Alsace
- Aquitaine
- Ardèche, Drôme
- Auvergne, Limousin
- Bourgogne
- Bretagne Nord
- Bretagne Sud
- Châteaux de la Loire
- Corse
- Côte d'Azur
- Franche-Comté
- Languedoc-Roussillon
- Lorraine
- Lot, Aveyron, Tarn
- Nord-Pas-de-Calais
- Normandie
- Pays basque (France, Espagne), Béarn
- Pays de la Loire

Paris

- Environs de Paris
- Junior à Paris et ses environs
- Paris
- Paris balades
- Paris exotique
- Paris la nuit
- Paris sportif
- Paris à vélo
- Paris zen
- Restos et bistrots de Paris
- Le Routard des amoureux à Paris
- Week-ends autour de Paris

Europe

Pays européens

- Allemagne
- Andalousie
- Angleterre, Pays de Galles
- Autriche
- Baléares
- Belgique
- Castille, Madrid (Aragon et Estrémadure)
- Catalogne, Andorre
- Crète
- Croatie
- Écosse
- Espagne du Nord-Ouest (Galice, Asturies, Cantabrie)
- Finlande
- Grèce continentale
- Hongrie, République tchèque, Slovaquie
- Îles grecques et Athènes
- Irlande
- Islande
- Italie du Nord
- Italie du Sud
- Lacs italiens
- Malte
- **Norvège (avril 2008)**
- Pologne et capitales baltes
- Portugal
- Roumanie, Bulgarie
- Sicile
- **Suède, Danemark (avril 2008)**
- Suisse
- Toscane, Ombrie

LES GUIDES DU ROUTARD
2008-2009 (suite)

(dates de parution sur **www.routard.com**)

Villes européennes

- Amsterdam
- Barcelone
- Berlin
- Florence
- Lisbonne
- Londres
- Moscou, Saint-Pétersbourg
- Prague
- Rome
- Venise

Amériques

- Argentine
- Brésil
- Californie
- Canada Ouest et Ontario
- Chili et île de Pâques
- Cuba
- Équateur
- États-Unis côte Est
- **Floride (novembre 2007)**
- Guadeloupe, Saint-Martin, Saint-Barth
- Guatemala, Yucatán et Chiapas
- **Louisiane et les villes du Sud (novembre 2007)**
- Martinique
- Mexique
- New York
- Parcs nationaux de l'Ouest américain et Las Vegas
- Pérou, Bolivie
- Québec et Provinces maritimes
- République dominicaine (Saint-Domingue)

Asie

- **Bali, Lombok (mai 2008)**
- Birmanie (Myanmar)
- Cambodge, Laos
- Chine (Sud, Pékin, Yunnan)
- Inde du Nord
- Inde du Sud
- Indonésie (voir Bali, Lombok)
- Istanbul
- Jordanie, Syrie
- Malaisie, Singapour
- Népal, Tibet
- Sri Lanka (Ceylan)
- Thaïlande
- **Tokyo-Kyoto (mai 2008)**
- Turquie
- Vietnam

Afrique

- Afrique de l'Ouest
- Afrique du Sud
- Égypte
- Île Maurice, Rodrigues
- Kenya, Tanzanie et Zanzibar
- Madagascar
- Maroc
- Marrakech
- Réunion
- Sénégal, Gambie
- Tunisie

Guides de conversation

- Allemand
- Anglais
- Arabe du Maghreb
- Arabe du Proche-Orient
- Chinois
- Croate
- Espagnol
- Grec
- Italien
- **Japonais (mars 2008)**
- Portugais
- Russe

Et aussi...

- Le Guide de l'humanitaire
- **G'palémo (nouveauté)**

NOS NOUVEAUTÉS

NORVÈGE (avril 2008)

Des grands voyageurs classent ce royaume septentrional de l'Europe parmi les plus beaux pays du monde. Ils n'ont pas tort. La Norvège est un cadeau de Dame Nature fait aux humains. Et c'est vrai qu'au printemps, le spectacle des fjords aux émeraude, bordés de vertes prairies fleuries dévalant des glaciers, est d'un romantisme absolu. Ici, la préservation de la nature est élevée au rang de religion. Oslo, Bergen, Trondheim sont des villes très agréables en été, mais ne peuvent rivaliser avec le bonheur intense d'un séjour dans les villages de marins aux îles Lofoten ou avec le spectacle émouvant d'une aurore boréale qui embrase la voûte céleste. Les plus intrépides de nos lecteurs continueront vers le mythique cap Nord et feront aussi un crochet par le Finmark pour découvrir la culture étonnante des éleveurs de rennes.

FLORIDE (novembre 2007)

Du soleil toute l'année, des centaines de kilomètres de sable blanc bordés par des cocotiers et une mer turquoise. Voilà pour la carte postale. Mais la Floride a bien d'autres atours dans son sac : une ambiance glamour et latino à Miami qui, au cœur de son quartier Art déco, attire une foule de fêtards venus s'encanailler sous les *sunlights* des tropiques ; des parcs d'attractions de folie qui feront rêver petits et grands enfants ; une atmosphère haute en couleur et *gay-friendly* à Key West où l'âme de « Papa » Hemingway plane toujours. Là, on circule à bicyclette au milieu de charmantes maisons de bois. Et pour les amateurs de nature, le parc national des Everglades, un gigantesque marais envahi par la mangrove et peuplé d'alligators, qui se découvre à pied (eh oui) ou en canoë. Alors, *see you later alligator* !

Nous tenons à remercier tout particulièrement Loup-Maëlle Besançon, Thierry Bessou, Gérard Bouchu, François Chauvin, Grégory Dalex, Fabrice de Lestang, Cédric Fischer, Carole Fouque, Michelle Georget, David Giason, Lucien Jedwab, Emmanuel Juste, Florent Lamontagne, Philippe Martineau, Jean-Sébastien Petitdemange, Laurence Pinsard, Thomas Rivallain, Déborah Rudetzki, Claudio Tombari et Solange Vivier pour leur collaboration régulière.

Et pour cette nouvelle collection, nous remercions aussi :

David Alon et Andréa Valouchova
Bénédicte Bazaille
Jean-Jacques Bordier-Chêne
Nathalie Capiez
Louise Carcopino
Florence Cavé
Raymond Chabaud
Alain Chaplais
Bénédicte Charmetant
Cécile Chavent
Stéphanie Condis
Agnès Debiage
Tovi et Ahmet Diler
Céline Druon
Nicolas Dubost
Clélie Dudon
Aurélie Dugelay
Sophie Duval
Alain Fisch
Aurélie Gaillot
Lucie Galouzeau
Alice Gissinger
Adrien et Clément Gloaguen
Angela Gosman
Romuald Goujon
Stéphane Gourmelen
Claudine de Gubernatis
Xavier Haudiquet
Claude Hervé-Bazin
Bernard Hilaire

Sébastien Jauffret
François et Sylvie Jouffa
Hélène Labriet
Lionel Lambert
Francis Lecompte
Jacques Lemoine
Sacha Lenormand
Valérie Loth
Béatrice Marchand
Philippe Melul
Delphine Ménage
Kristell Menez
Delphine Meudic
Éric Milet
Jacques Muller
Alain Nierga et Cécile Fischer
Hélène Odoux
Caroline Ollion
Nicolas Pallier
Martine Partrat
Odile Paugam et Didier Jehanno
Xavier Ramon
Dominique Roland et Stéphanie Déro
Corinne Russo
Caroline Sabljak
Prakit Saiporn
Jean-Luc et Antigone Schilling
Laurent Villate
Julien Vitry
Fabian Zegowitz

Direction : Nathalie Pujo
Contrôle de gestion : Joséphine Veyres, Céline Déléris et Vincent Leav
Responsable éditoriale : Catherine Julhe
Édition : Matthieu Devaux, Magali Vidal, Marine Barbier-Blin, Géraldine Péron, Jean Tiffon, Olga Krokhina, Virginie Decosta, Caroline Lepeu, Delphine Ménage et Émilie Guerrier
Secrétariat : Catherine Maîtrepierre
Préparation-lecture : Dorica Lucaci
Cartographie : Frédéric Clémençon et Aurélie Huot
Fabrication : Nathalie Lautout et Audrey Detournay
Couverture : Seenk
Direction marketing : Dominique Nouvel, Lydie Firmin et Juliette Caillaud
Responsable partenariats : André Magniez
Édition partenariats : Juliette Neveux et Raphaële Wauquiez
Informatique éditoriale : Lionel Barth
Relations presse France : COM'PROD, Fred Papet ☎ 01-56-43-36-38 ● info@com prod.fr ●
Relations presse : Martine Levens (Belgique) et Maureen Browne (Suisse)
Régie publicitaire : Florence Brunel

NOS NOUVEAUTÉS

BALI, LOMBOK (mai 2008)

Bali et Lombok possèdent des charmes différents et complémentaires. Bali, l'« île des dieux », respire toujours charme et beauté. Un petit paradis qui rassemble tout ce qui est indispensable à des vacances réussies : de belles plages dans le sud, des montagnes extraordinaires couvertes de temples, des collines riantes sur lesquelles les rizières étagées forment de jolies courbes dessinées par l'homme, une culture vivante et authentique, et surtout, l'essentiel, une population d'une étonnante gentillesse, d'une douceur presque mystique.
Et puis voici Lombok, à quelques encablures, dont le nom signifie « piment » en javanais et qui appartient à l'archipel des îles de la Sonde. La vie y est plus rustique, le développement touristique plus lent. Tant mieux. Les plages, au sud, sont absolument magnifiques et les Gili Islands, à deux pas de Lombok, attirent de plus en plus les amateurs de plongée. Paysages remarquables, pureté des eaux, simplicité et force du moment vécu... Bali et Lombok, deux aspects d'un même paradis.

TOKYO-KYOTO (mai 2008)

On en avait marre de se faire malmener par nos chers lecteurs ! Enfin un *Guide du routard* sur le Japon ! Voilà l'empire du Soleil-Levant accessible aux voyageurs à petit budget. On disait l'archipel nippon trop loin, trop cher, trop incompréhensible. Voici notre constat : avec quelques astuces, on peut y voyager agréablement et sans se ruiner. Dormir dans une auberge de jeunesse ou sur le tatami d'un *ryokan* (chambres chez l'habitant), manger sur le pouce des sushis ou une soupe *ramen,* prendre des bus ou acheter un *pass* ferroviaire pour circuler à bord du *shinkansen* (le TGV nippon)... ainsi sommes-nous allés à la découverte d'un Japon accueillant, authentique mais à prix sages ! Du mythique mont Fuji aux temples millénaires de Kyoto, de la splendeur de Nara à la modernité d'Osaka, des volcans majestueux aux cerisiers en fleur, de la tradition à l'innovation, le Japon surprend. Les Japonais étonnent par leur raffinement et leur courtoisie. Tous à Tokyo ! Cette mégapole électrique et fascinante est le symbole du Japon du IIIe millénaire, le rendez-vous exaltant de la haute technologie, de la mode et du design. Et que dire des nuits passées dans les bars et les discothèques de Shinjuku et de Ropponggi, les plus folles d'Asie ?

Remerciements

Pour l'édition de ce guide, nous remercions tout particulièrement :
– Massimo Bartolucci, directeur de l'ENIT à Paris ;
– Anne Lefèvre et Géraldine Stefanon, chargées des relations avec la presse à L'ENIT ;
– Roberta Berni et l'équipe de l'APT Firenze ;
– Jean-Marc, pour sa participation active.

LES QUESTIONS QU'ON SE POSE LE PLUS SOUVENT

➤ **Quelle est la meilleure saison pour y aller ?**
Les intersaisons (avril-mai et septembre-octobre), même s'il y a souvent moins de monde en juillet-août. Mais le temps est agréable sans être caniculaire.

➤ **Quel est le meilleur moyen pour y aller ?**
L'avion est la solution la plus rapide, surtout pour un court séjour. Les compagnies aériennes pratiquent désormais des prix très compétitifs.

➤ **La vie est-elle chère ?**
C'est surtout l'hébergement qui portera le coup de massue à votre porte-monnaie. Mais les restos et les musées coûtent également cher.

➤ **Doit-on prévoir un gros budget pour les visites culturelles ?**
Oui. Les musées sont hors de prix. Il n'existe pas de *pass* à Florence. C'est vraiment dommage et horriblement douloureux pour le porte-monnaie.

➤ **Les enfants sont-ils les bienvenus ?**
Bien sûr ! Les Italiens adorent les enfants. Cependant, le riche patrimoine florentin risque d'épuiser vos chérubins. Préférez alors les balades plutôt que les visites quotidiennes de musées.

➤ **Faut-il parler l'italien pour se faire comprendre ?**
Comme partout, on vous conseille d'apprendre quelques mots. Sachez tout de même que les Italiens de plus de 50 ans comprennent ou parlent le français pour l'avoir étudié à l'école. Les jeunes générations communiquent davantage en anglais.

➤ **Quel est le meilleur moyen pour se déplacer ?**
Vos pieds, sans aucune hésitation ! Il y a aussi le bus pour les plus paresseux. Le réseau est dense et dessert parfaitement toute la ville et ses environs.

➤ **Combien de temps rester à Florence pour avoir « tout vu » ?**
Sachez-le : vous n'aurez jamais tout vu. Le mieux est de rester une semaine pour visiter tranquillement la ville.

LES COUPS DE CŒUR DU ROUTARD

● Le coucher du soleil au belvédère de San Miniato al Monte. Inoubliable... et à deux de préférence !

● Pour les amateurs d'abats, avaler un sandwichs aux tripes, LA spécialité de Florence, au marché San Lorenzo, à la fraîche, avec les gens du cru... atmosphère, atmosphère.

● Découvrir ou redécouvrir Botticelli à la Galerie des Offices, en réservant à l'avance vos billets.

● Admirer les fesses de David à l'Accademia.

● Imaginer Florence à ses pieds en grimpant les 400 marches du campanile...

● Parcourir la campagne environnante et pousser jusqu'à Fiesole, petit bourg à 7 km de Florence, qui inspira Boccace et André Gide.

● Prendre le temps de faire la visite des parcours secrets du Palazzo Vecchio. Quelle imagination, ces Médicis !

● Se reposer dans les jardins de Boboli en entendant les glouglous des fontaines.

● Traverser l'Arno pour admirer la chapelle Brancaci et les fresques somptueuses de Masaccio, Masalino et Lippi.

● Se faire une orgie de shopping en se rendant dans les nombreux *outlets* des environs, et profiter jusqu'à 60 % de remise dans des boutiques grandes marques.

● Atteindre une sérénité certaine après avoir vu les cellules des moines franciscains, peintes par Fra Angelico et ses disciples au Museo di San Marco.

● Tomber en pâmoison devant la chapelle des rois mages au Palazzo Medici Ricardi sans pour autant atteindre le syndrôme de Stendhal !

● Partir en goguette dans les quartiers de l'Oltrarno, et profiter de l'*aperitivo* pour faire de belles rencontres...

● S'aventurer à déguster des glaces aux parfums complètement délirants comme la chocolat-piment ou la noisette-poivre !

COMMENT Y ALLER ?

EN VOITURE

De France, plusieurs routes possibles, mais n'oubliez pas d'emporter une bonne carte routière.

➤ *À partir de Paris :* prendre l'A 6 (en direction de Lyon) jusqu'à Mâcon. Puis Bourg-en-Bresse et Bellegarde. Autoroute vers Chamonix, puis traverser le tunnel du Mont-Blanc (compter 32 € la traversée). Arrivé en Italie, prendre ensuite la direction de Gênes, Turin et Milan, puis rejoindre l'autoroute jusqu'à Pise et prendre l'A 11 pour Florence.

➤ *Par l'autoroute du Sud :* descendre jusqu'à Marseille, puis Nice et la frontière italienne, Menton et Vintimille. Le voyage se poursuit sur les autoroutes à péage italiennes via Gênes en longeant la côte ligure (San Remo, Imperia, Savona), puis La Spezia, Pise et Florence. Autre solution, prendre à partir de Gênes l'A 12 jusqu'à Lucques (Lucca), puis l'A 11 jusqu'à Florence.

➤ *Par le tunnel du Fréjus :* autoroute du Sud jusqu'à Lyon, autoroute A 43 Lyon-Chambéry-Montmélian, puis la vallée de la Maurienne jusqu'à Modane. Péage pour le tunnel : compter 31 € env la traversée, puis direction Turin, Gênes et Florence.

➤ *Ceux qui habitent l'Est ou le Nord de la France* ont intérêt à prendre l'autoroute en Suisse *à partir de Bâle.* Passer par Lucerne et le tunnel du Gothard, puis direction Milan, Bologne et Florence. À prendre en compte : le droit de passage (26,50 € pour l'année) en Suisse.

Attention : en Italie, sur autoroute, les panneaux indicateurs sont de couleur verte ; les bleus concernent les autres routes, notamment les nationales ou les routes secondaires. Les feux de code sont également obligatoires sur les routes italiennes... sous peine d'amende.

EN BUS

▲ CLUB ALLIANCE

– *Paris :* 33, rue de Fleurus, 75006. ☎ 01-45-48-89-53. Fax : 01-45-49-37-01. Ⓜ *Rennes, Saint-Placide ou Notre-Dame-des-Champs. Lun-ven 10h30-19h, sam 13h30-19h.*

Spécialiste des week-ends (Milan et lacs italiens) et des ponts de 4 jours (Rome, Venise, Florence, lac Majeur, lac de Garde...). Propose aussi des circuits économiques de 1 à 14 jours en Italie et dans toute l'Europe, y compris en France. Brochure gratuite sur demande.

▲ EUROLINES

☎ 0892-89-90-91 (0,34 €/mn). ● eurolines.fr ● *Vous trouverez également les services d'Eurolines sur ● routard.com ● Bureaux à Paris (1er, 5e, 9e arrondissement). La Défense, Versailles, Avignon, Bordeaux, Calais, Dijon, Lille, Lyon, Marseille, Metz, Montpellier, Nantes, Nîmes, Perpignan, Rennes, Strasbourg, Toulouse et Tours. Deux gares routières internationales à Paris : Gallieni (☎ 0892-89-90-91 ; Ⓜ Gallieni) et La Défense (☎ 01-49-67-09-79 ; Ⓜ La Défense-Grande-Arche).*

Leader européen des voyages en lignes régulières internationales par autocar, Eurolines permet de voyager vers plus de 1 500 destinations en Europe à travers 34 pays, avec 80 points d'embarquement en France.

➤ Eurolines dessert plus de 20 villes en Italie, dont Florence, au départ de nombreuses villes françaises.

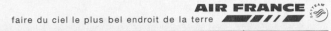

28 | D couloir
E centre
F fenêtre

▱ **Ecrans individuels**

▱ **Glaces pour les enfants**

▱ **Détente pour les parents**

Découvrez Air France à petits prix.

– *Pass Eurolines :* pour un prix fixe valable 15 ou 30 jours, vous voyagez autant que vous le désirez sur le réseau Eurolines entre 40 grandes villes européennes. Le *pass Eurolines* est fait sur mesure pour les personnes autonomes qui veulent profiter d'un prix très attractif et sont désireuses de découvrir l'Europe sous toutes ses coutures.

▲ **VOYAGES 4A**
– *Saint-Jean-de-Luz :* 203, rue des Artisans, 64501. Rens et résas : ☎ 05-59-23-90-37. ● voyages4a.com ● Lun-ven 10h-18h.
Voyages 4A propose des voyages en autocar sur lignes régulières à destination des grandes cités européennes, des séjours et circuits Europe durant les ponts et vacances, le carnaval de Venise, les grands festivals et expositions, des voyages en Transsibérien, des séjours en Russie à la découverte de Moscou. Quelques destinations hors Europe comme le Sénégal, Cuba et le Brésil. Formule tout public au départ de Paris, Lyon, Marseille et autres grandes villes de France.

EN TRAIN

– On conseille de réserver au moins 1 mois à l'avance, surtout en haute saison. *Artesia,* filiale de la SNCF et des Chemins de fer italiens, assure les liaisons ferroviaires entre la France et l'Italie.

Comment y aller ?

Des trains de nuit partent tous les soirs au départ de Paris-gare de Bercy.
➢ *Pour Florence et la Toscane :* 1 aller-retour quotidien avec un départ de Paris à 19h06, arrivée à 7h16 à la gare de Florence-Campo di Marte.

Pour préparer votre voyage

– *Billet à domicile :* commandez et payez votre billet par téléphone ou sur Internet, la SNCF vous l'envoie gratuitement à domicile.
– *Service « Bagages à domicile » :* appelez le ☎ 36-35 (0,34 €/mn), la SNCF prend en charge vos bagages où vous le souhaitez, et vous les livre là où vous allez en *24h de porte à porte.*

Les réductions

Vous pouvez vous rendre à Florence grâce aux tarifs *Prem's.* Plus vous anticipez, plus le prix est petit.

➢ *Les cartes : réduction garantie*
La carte *Escapades* s'adresse aux voyageurs de 26 à 59 ans. Elle offre jusqu'à 40 % de réduction (25 % garantis sur tous les trains), sauf TGV de nuit, pour des allers-retours de plus de 200 km, nuit de samedi à dimanche incluse.

➢ *Découverte : à chacun sa réduction*
– Avec les tarifs *Découverte,* vous bénéficiez de 25 % de réduction dans la limite des places disponibles : *Découverte Enfant +,* pour les voyages avec un enfant de moins de 12 ans ; *Découverte 12-25,* pour les jeunes de 12 à 25 ans ; *Découverte Senior,* pour les voyageurs de 60 ans et plus ; *Découverte Séjour,* pour des allers-retours d'au moins 200 km et la nuit de samedi à dimanche incluse (jusqu'à 35 % de réduction).

➢ *Pass InterRail*
– Avec les *Pass InterRail,* les résidents européens peuvent voyager dans 30 pays d'Europe, dont l'Italie. Plusieurs formules et autant de tarifs, en fonction de la destination et de l'âge.

MIQUE-AUX-NOCES

HEUREUSEMENT,
ON NE VOUS PROPOSE
PAS QUE LE TRAIN.

MYKONOS,
TOUTE L'EUROPE
ET LE RESTE DU MONDE.

Voyages-sncf.com

Voyages-sncf.com, première agence de voyage sur Internet avec plus de 600 destinations dans le monde, vous propose ses meilleurs prix sur les billets d'avion et de train, les chambres d'hôtel, les séjours et la location de voiture. Accessible 24h/24, 7j/7.

– Pour les grands voyageurs, l'*InterRail Global Pass* est valable dans l'ensemble des 30 pays concernés, intéressant si vous comptez parcourir plusieurs pays au cours du même périple. Il se présente sous 4 formes au choix. *Deux formules flexibles :* utilisable 5 j. sur une période de validité de 10 j. (249 € pour les + de 25 ans, 159 € pour les 12-25 ans), ou 10 j. sur une période de validité de 22 j. (359 € pour les + de 25 ans, 239 € pour les 12-25 ans). *Deux formules « continues » :* pass 22 j. (469 € pour les + de 25 ans, 309 € pour les 12-25 ans), pass 1 mois (599 € pour les + de 25 ans, 399 € pour les 12-25 ans). Ces 4 formules existent aussi en version 1re classe !

– Si vous ne parcourez que l'**Italie**, le *One Country Pass* vous suffira. D'une période de validité de 1 mois, et utilisable, selon les formules, 3, 4, 6 ou 8 jours en discontinu (à vous de calculer avant le départ le nombre de jours que vous passerez sur les rails) : 3 j. (109 € pour les + de 25 ans, 71 € pour les moins de 25 ans, 54,50 € pour les 4-11 ans), 4 j. (139 € pour les + de 25 ans, 90 € pour les moins de 25 ans, 69,50 € pour les 4-11 ans), 6 j. (189 € pour les + de 25 ans, 123 € pour les moins de 25 ans, 94,50 € pour les 4-11 ans) ou 8 j. (229 € pour les + de 25 ans, 149 € pour les moins de 25 ans, 114,50 € pour les 4-11 ans). Là encore, ces formules existent en version 1re classe (mais ce n'est pas le même prix, bien sûr). Attention également aux restrictions d'utilisation ou de suppléments éventuels (trains de nuits notamment).

Informations et réservations

– *Internet :* • voyages-sncf.com •
– *Téléphone :* ☎ 36-35 (0,34 €/mn).
– Également dans les gares, les boutiques SNCF et les agences de voyages agréées.

EN AVION

Les compagnies régulières

▲ AIR FRANCE
Rens et résas au ☎ 36-54 (0,34 €/mn, tlj 24h/24), sur • airfrance.fr •, dans les agences Air France et dans ttes les agences de voyages. Fermées dim.
➢ Dessert Florence avec 6 vols directs quotidiens et Pise avec 3 vols quotidiens au départ de Paris-Charles-de-Gaulle, aérogare 2.
Air France propose une gamme de tarifs accessibles à tous :
– « Évasion » : en France et vers l'Europe, Air France offre des réductions. « Plus vous achetez tôt, moins c'est cher ».
– « Semaine » : pour un voyage aller-retour pendant toute la semaine.
– « Week-end » : pour des voyages autour du week-end avec des réservations jusqu'à la veille du départ.
Air France propose également, sur la France, des réductions jeunes, seniors, couples ou famille. Pour les moins de 25 ans, Air France émet une carte de fidélité gratuite et nominative, « Fréquence Jeune », qui permet de cumuler des *miles* sur l'ensemble des compagnies membres de *Skyteam* et de bénéficier de billets gratuits et d'avantages chez de nombreux partenaires.
Tous les mercredis dès 0h, sur • airfrance.fr •, Air France propose les tarifs « Coup de cœur », une sélection de destinations en France pour des départs de dernière minute.
Sur Internet, possibilité de consulter les meilleurs tarifs du moment, rubrique « Offres spéciales », « Promotions ».

▲ ALITALIA
Résas et infos : ☎ 0820-315-315 (0,12 €/mn), lun-ven 8h-20h, sam-dim 9h-19h.
➢ Dessert Florence 6 fois par jour et Pise 3 fois par jour en partenariat avec Air France. Navettes quotidiennes entre les aéroports de Florence et Pise.

NOUVEAUTÉ

LOUISIANE ET LES VILLES DU SUD (novembre 2007)

La Louisiane s'est relevée des blessures du cyclone Katrina et elle a retrouvé toute sa joie de vivre ! C'est le moment de découvrir ou de revenir dans ce pays métissé où cultures créole et latine se mêlent au gré de la cuisine, des fêtes et du jazz. Partez à la rencontre des Cajuns, nos chaleureux cousins d'Amérique dont la langue délicieuse vous intimera de « laisser le bon temps rouler » et de vous déhancher sur un « fais dodo » endiablé. Empruntez ensuite l'*highway 61* et revisitez vos classiques entre Memphis et Nashville, ces villes mythiques qui ont vu naître tour à tour le blues, la country et le rock n' roll. Glissez-vous enfin dans la peau de Scarlett O'Hara et faites craquer les planchers des vastes demeures des planteurs du « vieux Sud », de Charleston, Savannah ou Atlanta. Et plongez dans les vestiges d'un passé alliant gloire, splendeur et combat pour l'émancipation.

Les compagnies *low-cost*

Ce sont des compagnies dites « à bas prix ». De nombreuses villes de province sont desservies, ainsi que les aéroports limitrophes des grandes villes. Réservation par Internet ou par téléphone (pas d'agence et pas de « billet papier », juste un numéro de réservation) et aucune garantie de remboursement en cas de difficultés financières de la compagnie. En outre, les pénalités en cas de changement d'horaires sont assez importantes et les taxes d'aéroport rarement incluses. Ne pas oublier non plus d'inclure le prix du bus pour se rendre à ces aéroports, souvent assez éloignés du centre-ville.
➢ Pour les compagnies qui atterrissent à l'aéroport de Pise, elles ont toutes des navettes qui font le trajet pour Florence.

▲ RYANAIR
● *ryanair.com* ● *Résas :* ☎ *0892-232-375 (0,34 €/mn), lun-ven 8h-19h.*
➢ De Bruxelles-Charleroi, 2 allers-retours quotidiens à destination de Pise. Navettes quotidiennes entre Pise et Florence.

▲ EASYJET
● *easyjet.com* ● *Résas :* ☎ *0899-70-00-41 (0,51 €/mn), tlj 9h-21h.*
➢ De Paris-Orly, 1 aller quotidien pour Pise et 2 vols quotidiens de Pise pour Paris-Orly.

▲ BRUSSELS AIRLINES
Rens : ☎ *0826-10-18-18 (depuis la France),* ☎ *070-35-11-11 (en Belgique).* ● *brus selsairlines.com* ● La compagnie aérienne a fusionné en mars 2007 avec *Virgin Express.*
➢ Liaisons à destination de Bruxelles depuis Paris CDG, Genève, Lyon, Marseille, Nice, Strasbourg et Toulouse. Deux tarifications : *b-flex* visant une clientèle professionnelle et *b-light,* proposant des formules low-cost depuis Brussels-Airport vers 50 destinations.
➢ De Bruxelles, vols quotidiens pour Florence.

LES ORGANISMES DE VOYAGES

– Ne pas croire que les vols à tarif réduit sont tous au même prix pour une même destination à une même époque : loin de là. On a déjà vu, dans un même avion partagé par deux organismes, des passagers qui avaient payé 40 % plus cher que les autres. De plus, une agence bon marché ne l'est pas forcément toute l'année (elle peut n'être compétitive qu'à certaines dates bien précises). Donc, contactez tous les organismes et jugez vous-même.
– Les organismes cités sont classés par ordre alphabétique, pour éviter les jalousies et les grincements de dents.

En France

▲ AUTREMENT L'ITALIE
– *Paris :* 76, bd Saint-Michel, 75006. ☎ *01-44-41-69-95.* ● *contact@autrement-ita lie.fr* ● *RER B :* Luxembourg. Lun-ven 9h30-19h ; sam 10h-13h, 14h-17h.
Autrement permet de voyager en toute liberté en Italie en construisant son voyage sur mesure avec l'aide de spécialistes : locations d'appartements, de villas dans la région des lacs, la Toscane, la côte amalfitaine et dans des grandes villes culturelles comme Rome, Venise, Florence ou Naples. Également des billets d'avions et des locations de voitures.
Possibilité aussi de s'initier à la cuisine italienne ou encore de réserver des billets pour des grandes manifestations culturelles (théâtres, opéras, concerts classiques...).

▲ BOURSE DES VOLS / BOURSE DES VOYAGES

Infos : • *bdv.fr* • *ou au* ☎ *0892-888-949 (0,34 €/mn), lun-sam 8h-22h.*
Agence de voyages en ligne, bdv.fr propose une vaste sélection de vols secs, séjours et circuits à réserver en ligne ou par téléphone. Pour bénéficier des meilleurs tarifs aériens, même à la dernière minute, le service de Bourse des Vols référence en temps réel un large panel de vols réguliers, charters et dégriffés au départ de Paris et de nombreuses villes de province à destination du monde entier !

▲ BRAVO VOYAGES

– *Paris : 5, rue de Hanovre, 75002.* ☎ *01-45-35-43-00.* • *bravovoyages.com* • ⓜ *Opéra ou 4-Septembre. Lun-ven 9h-19h ; sam 10h-18h.*
Agence spécialisée sur l'Italie et plus particulièrement sur la Sicile, les îles Éoliennes et la Sardaigne. Vols spéciaux hebdomadaires sur la Sicile et la Sardaigne, possibilités de vols réguliers, circuits, séjours en hôtels ou en clubs. De la formule tout compris au voyage à la carte en passant par le *fly and drive,* Bravo propose également des locations de villas et d'appartements sur l'Italie et ses îles.

▲ COMPTOIR DE L'ITALIE

– *Paris : 344, rue Saint-Jacques, 75005.* ☎ *0892-237-037 (0,34 €/mn).* • *comptoir. fr* • ⓜ *Port-Royal. Lun-sam 10h-18h30.*
– *Toulouse : 43, rue Peyrolières, 31000.* ☎ *0892-232-236 (0,34 €/mn). Lun-sam 10h-18h30.*
La *dolce vita,* la magie de la Renaissance Italienne et le parfum du cappuccino ne sont jamais bien loin lorsque leurs conseillers vous aident à bâtir un voyage. Comptoir de l'Italie propose un grand choix d'hébergements de charme, des week-ends insolites, des idées de voyages originales, et bien d'autres suggestions à combiner selon son budget, ses envies et son humeur.
Chaque Comptoir est spécialiste d'une ou plusieurs destinations : Afrique, Brésil, États-Unis, Canada, Désert, Italie, Islande, Groenland, Maroc, Pays celtes, Égypte, Scandinavie, Pays du Mékong.

▲ COMPTOIRS DU MONDE (LES)

– *Paris : 22, rue Saint-Paul, 75004.* ☎ *01-44-54-84-54.* • *comptoirsdumonde.fr* • ⓜ *Saint-Paul. Lun-ven 10h-19h ; sam 11h-18h.*
C'est en plein cœur du Marais, dans une atmosphère chaleureuse, que l'équipe des Comptoirs du Monde traitera personnellement tous vos désirs d'évasion : vols à prix réduits mais aussi circuits et prestations à la carte pour tous les budgets sur toute l'Asie, le Proche-Orient, les Amériques, les Antilles, Madagascar et maintenant l'Italie. Vous pouvez aussi réserver par téléphone et régler par carte de paiement, sans vous déplacer.

▲ DONATELLO

☎ *0826-10-20-05 (0,15 €/mn).* • *donatello.fr* •
Donatello est l'un des spécialistes du voyage en Italie. Il propose des week-ends dans les villes d'art, des séjours culturels, des locations d'appartements ou de villas.

▲ LASTMINUTE.COM

Les offres lastminute.com sont accessibles sur • *lastminute.com* •, *au* ☎ *0899-78-5000 (1,34 €/appel TTC puis 0,34 €/mn) et dans 9 agences de voyages situées à Paris, Nice, Toulouse, Bordeaux, Montpellier, Aix-en-Provence et Lyon.*
Lastminute.com propose une vaste palette de voyages et de loisirs : billets d'avion, séjours sur mesure ou clé en main, week-ends, hôtels, locations en France, location de voiture, spectacles, restaurants... pour penser ses vacances selon ses envies et ses disponibilités.

▲ LINEA ITALIA

– *Paris : 15, rue du Surmelin, 75020.* ☎ *01-43-61-10-00. Fax : 01-43-61-09-39.* ⓜ *Pelleport. Lun-jeu 9h30-12h30, 13h30-18h30 (ven 17h30).*
Linea Italia offre une nouvelle ligne de programmes pour concevoir ses vacances selon son plaisir et à son rythme : soit détente et farniente, soit découverte des

trésors culturels ou d'un événement. Toutes les formules sont proposées dans les villes d'art : Rome, Florence, Venise, Naples, etc., les régions telles que la Campanie (Capri, Amalfi, Sorrente), la Toscane, la Sicile et la Sardaigne.

Linea Italia, c'est aussi des vols spéciaux ou réguliers à prix réduits, un choix d'hôtels du 2-étoiles aux palaces, hôtels-clubs, villages de vacances, location d'appartements en Toscane et location de voitures, sélectionnés par une équipe italienne de spécialistes.

▲ NOUVELLES FRONTIÈRES

– *Rens et résas dans tte la France :* ☎ 0825-000-825 (0,15 €/mn). ● *nouvelles-fron tieres.fr* ●

Les 13 brochures Nouvelles Frontières sont disponibles gratuitement dans les 210 agences du réseau, par téléphone et sur Internet. Plus de 30 ans d'existence, 1 400 000 clients par an, 250 destinations, une chaîne d'hôtels-clubs *Paladien* et une compagnie aérienne, *Corsairfly*. Pas étonnant que Nouvelles Frontières soit devenu une référence incontournable, notamment en matière de tarifs. Le fait de réduire au maximum les intermédiaires permet d'offrir des prix « super-serrés ». Un choix illimité de formules vous est proposé : des vols sur la compagnie aérienne de Nouvelles Frontières au départ de Paris et de province, en classe Horizon ou Grand Large, et sur toutes les compagnies aériennes régulières, avec une gamme de tarifs selon votre budget. Sont également proposés toutes sortes de circuits, aventure ou organisés ; des séjours en hôtels, en hôtels-clubs et en résidences ; des week-ends, des formules à la carte (vol, nuits d'hôtel, excursions, location de voitures...), des séjours neige.

Avant le départ, des réunions d'information sont organisées. Intéressant : des brochures thématiques (plongée, rando, trek, thalasso).

▲ VOYAGES-SNCF.COM

Voyages-sncf.com, 1re agence de voyages sur Internet, propose des billets de train, d'avion, des chambres d'hôtel, des location de voitures et des séjours clés en main ou Alacarte® sur plus de 600 destinations et à des tarifs avantageux.

Leur site ● voyages-sncf.com ● permet d'accéder tous les jours, 24h/24, à plusieurs services : envoi gratuit des billets à domicile, Alerte Résa pour être informé de l'ouverture des résas et profiter du plus grand choix, calendrier des meilleurs prix (TTC), mais aussi des offres de dernière minute et des promotions...

Et grâce à l'Éco-comparateur, en exclusivité sur ● voyages-sncf.com ●, possibilité de comparer le prix, le temps de trajet et l'indice de pollution pour un même trajet en train, en avion ou en voiture.

▲ VOYAGES WASTEELS

65 agences en France, 140 en Europe. Pour obtenir l'adresse et le numéro de téléphone de l'agence la plus proche de chez vous, rendez-vous sur ● *wasteels.fr* ● *Centre d'appels Infos et ventes par téléphone :* ☎ 0825-887-070 (0,15 €/mn).

Voyages Wasteels propose pour tous des séjours, des week-ends, des vacances à la carte, des croisières, des locations mer et montagne, de l'hébergement en hôtel, des voyages en avion ou train et de la location de voitures, au plus juste prix, parmi des milliers de destinations en France, en Europe et dans le Monde.

▲ VOYAGEURS EN ITALIE

Le grand spécialiste du voyage en individuel sur mesure. ● *vdm.com* ●

– *Paris :* La Cité des Voyageurs, 55, rue Sainte-Anne, 75002. ☎ 0892-23-61-61 (0,34 €/mn). Ⓜ Opéra ou Pyramides. Lun-sam 9h30-19h.

– *Bordeaux :* 28, rue Mably, 33000. ☎ 0892-234-834 (0,34 €/mn).

– *Grenoble :* 16, bd Gambetta, 38000. ☎ 0892-233-533 (0,34 €/mn).

– *Lille :* 147, bd de la Liberté, 59000. ☎ 0892-234-634 (0,34 €/mn).

– *Lyon :* 5, quai Jules-Courmont, 69002. ☎ 0892-231-261 (0,34 €/mn).

– *Marseille :* 25, rue Fort-Notre-Dame (angle cours d'Estienne-d'Orves), 13001. ☎ 0892-233-633 (0,34 €/mn).

– *Montpellier : 7 rue de Verdun, 34000.* ☎ *0892-23-87-77 (0,34 €/mn).*
– *Nantes : 1-3 rue des Bons Français (entrée rue du Moulin), 44000.* ☎ *0892-230-830 (0,34 €/mn).*
– *Nice : 4, rue du Maréchal-Joffre (angle rue de Longchamp), 06000.* ☎ *0892-232-732 (0,34 €/mn).*
– *Rennes : 31, rue de la Parcheminerie, 35102.* ☎ *0892-230-530 (0,34 €/mn).*
– *Rouen : 17-19, rue de la Vicomté, 76000.* ☎ *0892-237-837 (0,34 €/mn).*
– *Toulouse : 26, rue des Marchands, 31000.* ☎ *0892-232-632 (0,34 €/mn).*
Ⓜ *Esquirol.*
Sur les conseils d'un spécialiste de chaque pays, chacun peut construire un voyage à sa mesure...
Pour partir à la découverte de plus de 120 pays, 120 conseillers-voyageurs, de près de 30 nationalités et grands spécialistes des destinations, donnent des conseils, étape par étape et à travers une collection de 27 brochures, pour élaborer son propre voyage en individuel.
Voyageurs du Monde propose également une large gamme de circuits accompagnés (Famille, Aventure, Routard...). Voyageurs du Monde a développé une politique de « vente directe » à ses clients, sans intermédiaire.
Dans chacune des *Cités des Voyageurs,* tout rappelle le voyage : librairies spécialisées, boutiques d'accessoires de voyage, expositions-ventes d'artisanat ou encore cocktails-conférences. Toute l'actualité de VDM à consulter sur leur site internet.

En Belgique

▲ CONNECTIONS
Rens et résas au ☎ *070-233-313.* ● *connections.be* ● *Lun-ven 9h-21h ; sam 10h-17h.*
Spécialiste du voyage pour les étudiants, les jeunes et les *Independent travellers*. Le voyageur peut y trouver informations et conseils, aide et assistance (revalidation, routing...) dans 22 points de vente en Belgique et auprès de bon nombre de correspondants de par le monde.
Connections propose une gamme complète de produits : des tarifs aériens spécialement négociés pour sa clientèle (licence IATA), une très large offre de « last Minutes », toutes les possibilités d'arrangement terrestre (hébergement, locations de voitures, *self-drive tours,* vacances sportives, expéditions) ; de nombreux services aux voyageurs comme l'assurance voyage « Protections » ou les cartes internationales de réductions (la carte internationale d'étudiant ISIC).

▲ NOUVELLES FRONTIÈRES
– *Bruxelles (siège) : bd Lemonnier, 2, 1000.* ☎ *02-547-44-22.* ● *nouvelles-frontieres.be* ●
– Également d'autres agences à *Bruxelles, Charleroi, Liège, Mons, Namur, Waterloo, Wavre* et au *Luxembourg.*
(Voir texte dans la partie « En France ».)

▲ SERVICE VOYAGES ULB
– *Bruxelles : campus ULB, av. Paul-Héger, 22, CP 166, 1000.* ☎ *02-648-96-58.*
– *Bruxelles : rue Abbé-de-l'Épée, 1, Woluwe, 1200.* ☎ *02-742-28-80.*
– *Bruxelles : hôpital universitaire Érasme, route de Lennik, 808, 1070.* ☎ *02-555-38-49.*
– *Bruxelles : chaussée d'Alsemberg, 815, 1180.* ☎ *02-332-29-60.*
– *Ciney : rue du Centre, 46, 5590.* ☎ *083-216-711.*
– *Marche : av. de la Toison-d'Or, 4, 6900.* ☎ *084-31-40-33.*
– *Wepion : chaussée de Dinant, 1137, 5100.* ☎ *081-46-14-37.* ● *servicevoyages.be* ● *Lun-ven 9h-17h.*
Service Voyages ULB, c'est le voyage à l'université. L'accueil est donc très sympa. Billets d'avion sur vols charters et sur compagnies régulières à des prix hyper-compétitifs.

▲ **TAXISTOP**

Pour toutes les adresses Airstop, un seul numéro de téléphone : ☎ 070-233-188.
● *airstop.be* ● *Lun-ven 10h-17h30.*
– *Taxistop Bruxelles : rue Fossé-aux-Loups, 28, 1000.* ☎ *070-222-292. Fax :*
02-223-22-32.
– *Airstop Bruxelles : rue Fossé-aux-Loups, 28, 1000. Fax : 02-223-22-32.*
– *Airstop Anvers : Sint Jacobsmarkt, 84, 2000. Fax : 03-226-39-48.*
– *Airstop Bruges : Dweersstraat, 2, 8000. Fax : 050-33-25-09.*
– *Airstop Courtrai : Badastraat, 1A, 8500. Fax : 056-20-40-93.*
– *Taxistop Gand : Maria Hendrikaplein, 65B, 9000.* ☎ *070-222-292. Fax : 09-242-*
32-19.
– *Airstop Gand : Maria Hendrikaplein, 65, 9000. Fax : 09-242-32-19.*
– *Airstop Louvain : Maria Theresiastraat, 125, 3000. Fax : 016-23-26-71.*
– *Taxistop Ottignies : boulevard Martin, 27, 1340. Fax : 010-24-26-47.*

En Suisse

▲ NOUVELLES FRONTIÈRES

– *Genève : 10, rue Chantepoulet, 1201.* ☎ *022-906-80-80.*
– *Lausanne : 19, bd de Grancy, 1006.* ☎ *021-616-88-91.*
(Voir texte dans la partie « En France ».)

▲ STA TRAVEL

● *statravel.ch* ●
– *Bienne : General Dufourstrasse 4, 2502.* ☎ *058-450-47-50.*
– *Fribourg : 24, rue de Lausanne, 1701.* ☎ *058-450-49-80.*
– *Genève : 3, rue Vignier, 1205.* ☎ *058-450-48-30.*
– *Lausanne : 26, rue de Bourg, 1003.* ☎ *058-450-48-70.*
– *Lausanne : à l'université, Anthropole, 1015.* ☎ *058-450-49-20.*
– *Montreux : 25, av. des Alpes, 1820.* ☎ *058-450-49-30.*
– *Neuchâtel : Grand rue, 2, 2000.* ☎ *058-450-49-70.*
– *Nyon : 17, rue de la Gare, 1260.* ☎ *058-450-49-00.*
Agences spécialisées notamment dans les voyages pour jeunes et étudiants. Gros
avantage en cas de problème : 150 bureaux STA et plus de 700 agents du même
groupe répartis dans le monde entier sont là pour donner un coup de main *(Travel
Help)*.
STA propose des voyages très avantageux : vols secs *(Skybreaker)*, billets
Euro Train, hôtels, écoles de langues, voitures de location, etc. Délivre la carte inter-
nationale d'étudiant et la carte Jeune Go 25.
STA est membre du fonds de garantie de la branche suisse du voyage ; les mon-
tants versés par les clients pour les voyages forfaitaires sont assurés.

▲ VOYAGES APN

– *Carouge : 3, rue Saint-Victor, 1227.* ☎ *022-301-01-50.*
● *web.mac.com/apnvoyages/* ●
Voyages APN propose des destinations hors des sentiers battus, particulièrement
en Europe (Grèce, Italie et pays du Nord), avec un contact direct avec les presta-
taires notamment dans le cadre de l'agritourisme. Certains programmes sont particulièrement adaptés aux familles.

Au Québec

▲ EXOTIK TOURS

Rens sur ● *exotiktours.com* ● *ou auprès de votre agence de voyages.*
La Méditerranée, l'Europe, l'Asie et les Grands Voyages : Exotik Tours offre une
importante programmation en été comme en hiver. Ses circuits estivaux se partagent notamment entre la France, l'Autriche, la Grèce, la Turquie, l'Italie, la Croatie,
le Maroc, la Tunisie, la République Tchèque, la Russie, la Thaïlande, le Vietnam, la
Chine... Dans la rubrique « Grands voyages », le voyagiste suggère des périples en

petits groupes ou en individuel. Au choix : l'Amérique du Sud (Brésil, Pérou, Argentine, Chili, Équateur, Iles Galapagos), le Pacifique Sud (Australie et Nouvelle Zélande), l'Afrique (Afrique du Sud, Kenya, Tanzanie), l'Inde et le Népal. L'hiver, des séjours sont proposés dans le Bassin méditerranéen et en Asie (Thaïlande et Bali). Durant cette saison, on peut également opter pour des combinés plage + circuit. Le voyagiste a par ailleurs créé une nouvelle division : Carte Postale Tours (circuits en autocar au Canada et aux États-Unis). Exotik Tours est membre du groupe *Intair*.

▲ NOLITOUR VACANCES

Membre du groupe Transat A.T. Inc., Nolitour est un spécialiste des forfaits vacances vers le Sud. Destinations proposées : Floride, Mexique, Cuba, République dominicaine, île de San Andres en Colombie, Panama, Nicaragua, El Salvador et Vénézuéla. Durant la saison estivale, le voyagiste publie trois brochures Europe dont Grèce, Italie et Espagne avec de nombreux circuits accompagnés ou autonomes, croisières, transferts en autocar, par traversiers, des locations automobiles, etc...

▲ RÊVATOURS

● *revatours.com* ● Ce voyagiste, membre du groupe Transat A.T. Inc., propose quelque 25 destinations à la carte ou en circuits organisés. De l'Inde à la Thaïlande en passant par le Vietnam, la Chine, Bali, l'Europe centrale, la Russie, des croisières sur les plus beaux fleuves d'Europe, la Grèce, la Turquie, l'Italie, la Croatie, le Maroc, l'Espagne, le Portugal, la Tunisie ou l'Égypte et l'Amérique du Sud, le client peut soumettre son itinéraire à Rêvatours qui se charge de lui concocter son voyage. Parmi ses points forts : la Grèce avec un bon choix d'hôtels, de croisières et d'excursions, les *Fugues Musicales* en Europe, la Tunisie et l'Asie. Nouveau : deux programmes en Scandinavie, l'Italie en circuit, Israël pouvant être combiné avec l'Egypte et la Grèce et aussi la Dalmatie.

▲ VOYAGES CAMPUS / TRAVEL CUTS

Pour contacter l'agence la plus proche : ● *voyagescampus.com* ●
Campus / Travel Cuts est un réseau national d'agences de voyages qui propose des tarifs aériens sur une multitude de destinations pour tous et plus particulièrement en classe étudiante, jeunesse, enseignant. Il diffuse la carte d'étudiant internationale (ISIC), la carte jeunesse (IYTC) et la carte d'enseignant (ITIC). Voyages Campus publie quatre fois par an *Le Müv*, le magazine du nomade (muvmag.com). Voyages Campus propose un programme de Vacances-Travail (SWAP), son programme de volontariat (Volunteer Abroad) et plusieurs circuits au Québec et à l'étranger. Le réseau compte quelque 70 agences à travers le Canada, dont 9 au Québec.

FLORENCE UTILE

Florence est sans nul doute, l'une des plus belles villes d'Italie. C'est une capitale mondiale de l'art qui a su conserver tous les attraits de son riche passé. La ville n'a jamais manqué d'artistes, notamment à la Renaissance, avec des peintres qui ont su capter et mettre en valeur l'essence du paysage toscan. Mais ce sont les artistes du *Quattrocento* qui ont peint le pays. Pour ce faire, ils ont utilisé la *veduta* : une fenêtre ouverte sur la campagne, qui, malgré son format réduit, donne une profondeur au tableau. Le genre fut alors créé. Peu d'endroits au monde peuvent s'enorgueillir d'avoir engendré autant de génies : Giotto, Michel-Ange, Botticelli, Dante, Machiavel et tant d'autres.

La capitale toscane a su aussi préserver son charme. D'autant que la campagne n'est pas loin : pas de banlieue, peu de constructions modernes, on passe tout de suite de la ville à la verdure. Il suffit de prendre un peu de hauteur (au sommet du Duomo par exemple) pour voir poindre l'herbe juste au-delà des toits de tuiles rouges. Redescendez au cœur de la ville et laissez-vous gagner par la magie de la ville en vous perdant au gré des venelles, c'est le meilleur moyen de la connaître. En effet, Florence n'est pas seulement une ville-musée, mais aussi un endroit où des gens vivent et s'amusent. Il n'y a qu'à voir fleurir les nombreuses *enoteche* (bars à vin) pour se dire que, oui, Florence est une ville qui bouge ! Vers 19h, à l'heure de l'*aperitivo,* allez prendre un verre du côté de l'Oltrarno vers San Frediano et San Spirito.

On peut trouver à la nuit tombée une certaine solitude, ô combien méritée après une journée harassante à piétiner au milieu du flot touristique. Tout alors devient calme et douceur. C'est à ce moment d'ailleurs, si vous le pouvez, qu'il faut partir à la découverte de la ville, de sa vie nocturne, de son mystère. Florence retrouve toute sa noblesse...

ABC DE FLORENCE

- **Superficie :** 806 km^2 (Florence et les environs).
- **Population :** 425 000 habitants (900 000 avec l'agglomération).
- **Capitale régionale de la Toscane.**
- **Principales ressources :** cuir, textile.
- **Altitude :** 50 m.
- **Tourisme :** 7 millions de visiteurs par an (dont 400 000 Français).
- **Patrimoine culturel :** Florence abrite la moitié des œuvres d'art conservées en Italie.

AVANT LE DÉPART
Adresses utiles

En France

🅱 *Office national italien de tourisme (ENIT) :* 23, rue de la Paix, 75002 Paris. Infos : ☎ 01-42-66-66-68 (attention, la ligne est souvent saturée) ou 01-42-66-03-96 (standard). ● enit-france.com ● (site très complet à consulter absolument avant de partir). Ⓜ Opéra et RER A : Auber. Lun-ven 9h-17h. L'ENIT (Ente Nazionale Italiano per il Turismo) est l'organisme national chargé de la promotion touristique de l'Italie à l'étranger (France, Belgique, Suisse, Canada).

En arrivant à Florence, demandez la documentation disponible à l'OT, souvent bien faite et souvent rédigée en français (plan et liste d'hôtels en particulier). L'office de tourisme publie chaque mois un calendrier des manifestations (fêtes, festivals, concerts).

■ *Consulats d'Italie :*
– Paris : 5, bd Émile-Augier, 75016. ☎ 01-44-30-47-00. Fax : 01-45-25-87-50. ● segretaria.parigi@esteri.it ● italconsulparigi.org ● Ⓜ La Muette. Lun-ven 9h-12h ; mer 9h-12h, 14h30-16h30. Infos téléphoniques lun-ven 9h-13h, 14h30-16h30.
– Dijon : 64, rue Vannerie, 21000. ☎ 03-80-66-27-30. Fax : 03-80-66-00-07. Lun-ven 9h-12h, 14h30-16h30. Le bureau est un véritable service consulaire relié au consulat à Paris.
■ *Autres vice-consulats* à Bordeaux, Chambéry, Lille, Lyon, Marseille, Metz, Nice et Toulouse.
■ *Ambassade d'Italie :* 51, rue de Varenne, 75007 Paris. ☎ 01-49-54-03-00. ● ambparigi.esteri.it ● Ⓜ Rue-du-Bac ou Varenne. Superbe hôtel particulier... fermé au public.
■ *Institut culturel italien* (hôtel de Gallifet) : ☎ 01-44-39-49-39. Fax : 01-42-22-37-88. ● iicparigi.esteri.it ● Lun-

ven : accès 10h-13h, 15h-18h au 50, rue de Varenne, 75007 Paris. Accès aux manifestations du soir au 73, rue de Grenelle, 75007 Paris. Ⓜ Varenne, Rue-du-Bac ou Sèvres-Babylone. Bibliothèque de consultation : ☎ 01-44-39-49-25.
■ *Centre culturel italien :* 4, rue des Prêtres-Saint-Séverin, 75005 Paris. ☎ 01-46-34-27-00. Fax : 01-43-54-20-85. ● administration@centreculturelitalien.com ● centreculturelitalien.com ● Ⓜ ou RER B ou C : Saint-Michel. Lun-jeu 9h30-13h30 et 14h30-19h ; ven-sam 9h30-13h. Propose des séjours linguistiques, des cours d'italien, mais également des expos, des conférences, des cours d'histoire de l'art, de cuisine... On peut demander le programme des activités culturelles par téléphone ou par e-mail.
■ *Librairie italienne La Tour de Babel :* 10, rue du Roi-de-Sicile, 75004 Paris. ☎ 01-42-77-32-40. Fax : 01-48-87-53-72. Ⓜ Saint-Paul. Mar-sam 10h-13h, 14h-19h.
■ *Théâtre de la Comédie Italienne :* 17, rue de la Gaîté, 75014 Paris. ☎ 01-43-21-22-22. Ⓜ Gaîté. La programmation de ce théâtre perpétue la tradition de la commedia dell'arte.
■ *Radio Aligre :* ☎ 01-40-24-28-28. ● http://aligrefm.free.fr ● FM-93.1. Créée en 1997, la série radiophonique hebdomadaire « L'Italie en direct » rassemble le dimanche, de 10h30 à 12h, journalistes et invités autour de débats sur les problématiques franco-italiennes. La série « L'Italie en direct au quotidien », présentée du lundi au vendredi de 6h30 à 8h, est, quant à elle, plus axée sur la musique et l'actualité. Ceux qui n'habitent pas en Île-de-France peuvent accéder aux émissions via le site internet.

En Belgique

🅱 *Office de tourisme :* av. Louise, 176, Bruxelles 1050. ☎ 02-647-11-54. Fax : 02-640-56-03. ● enit-info@infonie.be

● enit.it ● Lun-ven 9h-13h, 14h-17h.
■ *Ambassade d'Italie :* rue Émile-Claus, 28, Bruxelles 1050. ☎ 02-643-

38-50. *Fax :* 02-648-54-85. • *ambbruxel les.esteri.it* • *Lun-ven 9h-13h, 14h30-17h30.*
■ *Consulat d'Italie :* rue de Livourne,

38, Bruxelles 1000. ☎ 02-543-15-50. *Fax :* 02-537-57-56. • *http://sedi.esteri. it/consbruxelles* • *Lun-ven 9h-12h30, plus 14h30-16h30 lun.*

En Suisse

🛈 *Office national de tourisme :* 32, Uraniastrasse, 8001 Zurich. ☎ 04-346-640-40. *Fax :* 04-346-640-41. • *info@ enit.ch* • *Lun-ven 9h-17h.*
■ *Ambassade d'Italie :* 14, Elfenstrasse, 3006 Berne. ☎ 031-350-07-77. *Fax :* 031-350-07-11. • *http://sedi.*

esteri.it/berna/ •
■ *Consulat d'Italie :* 11, Belp Strasse, 3007 Berne. ☎ 031-381-10-10. • *conso lato-italia-be.ch* • *Mar, mer et ven 9h-12h30, sam 8h30-13h, mar et jeu 15h-17h30.*

Au Canada

🛈 *Office national de tourisme :* 175, Bloor Street, suite 907, South Tower, Toronto (Ontario), M4W-3R8. ☎ 1-416-925-48-82. *Fax :* (416) 925-47-99. • *ita liantourism.com* • *Lun-sam 9h-17h.*

■ *Ambassade d'Italie :* 275, Slater Street, 21st Floor, Ottawa (Ontario) K1P-5H9. ☎ 1-613 -232-24-01. *Fax :* (613) 233-14-84.

Formalités d'entrée

Pas de contrôles aux frontières, puisque l'Italie fait partie de l'espace Schengen. Néanmoins quelques précautions d'usage :
– *Pour un séjour de moins de 3 mois :* pour les ressortissants de l'Union européenne ainsi que de la Suisse, prévoir une carte d'identité en cours de validité ou un passeport. Pour les ressortissants canadiens, se munir d'un passeport en cours de validité.
– *Pour les mineurs non accompagnés de leurs parents,* une autorisation de sortie du territoire est indispensable.
– *Pour une voiture :* permis de conduire à 3 volets, carte grise et carte verte d'assurance internationale. Se munir d'une procuration si vous n'êtes pas propriétaire du véhicule.

Assurances voyage

■ *Routard Assistance, c/o AVI International :* 28, rue de Mogador, 75009 Paris. ☎ 01-44-63-51-00. *Fax :* 01-42-80-41-57. Depuis 1995, *Routard Assistance* en collaboration avec *AVI International,* spécialiste de l'assurance voyage, propose aux routards un tarif à la semaine qui inclut une assurance bagages de 1 000 € et appareils photos de 300 €. Pour les séjours longs (2 mois à 1 an), il existe le *Plan Marco Polo.* Routard Assistance est aussi disponible en version « light » (durée adaptée aux week-ends et courts séjours en Europe). Dans les dernières pages de

chaque guide, vous trouverez un bulletin d'inscription.
■ *Air Monde Assistance :* 5, rue Bourdaloue, 75009 Paris. ☎ 01-42-85-26-61. *Fax :* 01-48-74-85-18. Assuranceassistance voyage, monde entier. Frais médicaux, chirurgicaux, rapatriement... *Air Monde* utilise l'assureur *Mondial Assistance.* Malheureusement, application de franchises.
■ *AVA :* 25, rue de Maubeuge, 75009 Paris. ☎ 01-53-20-44-20. *Fax :* 01-42-85-33-69. Un autre courtier fiable qui propose un contrat *Snowcool* pour les vacances d'hiver, *Capital* pour ceux qui

souhaitent s'assurer en cas de décès, invalidité, accident lors d'un voyage à l'étranger. Attention, franchises pour leurs contrats d'assurance voyage.

■ *Pérès Photo Assurance (PPA) : 18, rue des Plantes, 78600 Maisons-Laffitte.* ☎ *01-39-62-28-63. Fax : 01-39-62-26-38.* Assurance de maté-riel photo tous risques, basée sur la valeur du matériel. Devis basé sur le prix d'achat de votre matériel. Avan-tage : garantie à l'année. Inconvénient : franchise et prime d'assurance peuvent être supérieures à la valeur de votre matériel.

Carte internationale d'étudiant (carte ISIC)

Elle prouve le statut d'étudiant dans le monde entier et permet de bénéficier de tous les avantages, services, réductions étudiants du monde, soit plus de 37 000 avantages dont plus de 7 000 en France, concernant les transports, les hébergements, la culture, les loisirs... C'est la clé de la mobilité étudiante !
La carte ISIC donne aussi accès à des offres exclusives sur le voyage (billets d'avion spéciaux, assurances voyage, carte de téléphone internationale, cartes SIM, loca-tion de voitures, navette aéroport...).
Pour plus d'informations sur la carte ISIC : rendez-vous sur le site internet de cha-que pays.

Pour l'obtenir en France

Se présenter dans l'une des agences des organismes mentionnés ci-dessous avec :
– une preuve du statut d'étudiant (carte d'étudiant, certificat de scolarité...) ;
– une photo d'identité ;
– 12 €, ou 13 € par correspondance incluant les frais d'envoi des documents d'information sur la carte.
Émission immédiate.

■ *OTU Voyages :* ☎ *0820-817-817.* ● *otu.fr* ● *pour connaître l'agence la plus proche de chez vous.* Possibilité de commander en ligne la carte ISIC.
■ *Voyages Wasteels :* ☎ *0825-88-70-70 (0,15 €/mn) pour être mis en rela-tion avec l'agence la plus proche de chez vous.* ● *wasteels.fr* ●
Pour localiser un point de vente proche de vous, ● *isic.fr* ● *ou* ☎ *01-49-96-96-49.*

En Belgique

La carte coûte 9 € et s'obtient sur présentation de la carte d'identité, de la carte d'étudiant et d'une photo auprès de :

■ *Connections : rens au* ☎ *02-550-01-00.* ● *isic.be* ●

En Suisse

La carte s'obtient dans toutes les agences STA Travel, sur présentation de la carte d'étudiant, d'une photo et de 20 Fs. Commande de la carte en ligne : ● isic.ch ● ou ● statravel.ch ●

■ *STA Travel : 3, rue Vignier, 1205 Genève.* ☎ *058-450-48-30.*
■ *STA Travel : 20, bd de Grancy, 1015 Lausanne.* ☎ *058-450-48-70.*

Carte FUAJ internationale des auberges de jeunesse (carte FUAJ)

Cette carte, valable dans 81 pays, permet de bénéficier des 4 000 auberges de jeunesse du réseau *Hostelling International* réparties dans le monde entier. Les périodes d'ouverture varient selon les pays et les AJ. À noter, la carte AJ est surtout intéressante en Europe, aux États-Unis, au Canada, au Moyen-Orient et en Extrême-me-Orient (Japon).

Pour tout renseignement, réservation et information en France

Sur place

■ *Fédération unie des auberges de jeunesse (FUAJ) :* 27, rue Pajol, 75018 Paris. ☎ 01-44-89-87-27. ● *fuaj.org* ● Ⓜ *Marx-Dormoy ou La Chapelle. Mar-ven 10h-18h ; sam 10h-17h. Montant de l'adhésion : 10,70 € pour la carte moins de 26 ans et 15,30 € pour les plus de 26 ans (tarifs 2007). Munissez-vous de votre pièce d'identité lors de l'inscrip-*tion. Une autorisation des parents est nécessaire pour les moins de 18 ans (une photocopie de la carte d'identité du parent qui autorise le mineur est obligatoire).

– Inscription possible également dans toutes les auberges de jeunesse, points d'information et de réservation FUAJ en France.

Par correspondance

Envoyez une photocopie recto verso d'une pièce d'identité et un chèque correspondant au montant de l'adhésion. Ajoutez 1,20 € pour les frais d'envoi de la FUAJ. Vous recevrez votre carte sous quinze jours.

– On conseille de l'acheter en France, car elle est moins chère qu'à l'étranger. La FUAJ propose aussi une *carte d'adhésion « Famille »,* valable pour les familles de deux adultes ayant un ou plusieurs enfants âgés de moins de 14 ans (23 €). Fournir, dans ce cas, une fiche familiale d'état civil ou une copie du livret de famille.
– La carte donne également droit à des réductions sur les transports, les musées et les attractions touristiques de plus de 80 pays. Ces avantages varient d'un pays à l'autre, ce qui n'empêche pas de la présenter à chaque occasion. *Liste de ces réductions disponible sur* ● *hihostels.com* ● *et les réductions en France sur* ● *fuaj. org* ●

En Belgique

Le prix de la carte varie selon l'âge. Entre 3 et 15 ans, 3 € ; entre 16 et 25 ans, 9 € ; après 25 ans, 15 €. Les résidents flamands qui achètent une carte en Flandre obtiennent 8 € de réduction dans les auberges flamandes et 4 € en Wallonie. Le même principe existe pour les habitants wallons.

Renseignements et inscriptions

■ *LAJ :* rue de la Sablonnière, 28, Bruxelles 1000. ☎ 02-219-56-76. ● *in fo@laj.be* ● *laj.be* ●

■ *Vlaamse Jeugdherbergcentrale :* Van Stralenstraat, 40, Antwerpen (Anvers) 2060. ☎ 03-232-72-18. ● *vjh.be* ●

Votre carte de membre vous permet d'obtenir un bon de réduction de 5 € sur votre première nuit dans les réseaux LAJ, VJH et CAJL (Luxembourg), ainsi que des réductions auprès de nombreux partenaires en Belgique.

En Suisse (SJH)

Le prix de la carte dépend de l'âge : 22 Fs pour les moins de 18 ans ; 33 Fs pour les adultes et 44 Fs pour une famille avec des enfants de moins de 18 ans.

Renseignements et inscriptions

■ *Schweizer Jugendherbergen :* service des membres des auberges de jeunesse suisses, 14, Schaffhauserstr., *Postfach 161, 8042 Zurich.* ☎ *(1) 13-60-14-14.* ● *marketing@youthhostel.ch* ● *youthhostel.ch* ●

Au Canada et au Québec

Elle coûte 35 $Ca pour une durée de 16 à 26 mois (tarif 2008) et 175 $Ca à vie. Gratuit pour les enfants de moins de 18 ans qui accompagnent leurs parents. Pour les juniors voyageant seuls, la carte est gratuite, mais la nuitée est payante (moindre coût). Ajouter systématiquement les taxes.

Renseignements et inscriptions

■ *Auberge de Jeunesse du Saint-Laurent / St-Laurent Youth Hostels :*
– *À Montréal : 3514, av. Lacombe, Montréal (Québec) H3T 1M1.* ☎ *(514) 731-10-15. Sans frais (au Canada) :* ☎ *1-866-754-10-15.*
– *À Québec : 94, bd René-Lévesque* *Ouest, Québec (Québec) G1R-2A4.* ☎ *(418) 522-2552.*
■ *Canadian Hostelling Association :* 205, Catherine Street, bureau 400, Ottawa, Ontario, Canada K2P-1C3. ☎ *(613) 237-78-84.* ● *info@hihostels.ca* ● *hihostels.ca* ●

ARGENT, BANQUES

Banques

Même si les horaires varient un peu avec les saisons, elles sont généralement ouvertes en semaine de 8h30 à 13h30 et de 15h à 16h. Certaines sont ouvertes le samedi matin, mais c'est plutôt rare. Mieux vaut vérifier auparavant. Nos amis francophones, en particulier les Suisses et les Québécois, peuvent évidemment toujours convertir leur monnaie d'origine en euros.

Cartes de paiement

La majorité des restaurants, hôtels et, dans une moindre mesure, un certain nombre de stations-service les acceptent. Nous vous signalons, dans la mesure du possible, nos adresses qui les refusent. Faites attention, car certains magasins sont encore équipés des anciens fers à repasser qui peuvent abîmer la puce de votre carte. Sur place, vous verrez en principe sur les vitrines des établissements les acceptant l'autocollant *Carta Si.*

De nombreux distributeurs automatiques *(Bancomats)* acceptant, entre autres, les cartes *MasterCard* et *Visa internationales,* sont disséminés un peu partout, prêts à satisfaire le moindre de vos besoins. Vérifiez avant votre départ et auprès de votre banque le plafond autorisé pour vos retraits. Ces distributeurs qui proposent une traduction en français permettent théoriquement de retirer de 240 à 300 € par semaine.

Attention, dans les commerces en Italie, quand on paie avec sa carte de paiement, on compose rarement son code ; on signe seulement. Conclusion : le vol ou la perte d'une carte peut coûter très cher. On nous a aussi signalé plusieurs cas d'utilisation frauduleuse par des commerçants qui avaient conservé l'empreinte de la carte. Par précaution, ne laissez pas traîner de justificatifs.

En cas d'urgence – dépannage

Quelle que soit la carte que vous possédez, chaque banque gère elle-même le processus d'opposition et le numéro de téléphone correspondant ! Avant de partir, notez donc bien le numéro d'opposition propre à votre banque en France (il figure souvent au dos des tickets de retrait, sur votre contrat ou à côté des distributeurs de billets), ainsi que le numéro à seize chiffres de votre carte. Bien entendu, conserver ces informations en lieu sûr, et séparément de votre carte. Par ailleurs, l'assistance médicale se limite aux 90 premiers jours du voyage.

– Carte *MasterCard :* numéro d'urgence assistance médicale : ☎ (00-33) 1-45-16-65-65. ● mastercardfrance.com ● En cas de perte ou de vol, composer le numéro communiqué par votre banque ou à défaut le numéro général : ☎ (00-33) 892-69-92-92 pour faire opposition 24h/24.

– Pour la carte *American Express,* téléphoner en cas de pépin au : ☎ (00-33) 1-47-77-72-00. Numéro accessible 24h/24 et tlj, PCV accepté en cas de perte ou de vol. ● americanexpress.fr ●

– *Carte Bleue Visa :* numéro d'urgence assistance médicale (Europ Assistance) : ☎ (00-33) 1-45-85-88-81. Pour faire opposition, contacter le numéro communiqué par votre banque ou à défaut depuis l'étranger le ☎ 1-410-581-9994 (PCV accepté). ● carte-bleue.fr ●

– Pour toutes les cartes émises par *La Banque postale,* composer le ☎ 0825-809-803 (0,15 €/mn) et pour les DOM ou depuis l'étranger : ☎ (00-33) 5-55-42-51-96.

Western Union Money Transfer

En cas de besoin urgent d'argent liquide (perte ou vol de billets, chèques de voyage, carte de paiement), vous pouvez être dépanné en quelques minutes grâce au système *Western Union Money Transfer.* Pour cela, demandez à quelqu'un de vous déposer de l'argent en euros dans l'un des bureaux *Western Union* ; les correspondants en France de *Western Union* sont *La Banque postale* (fermée sam ap-m, n'oubliez pas ! ☎ 0825-00-98-98) et *Travelex* en collaboration avec la *Société Financière de Paiement (SFDP),* ☎ 0825-825-842. L'argent vous est transféré en moins d'un quart d'heure. La commission, assez élevée, est payée par l'expéditeur. Possibilité d'effectuer un transfert en ligne 24h/24 par carte de paiement (Visa ou MasterCard émise en France).

● westernunion.com ●

– Depuis l'Italie : *un n° Vert* ☎ *800-464-464 (service disponible lun-ven 8h30-20h, sam 9h-19h, dim 9h-13h).*

ACHATS

Quelques idées (voir adresses dans la rubrique « Shopping » de « Florence ») :

– la *maroquinerie,* pas donnée mais quelle qualité ! Vêtements, ceintures, sacs, porte-monnaie, chaussures. Marques : Raspini, Ferragamo (un peu moins cher qu'à Paris), Todd's, Beltrami, Furla...

– Les *textiles* et *foulards de soie.*

– Les *céramiques,* plus abordables. Pots, vases, assiettes peintes à la main avec des motifs Renaissance ou modernes.

– La *papeterie de luxe :* cartes de vœux, agendas, tout en papier marbré, spécialité de Florence.

– Le *vin :* du chianti, naturellement, mais bien d'autres encore, comme le *Brunello di Montalcino,* par exemple.

– Les *terracotte :* nombreux objets décoratifs, grandes jarres, cruches... en terre cuite. Nombreux ateliers d'artisans à Impruneta (à une dizaine de km au sud de Florence).

– Les ***produits alimentaires hauts de gamme :*** piments à l'huile d'olive, tomates séchées à l'huile de tournesol, cœurs d'artichauts aux olives, *panforte,* miel de tournesol, etc.
– Les ***bijoux :*** Gherardi (corail), Piccini, Settepasi Faraone (sur le ponte Vecchio à Florence).

BUDGET

La Toscane reste une destination onéreuse et Florence en particulier.

Hébergement

L'hébergement risque de plomber le budget. Florence est l'une des villes les plus chères d'Italie. Aussi le budget hébergement est-il à majorer de 25 à 30 %. Il est bon de savoir que les prix affichés ne sont pas toujours exacts... Ils sont aussi extrêmement fluctuants. Évidemment, en basse saison, les prix que nous vous indiquons baissent considérablement, mais ils peuvent aussi diminuer en haute saison selon le remplissage de l'établissement et de la « qualité » du client. La plupart des hôtels des catégories « Bon marché » et « Prix moyens » et un certain nombre de la catégorie « Chic » disposent de chambres aux prestations différentes. Ajoutons que, comme bien souvent, la classification ne correspond pas vraiment à celle que nous connaissons en France : par exemple, un 3-étoiles italien *(tre stelle)* n'offre souvent pas plus que ce que propose un 2-étoiles français. Ce décalage est valable pour toutes les catégories.
Pour une chambre double en haute saison :
– ***Bon marché :*** moins de 60 € ;
– ***Prix moyens :*** de 60 à 100 € ;
– ***Chic :*** au-delà de 100 € ;
– ***Très chic :*** des établissements exceptionnels et d'un prix très élevé, que nous citons surtout en fonction de leur renommée et de leur décor, en souhaitant que votre budget vous permette, un jour, d'y séjourner.
Pour dormir plus économique, restent les solutions camping (même s'ils ne sont pas vraiment donnés en haute saison), AJ, agritourisme, location d'appartements ou... couvents (voir plus loin la rubrique « Hébergement »).

Restaurants

– Contrairement aux hôtels, les restaurants ont des cartes très complètes avec tous les prix indiqués. Faire cependant attention, d'une part aux *antipasti* au buffet, car ils ne sont pas à volonté, et d'autre part aux viandes et aux poissons, facturés la plupart du temps au poids en fonction du prix du jour.
– Pour goûter aux spécialités régionales ou familiales avec un repas complet (entrée, plat, dessert, boisson, pain et couvert), compter environ 25 €, voire un peu moins, pour un menu touristique. Au-dessus de 35 € : la classe ou... l'arnaque dans certains endroits touristiques.
– Attention, sauf rares exceptions, il vous faudra penser à ajouter à l'addition le *pane e coperto* (de 1,50 à 2,50 € en moyenne, au-delà de 3 € c'est du vol) ainsi que la bouteille d'eau minérale (environ 2 €). Il arrive de plus en plus souvent que, en plus du couvert et de l'eau minérale, on vous compte le service (10 à 15 %). L'addition peut donc monter très vite ! Nous avons classé les restaurants en trois catégories, sur la base d'un repas (c'est-à-dire le plus souvent *antipasti, primi* ou *secondi* et dessert) sans la boisson :
– ***Bon marché :*** moins de 16 € ;
– ***Prix moyens :*** de 16 à 26 € ;
– ***Chic :*** au-delà de 26 €.

Enfin (routards aux budgets un peu serrés, ceci vous concerne), un plan sympa consiste à aller dans un *alimentari* (magasin d'alimentation) pour se faire préparer un *panini*, c'est-à-dire en choisissant une ou deux *rosette* (petit pain individuel), ou une pizza blanche à garnir selon son envie. En outre, on indique dans la rubrique « Où manger ? » quelques adresses pour manger sur le pouce une part de pizza *al taglio,* un sandwich (à l'italienne, bien sûr !), une salade ou un plat chaud. On y mange le plus souvent debout à prix modique et on économise en plus sur le service et le couvert. Sinon, on peut aussi faire son marché...

Visites des sites et musées

Prévoir un budget important : les sites les plus courus vendent leurs entrées à prix d'or (galerie des Offices, par exemple). Les jeunes de moins de 18 ans ainsi que les personnes de plus de 65 ans faisant partie de l'UE bénéficient de réductions importantes, voire de la gratuité, dans bon nombre de musées et sites nationaux. Munissez-vous donc de votre carte d'identité ou de votre passeport. Les réductions étudiants sont peu fréquentes. Renseignez-vous à l'office de tourisme dès votre arrivée. Enfin, prévoyez de la menue monnaie pour l'éclairage des églises (1 à 2 €), c'est idiot, mais ça finit par chiffrer.

Réductions

Attention, si vous voulez bénéficier des avantages, remises et gratuités (apéritif, café, digestif) que nous avons obtenus pour les lecteurs de ce guide, n'oubliez pas de les réclamer avant que le restaurateur ou l'hôtelier n'établisse l'addition. La loi italienne l'oblige à vous remettre une *ricevuta fiscale* qu'il ne peut en aucun cas modifier après coup. Ce serait dommage qu'il vous les refuse pour cette raison.

CLIMAT

La Toscane est une région de transition entre le Nord et le climat franchement méditerranéen du Mezzogiorno. On peut subir aussi bien les pires chaleurs que des pluies diluviennes en été (surtout au mois d'août).

Les meilleures saisons sont le printemps et l'automne, avec des températures agréables (autour de 25 °C), peu de précipitations et des lumières caressantes du plus bel effet.

DANGERS ET ENQUIQUINEMENTS

Vol

Comme partout, le risque de vol existe, donc attention ! Quelques petits rappels qui ne font jamais de mal...

– Ne portez jamais de sac sur l'épaule mais toujours en bandoulière, et maintenez-le fermement (plutôt sur le ventre) avec vos mains en empruntant une ruelle étroite ou si vous prenez un moyen de transport collectif.

– Ne jamais rien laisser dans les poches, surtout arrière, trop facilement accessibles.

– Si vous avez la chance d'avoir un véhicule, ne mettez rien en évidence et laissez le moins possible vos bagages dans le coffre.

– En cas de perte ou de vol, faites-vous établir un constat pour votre compagnie d'assurances, en vous adressant au poste de *carabinieri* le plus proche. Adressez-vous à l'antenne du consulat français seulement en cas de vol ou de perte des papiers d'identité.

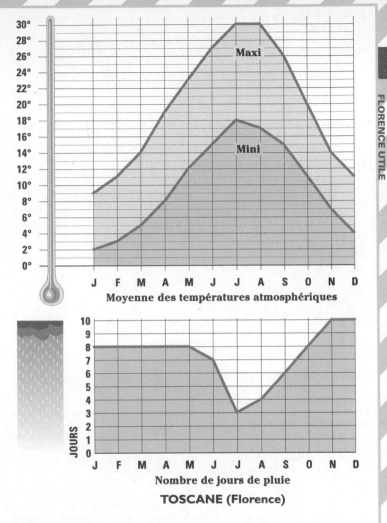

Moyenne des températures atmosphériques

Nombre de jours de pluie

TOSCANE (Florence)

FLORENCE UTILE

Achats dans la rue

On profite de ce paragraphe pour vous donner un petit avertissement. Contrairement aux promesses du gouvernement italien, les vendeurs à la sauvette continuent à pulluler dans les rues des grandes villes, tout autour des sites touristiques. Évitez de succomber aux imitations de sacs de grande marque. On vous rappelle qu'acheter ce genre de produits est rigoureusement interdit et passible d'une très forte amende. À la douane, vous risquez de payer deux fois le prix de l'original. Mais vu le laxisme ambiant, vous serez peut-être tenté de faire comme tout le monde. On vous demande alors tout simplement de réfléchir et de ne pas encourager cette forme moderne d'esclavage.

ÉLECTRICITÉ

Tension électrique : 220 V, mais les prises sont différentes. Adaptateurs peu encombrants, assez faciles à trouver.

ENFANTS

Vous avez décidé de partir avec vos enfants ? Nul doute qu'ils découvriront une ville qui les éblouira par ses couleurs, ses monuments et son histoire.

Quelques conseils et infos pratiques

– Tous les musées sont gratuits pour les moins de 18 ans.
– Les bus ATAF sont gratuits pour les enfants de moins de 1 m (4 ans environ).
– Les restaurants sont souvent équipés de chaises hautes et proposent des menus *bambini*. Ils se composent généralement d'un plat de *pasta* et d'un dessert, bien souvent une glace au parfum de son choix. De quoi tenter les petites bouches, même les plus difficiles !
– Chaussez-les avec de bonnes chaussures et veillez toutefois (même si l'envie ne manque pas d'arpenter la ville de long en large) à ne pas surcharger les journées...
– Avec un très jeune enfant, emportez toujours avec vous un biberon d'eau ou une gourde (il fait très chaud en été, ne l'oubliez pas) et assurez-vous que votre poussette tiendra le choc pendant votre séjour.
– En cas de problème, contacter l'hôpital pédiatrique Meyer (voir les coordonnées à Florence dans « Infos et adresses utiles. Urgences »).

Les sites à ne pas manquer

Florence regorge de trésors artistiques et culturels, voici quelques musées et monuments qui remporteront à coup sûr un vif succès auprès de nos petits voyageurs :
– **Le Palazzo Vecchio** se met à la portée des plus petits en leur consacrant des espaces bien spécifiques : dans la *Salle des histoires et des jeux de Bia et de Garcia,* vos bambins découvriront l'histoire de la peinture racontée par des acteurs, avec des jeux de lumières et d'ombres. Faites le parcours secret avec eux : une visite palpitante des lieux insolites et secrets du musée. Pour les petits curieux, sachez que la salle multimédia propose des CD-Rom pour enfants. Des contes (parfois en français) sont également proposés.
– Au **Palazzo Pitti,** montrez-leur les « incontournables » : *La Madone à l'Enfant* de Raphaël et quelques impressionnantes fresques. Le palais offre d'autres visites originales comme le *musée du Costume* ou la *salle des Appartements royaux* qui émerveilleront petits et grands... Emmenez-les ensuite se dégourdir les jambes dans les jardins de Boboli juste à côté : un cadre magique fait de fontaines et de grottes... Et pourquoi pas faire une petite sieste réparatrice.
– N'oubliez pas le **Museo della Specola,** cette visite originale permet de découvrir plus de 2 000 espèces de gros mammifères. Vous croiserez le regard des tigres de Tasmani, frissons garantis !
– Allez, encore un petit effort pour grimper en haut du Dôme (ou encore de la piazzale Michelangelo). La vue d'en haut est époustouflante. Attention au vertige !
– Le musée Léonard de Vinci où ils pourront comprendre le fonctionnement de certaines machines peut aussi les intéresser.
– Et comme ils ont été très sages, offrez-leur une vraie glace italienne, regardez-les s'émerveiller et hésiter devant la grande variété de parfums des glaciers *Carabe* ou *Vivoli.*

Idées shopping

– Consacrez une demi-journée pour flâner et leur faire découvrir les marchés alimentaires qui se tiennent presque tous les matins. N'hésitez pas à leur faire observer les riches étals colorés et à les initier aux saveurs locales. Ils y découvriront des produits typiques dans une ambiance animée, une bonne idée pour réviser les noms des fruits et légumes.

– Faites un petit tour dans quelques boutiques traditionnelles, en visitant par exemple l'herboristerie *La Bizzari* pour découvrir des arômes rares ou encore la très célèbre pharmacie de Santa Novella.

– Ne quittez pas Florence sans rendre visite à Pinocchio ! Même si l'auteur de la célèbre marionnette n'est pas vraiment originaire de la ville (Collodi est tout à côté quand même), vous trouverez de nombreuses boutiques où les artisans fabriquent de belles marionnettes et des Pinocchio en bois.

– Et pour garder un souvenir magique de Florence pourquoi ne pas faire un tour de manège sur les vrais chevaux de bois de la piazza Stozzi ?

FÊTES ET JOURS FÉRIÉS

L'Italie a toujours eu le goût de la fête. Les festivités religieuses y tiennent, bien sûr, la première place. Chaque localité a son saint patron et ne manque pas de l'honorer avec faste ; chaque quartier a son saint protecteur et chaque église son saint dédicataire. Mais il y a aussi les fêtes profanes, comme les célèbres carnavals. La population locale est viscéralement attachée à ses traditions. Vous verrez de nombreuses manifestations à reconstitutions historiques.

Fêtes et festivals

– *Scoppio del Carro (Explosion du Char) :* le matin du dimanche de Pâques. Piazza del Duomo. Cortège en costumes Renaissance comprenant, notamment, les représentants des différents quartiers de Florence ainsi que les équipes du Calcio Storico. Mais la pièce maîtresse du défilé consiste en un char haut de plusieurs mètres qui, au terme du défilé, sera mis à feu... par une colombe pyromane. Du cou de la patronne de la ville, sainte Réparate (décapitée en Palestine), une colombe se serait échappée vers le ciel...

– *Mostra mercato internazionale dell'Artigianato :* en avril (fête des artisans d'Europe). ● mostraartigianato.it ●

– *Festa del Grillo (fête du Grillon) :* c'est la fête du printemps qui se déroule dans le parc de l'ouest de la ville, le premier dimanche après l'Ascension. Les enfants libèrent les grillons achetés la veille. Symbole de liberté et de bonheur.

– Également la *Settimana della Cultura :* 8 jours en mai, dans toute l'Italie. Un peu l'équivalent des Journées du Patrimoine en France : musées, sites et monuments sont gratuits, et certains sites habituellement fermés ouvrent exceptionnellement leurs portes. Grosse affluence, bien sûr. Programme : ● beniculturali.it ●

– *Maggio musicale fiorentino (Mai musical florentin) :* en mai et juin. Concerts, opéras et ballets non-stop pendant 2 mois. Les manifestations ont lieu principalement au *Teatro comunale (plan général A3),* corso Italia, 16, au *Teatro della Pergola (plan général E3),* via della Pergola, 12-32, et au *Teatro Verdi (plan général E4),* via Ghibellina, 99. *Infos :* ☎ 055-2779350, tlj 10h-18h. Vente de billets (call center) : ☎ 899-666-805, lun-ven 8h-20h, sam 8h-15h. ● maggiofiorentino.com ●

– *Calcio Storico :* à partir du 7 juin (finale le 24 juin). Piazza di Santa Croce. On voit s'affronter devant Santa Croce les adeptes du Calcio Storico, l'ancêtre du football, qui est un curieux mélange de trois sports (football, rugby, lutte). Deux parties, avant la finale, opposent les quatre quartiers de la ville, San Giovanni, Santa Maria Novella, Santa Croce et Santo Spirito. Chaque équipe ne compte pas moins de 27 joueurs, dont 15 attaquants (pour favoriser le spectacle). Cette manifestation est précédée d'un grand défilé, en costumes Renaissance, réunissant 500 participants. Un banquet clôt les festivités. ☎ 055-26-16-052.

Assiégés par les troupes impériales (en février 1530), les Florentins continuaient de vivre et de s'amuser, comme si de rien n'était... Depuis, en souvenir d'une partie demeurée célèbre, le Calcio Storico, malgré quelques interruptions, perdure.

– **Rificolona :** le 7 septembre. Dans les rues de Florence et plus précisément autour de la piazza Santissima Annunziata (fenêtres des maisons). *Rificolona* signifie « lampion ». La veille de la naissance de la Vierge, en souvenir des lanternes utilisées à l'époque médiévale par les paysans marchant jour et nuit pour écouler leurs marchandises lors de la Foire des festivités mariales, Florence et ses nombreuses maisons resplendissent de mille lumières de toutes les couleurs.

– **San Lorenzo (Saint-Laurent) :** le 10 août. Dans le quartier de San Lorenzo. Diverses festivités accompagnent la fête du saint patron.

– **Festival dei Popoli (Festival du cinéma) :** 1 semaine début décembre. Au palais des Congrès, nombreux films en version originale.

Jours fériés

Les jours fériés et chômés sont à peu près identiques aux nôtres. Ils sont cependant moins nombreux (l'Ascension n'est pas un jour férié et le lundi de Pentecôte ne l'a jamais été). Mai est donc un mois plus travaillé en Italie qu'en France.

> ### JOURS DE FÊTE
> *Ne pas confondre* giorno feriale *qui, en italien, signifie « jour ouvrable », avec* giorno festivo *qui se traduit par « jour férié »... Ah, ces faux amis !*

– **1ᵉʳ janvier :** *Capodanno.*
– **6 janvier :** *Epifania* ; mais pour tous les Italiens, c'est le jour de la *Befana,* une gentille sorcière qui circule à califourchon sur son balai de paille. Aux enfants méchants, elle dépose du charbon dans la chaussette suspendue à la cheminée. Aux gentils, des confiseries et des cadeaux.
– **Lundi de Pâques :** *Pasquetta.*
– **25 avril :** *liberazione del 1945.*
– **1ᵉʳ mai :** *festa del Lavoro.*
– **2 juin :** *festa della proclamazione della Republica.*
– **15 août :** *festa dell'Assunta, Ferragosto.*
– **1ᵉʳ novembre :** *Ognissanti.*
– **8 décembre :** *Immacolata Concezione.*
– **25 et 26 décembre :** *Natale* et *Santo Stefano.*

Sont aussi considérés comme des jours semi-fériés les 14 août, 24 et 31 décembre. Certaines fêtes, comme celle du 15 août, peuvent durer plusieurs jours et paralyser une grande partie de la vie économique. Attention aux fermetures des banques, notamment. Renseignez-vous auprès de l'office de tourisme.

HÉBERGEMENT

Ainsi que l'indique notre rubrique « Budget », la majeure partie de vos dépenses sera consacrée à l'hébergement. Il est parfois plus prudent de réserver depuis la France. Pensez aussi aux périodes de fêtes, aux festivals locaux, aux salons et aux foires. Si vous séjournez au moins une semaine au même endroit, pensez au gîte ou à une location d'appartement : formule moins chère que l'hôtel, par exemple. Attention, lorsque vous demandez une chambre double, précisez « *doppia, matrimoniale* », si vous êtes en couple, car vous risquez de vous retrouver avec deux lits séparés !

Agences de location d'appartements et de maisons depuis la France

C'est devenu en quelques années la solution idéale, d'autant que nombre de particuliers ont profité des taux intéressants mis à leur disposition pour rénover la vieille maison de famille qui n'était plus guère habitée, afin de la louer aux visiteurs de passage. D'autres ont racheté un grenier ou un rez-de-chaussée, mettant un confort minimum ou maximum selon qu'ils entendaient se le réserver pour eux quelques semaines par an ou non.

Il est très intéressant de louer un appartement en plein centre de Florence. C'est une solution pratique et plutôt économique (pour les familles notamment), à condition de rester plusieurs jours. Votre budget nourriture s'en trouvera **sérieusement** allégé, car il y a toujours un supermarché à proximité indiqué par l'agence qui gère les lieux.

■ *Casa d'Arno :* 36, rue de la Roquette, 75011 Paris. ☎ 01-44-64-86-00. ● info@casadarno.com ● casadarno.com ● Ⓜ Bastille. Location d'appartements de standing à Florence. Également une sélection de *B & B* pour un séjour de plus courte durée. Vous serez accueilli et conseillé par une Italienne extrêmement sympathique qui connaît parfaitement bien son pays ; il est préférable de téléphoner pour prendre rendez-vous. Possibilité de réserver une location de voiture, un transfert de l'aéroport, des cours de cuisine et des visites guidées sur mesure. Pour d'autres destinations en Italie, brochures sur simple demande.

■ *Far Voyages :* 8, rue Saint-Marc, 75002 Paris. ☎ 01-40-13-97-87. ● info@locatissimo.com ● locatissimo.com ● Ⓜ Bourse ou Grands-Boulevards. Propose un service de location à la campagne dans les *Agriturismo*, fermes restaurées dans le respect des structures originales, simples ou luxueuses. Des appartements et résidences autour des grands lacs. Catalogue gratuit sur simple demande et aussi sur le site internet.

■ *Italie Loc'Appart :* 75, rue de la Fontaine-au-Roi. 75011 Paris. ☎ 01-45-27-56-41. ● italie-loc-appart@wanadoo.fr ● destinationslocappart.com ● Ⓜ Goncourt. Accueil téléphonique assuré lun-ven 14h-19h par des responsables de destination à Paris ayant une bonne connaissance de Florence, et puis, sur place, par des correspondants bilingues franco-italiens, qui interviennent en cas de problème. Réception sur rendez-vous uniquement. Italie Loc'Appart propose la location d'appartements à Florence (depuis le studio jusqu'au F4) et de maisonnettes en Toscane, pour un minimum de trois nuits à partir de n'importe quel jour d'arrivée. Une agence que nous recommandons chaleureusement. Service proposé également en Ombrie, à Venise, Rome, Naples, Milan, pour la côte amalfitaine et la Sicile.

Les campings

Il arrive très souvent de payer plus de 30 € pour deux avec une petite tente et une voiture en haute saison. Se faire préciser si la douche (chaude) est comprise dans le prix et à tout moment de la journée.

Toutefois, en cherchant bien, on trouve encore des campings (2-étoiles ou l'équivalent) pratiquant des prix raisonnables, autour de 20 € pour deux en haute saison. Hélas, beaucoup d'établissements se transforment peu à peu en parkings pour roulottes et autres mobile homes, qui s'avèrent bien plus rentables que les emplacements pour les tentes. D'aucuns consacrent une partie de leur terrain à des bungalows, autrement plus lucratifs. Certains campings disposent d'une piscine.

Si vous êtes accompagné d'enfants, il existe un tarif « spécial *bambini* » pour les moins de 12 ans. Exigez-le.

Les campings étoilés classés par catégories sont généralement ouverts d'avril à octobre. Toutefois, certains restent ouverts toute l'année. Vous pourrez vous procurer une brochure avec la liste complète des terrains de camping éditée par la Confédération italienne de camping, *Guida ai Campeggi,* dans des librairies de la péninsule (autour de 10,50 €) ou, avant le départ à l'adresse suivante :

■ *Fédération française de camping et caravaning :* 78, *rue de Rivoli, 75004 Paris.* ☎ *01-42-72-84-08.* ● *ffcc.fr* ● Ⓜ *Hôtel-de-Ville. Ouv lun-ven 8h30-* *12h30, 13h30-17h30 (17h ven).* Possibilité de se procurer la liste des campings (16 €, frais d'envoi compris).

Les auberges de jeunesse

On compte environ 105 auberges de jeunesse en Italie (dont seulement 2 à Florence !). Elles sont généralement bien entretenues, mais n'ont pas toujours (comme dans la plupart des pays voisins) une cuisine à disposition des hôtes. La carte internationale est obligatoire. Vous pouvez vous la procurer en France auprès de *Hostelling International,* représentée à Paris par la *Fédération unie des auberges de jeunesse (FUAJ).* Coordonnées plus haut dans la rubrique « Avant le départ ». On peut acheter la carte sur place, mais, bien sûr, c'est plus cher. En cas d'oubli, on peut également se la procurer sur Internet. En haute saison, il est conseillé de **réserver**. Plusieurs possibilités :
– *Par Internet :* ● ostellonline.org ●
– *Par téléphone ou fax :* en contactant directement l'AJ.
– *Par courrier :* en écrivant directement à l'AJ, mais ça prend du temps et, franchement, c'est moins commode.
– Pour plus d'information, vous pouvez aussi vous adresser directement au central de réservation des auberges de jeunesse italiennes :

■ *Associazione italiana alberghi per la gioventù :* via Cavour, 44, 00184 Roma. ☎ 06-487-11-52. ● info@ostellionline.org ● ostellionline.org ● Pour compenser, un certain nombre d'établissements font office d'auberge de jeunesse privée, en proposant le même type d'hébergement en dortoirs : ils pratiquent le même genre de tarifs et sont bien mieux situés, beaucoup plus centraux.

Le logement dans les communautés religieuses

– Pour être hébergé dans les monastères, il n'est pas nécessaire d'être dévot. L'essentiel est de se montrer respectueux. Toutefois, couples non mariés s'abstenir. De plus, certaines communautés n'acceptent que les filles.
– Le logement s'effectue, le plus souvent, dans des chambres communes, qui sont généralement des cellules monacales de 5 ou 6 lits. À Florence toutefois, les établissements cités proposent des chambres doubles. Cette forme d'hébergement est des plus agréables. Se renseigner auprès de l'évêché.
– Deux légers inconvénients toutefois : le réveil matinal (merci les cloches) et le couvre-feu le soir (horaires souvent contraignants). Par ailleurs, certains couvents n'hésitent pas à afficher des prix semblables à un hôtel bon marché... Deux points forts cependant : la tranquillité et la propreté.

Les chambres d'hôtes et gîtes ruraux

Le tourisme vert a percé dans la région de la Toscane et surtout aux alentours de Florence, pratiquant des prix moins élevés que dans le centre historique.
Se procurer le *Guida dell'ospitalità rurale, agriturismo e vacanze verdi,* auprès d'*Agriturist (corso Vittorio Emanuele II, 101, 00186 Roma ;* ☎ 06-685-22-45, *fax :* 06-685-24-24, ● *agriturist.it* ●). Les adresses y sont classées par région et pourvues d'une description signalétique assez détaillée : situation, nombre de chambres, commodités, catégories de confort et de prix... Adressez-vous aussi aux offices de tourisme de Florence.

Vous logerez en milieu rural dont certaines chambres sont réservées aux hôtes ou dans une ferme divisée en appartements (véhicule indispensable).

Les *Bed & Breakfast*

Vous pouvez de même loger chez l'habitant grâce à l'organisme *Bed & Breakfast Italia* qui propose 1 000 appartements ou maisons à travers l'Italie et permet d'obtenir une chambre simple pour 2 nuits aussi bien qu'un appartement pour 6 personnes pendant 1 mois.

■ Vous pouvez vous adresser directement au *central de réservation de Bed & Breakfast Italia à Rome :* Palazzo Sforza Cesarini, corso Vittorio Emanuele II, 284, 00186 Roma. ☎ 06-687-86-18. Fax : 06-687-86-19. Possibilité de réserver en ligne : ● bbitalia.it ●

Les pensions

Ces pensions, appelées *pensione* ou *locanda,* sont souvent plus abordables et plus familiales que les hôtels. On n'est pas obligé d'y prendre ses repas ni de rester un minimum de nuits. Théoriquement, elles sont contrôlées par l'office de tourisme et donc assez correctes, mais en haute saison, dans les centres touristiques, il arrive que les habitants transforment leur maison en pension temporaire. Le prix dépend alors de la loi de l'offre et de la demande. Il n'y a aucun recours en cas de contestation.

Les hôtels

Pour vous aider dans votre choix, demandez en arrivant la *lista degli alberghi* à l'office de tourisme. Ils sont classés en 6 catégories (L pour luxe et de 5-étoiles à 1-étoile pour les plus simples). Cette classification est très surfaite par rapport à la nôtre. De plus, les prix sont très supérieurs pour un confort et un service souvent discutables. Bien souvent, sous prétexte d'avoir un passé à vendre, ils ont oublié le confort du présent. Dans la course au gain de place, beaucoup de salles de bains disposent d'une cabine de douche de type box dont l'exiguïté fait que l'on doit parfois laisser les portes ouvertes pour se savonner. Les prix doivent toujours être affichés dans les chambres ; ils sont (évidemment) indicatifs et quasiment jamais exacts. Il faut savoir que les hôtels consentent des réductions importantes aux tour-opérateurs. C'est pourquoi pour certains établissements on a tout intérêt à passer par une agence.
– Un conseil : ne prenez pas le petit déjeuner à l'hôtel, souvent cher et décevant, sauf si celui-ci est compris dans le prix de la chambre (c'est souvent le cas dans les hôtels 3 étoiles et plus). Préférez les bars-*pasticcerìe* où l'on sert des brioches, pas des croissants en sachet, et de vrais cafés italiens ! Un comble dans le pays de l'*espresso* !

L'échange d'appartements et de maisons

Une formule de vacances originale pour ceux qui possèdent une maison, un appartement ou un studio, d'échanger leur logement contre celui d'un adhérent du même organisme, dans le pays de leur choix, pendant la période des vacances. Cette formule offre l'avantage de passer des vacances à l'étranger à moindres frais, en particulier pour les jeunes couples avec enfants. Voici deux agences qui ont fait leurs preuves :

■ *Homelink International :* 19, cours des Arts-et-Métiers, 13100 Aix-en-Provence. ☎ 04-42-27-14-14. ● home link.fr ● Adhésion annuelle : de 115 € avec annonce sur Internet valable 1 an à 175 € avec une parution sur catalogue.
■ *Intervac :* 230, bd Voltaire, 75011 Paris. ☎ 01-43-70-21-22. ● intervac.

com ● Ⓜ *Rue-des-Boulets*. Adhésion : 3 possibilités de formule : 100 € par an comprenant une annonce valable | 12 mois sur Internet (avec photo), 145 € avec une parution sur 1 catalogue en plus (175 € pour 2 catalogues).

HORAIRES

Les horaires officiels, que nous vous donnons à titre indicatif, ne sont pas toujours respectés. Inutile, donc, de nous écrire pour nous injurier : la mise à jour est faite avec soin, mais entre le moment où nous soumettons le guide à l'imprimeur et le moment où il sort en librairie, il y a déjà des modifications... On vous conseille donc de vous adresser à l'office de tourisme, qui distribue gratuitement une liste régulièrement mise à jour des lieux de visite (très utile pour les expos temporaires).

Vous remarquerez que bien souvent tout est fermé (en principe) entre 13h et 16h. La *siesta* est sacrée en Italie !

– *Restaurants* : 12h30-15h, 19h-23h (plus tard dans les endroits touristiques). La possibilité d'être servi jusqu'à 23h, et au-delà, n'a rien d'exceptionnel.

– *Banques* : du lundi au vendredi 8h30-13h30, 15h-16h. Certaines sont ouvertes le samedi matin.

– *Églises* : ouvertes, généralement, tôt le matin pour la messe (souvent dès 6h30). Ferment ensuite au moment du déjeuner, pour rouvrir, souvent, à partir de 15h ou 16h. On arrive parfois à les visiter le week-end, en raison de nombreuses cérémonies religieuses. Les églises-musées ont des horaires plus étendus, mais il faut savoir que certains édifices religieux n'ouvrent jamais leurs portes.

– *Musées* : voir la rubrique « Patrimoine culturel » dans « Hommes, culture et environnement ».

– *Postes* : du lundi au vendredi 8h15-19h environ ; le samedi 8h-12h30. Dans les grandes villes, la poste centrale est ouverte l'après-midi.

– *Bureaux et administrations* : ouverts le matin seulement.

– *Magasins* : en général 9h-13h, 16h-19h30 sauf le dimanche et une demi journée par semaine (souvent, le lundi matin, à l'exception des magasins d'alimentation qui ferment le mercredi après-midi). Fermeture fréquente le samedi après-midi en été.

ITINÉRAIRES CONSEILLÉS

1 jour

En aussi peu de temps, il est difficile de voir autre chose que les incontournables, alors un petit conseil : dormez bien la veille car le programme est chargé...

En arrivant le matin, allez visiter le *Duomo* et le baptistère. Après avoir admiré les fresques d'Uccello, marchez jusqu'à la *piazza Salvemini*, puis prenez la direction de la *piazza Santa Croce* pour visiter la basilique. Quittez Michel-Ange et Machiavel pour rejoindre le *Palazzo Vecchio* ; la Salle des Cinq-Cents mérite une attention toute particulière. Faites une pause déjeuner près de la *piazza della Signoria* non loin de l'impressionnant David de Michel-Ange (l'original étant à l'Accademia). Reprenez des forces et partez à la découverte de la *Galleria degli Uffizi* (où vous aurez préalablement réservé pour éviter la très longue file d'attente). Attardez-vous dans les salles 10 à 14 réservées à Botticelli.

En fin d'après-midi, traversez l'Arno par le *Ponte Vecchio,* profitez de la vue, à cette heure le soleil offre un joli spectacle. Allez dîner dans le quartier animé de *San Niccolò* et, s'il vous reste un peu de force et de temps, rendez-vous à pied jusqu'à l'église *San Miniato al Monte* et gravissez vos dernières marches de la journée pour admirer le spectacle de Florence au coucher du soleil. Inoubliable...

3 jours

Le premier jour

Commencez votre journée par l'incontournable trio architectural formé par le *Duomo,* le baptistère et le campanile. Consacrez une partie de votre matinée à la découverte des nombreux trésors reposant au *Museo dell'Opera*. En quittant la *piazza del Duomo,* dirigez-vous vers le *Museo di San Marco* et filez directement contempler les fresques de Fra Angelico. Faites une pause déjeuner sur la *piazza San Marco* avant de visiter la *Galleria dell'Accademia,* à deux pas. Allez, bien sûr, admirer David (l'original cette fois-ci) de Michel-Ange sous tous ses angles, mais n'oubliez pas de contempler ses *Esclaves,* également admirables.

Puis, flânez du côté de la *piazza della Repùbblica* et rêvez un peu devant les boutiques de luxe de la très célèbre *via Tornabuoni*... Rendez-vous à la terrasse de *San Miniato* pour contempler le coucher de soleil sur la capitale toscane avant de prendre *l'aperitivo* dans le quartier de San Niccolò. Ambiance garantie.

Le deuxième jour

Arrivez de bon matin à la *Galleria degli Uffizi* pour profiter des plus belles peintures italiennes, laissez-vous emporter par les œuvres de Botticelli, Léonard de Vinci, Michel-Ange, Raphaël... Après ce bain de culture, vous apprécierez un bon déjeuner du côté de la *piazza della Signoria*. Vous voilà en forme pour attaquer une visite importante : le Musée national de la sculpture, vous découvrirez au *Palazzo del Bargello* les premières œuvres de Michel-Ange.

Le soir, détendez-vous dans les cafés branchouilles de l'Oltrarno, particulièrement le quartier de San Frediano. S'il vous reste un peu de force, vous découvrirez le charme des nuits florentines.

Le troisième jour

Vous quittez le centre historique pour découvrir les quartiers plus populaires de Florence : l'Oltrarno. À l'écart des circuits touristiques, c'est à vous d'improviser ! Voici cependant quelques endroits à ne pas rater : la *piazza di Santo Spirito* pour visiter la surprenante église *Santo Spirito,* puis le *Palazzo Pitti* qui regorge de tableaux Renaissance. La fatigue vous gagne, une petite halte dans le *giardino di Boboli* ! Tout le charme d'un jardin à l'italienne. Dans la soirée, allez donc assister à un concert dans une église ou flânez dans les rues et laissez-vous tenter par une *trattoria* avec terrasse.

1 semaine

En une semaine, on s'attarde dans les musées, on flâne dans les rues florentines, on s'attable à une terrasse de café, bref, on prend son temps. On peut aussi explorer la campagne avoisinante, comme la jolie ville de Fiesole. À défaut de voiture, prenez le bus n° 7 à la *piazza del Duomo* ou *piazza San Marco*. Sinon, plus près et à pied, nous vous indiquons une petite balade dans la campagne florentine : marcheurs, à vos souliers ! Si vous n'êtes pas encore rassasié, organisez une excursion dans le Chianti (là, la voiture s'impose), région réputée pour ses paysages magnifiques, ses cyprès, ses oliviers et... son vin.

LANGUE

Comme vous le découvrirez vite, l'italien est une langue facile pour les francophones. En peu de temps, vous pourrez apprendre quelques rudiments suffisants pour vous débrouiller. **Pour vous aider à communiquer, n'oubliez pas notre *Guide de conversation du routard* en italien.** L'Italie, c'est aussi le foisonnement des dialectes. En tendant l'oreille, vous remarquerez peut-être que les Florentins ont tendance à aspirer le « c ». Si vous demandez une chambre, qui se dit *camera*, ils prononceront « hamera », un peu comme la *jota* espagnole. Toutefois, ne vous découragez pas : il vous restera toujours la possibilité de joindre le geste à la parole. Ci-dessous un petit vocabulaire de secours.

FLORENCE UTILE

Quelques éléments de base

Politesse

Bonjour	*Buongiorno*
Bonsoir	*Buonasera*
Bonne nuit	*Buonanotte*
Excusez-moi	*Scusi*
S'il vous plaît	*Per favore*
Merci	*Grazie*

Expressions courantes

Je ne comprends pas	*Non capisco*
Parlez lentement	*Parla lentamente*
Pouvez-vous me dire ?	*Può dirmi ?*
Combien ça coûte ?	*Quanto costa ?*
C'est trop cher	*È troppo caro*

Le temps

Lundi	*Lunedì*
Mardi	*Martedì*
Mercredi	*Mercoledì*
Jeudi	*Giovedì*
Vendredi	*Venerdì*
Samedi	*Sabato*
Dimanche	*Domenica*
Aujourd'hui	*Oggi*
Hier	*Ieri*
Demain	*Domani*

Les nombres

Un	*Uno*
Deux	*Due*
Trois	*Tre*
Quatre	*Quattro*
Cinq	*Cinque*
Six	*Sei*
Sept	*Sette*
Huit	*Otto*
Neuf	*Nove*
Dix	*Dieci*
Quinze	*Quindici*
Cinquante	*Cinquanta*
Cent	*Cento*

Transports

Un billet pour...	*Un biglietto per...*
À quelle heure part... ?	*A che ora parte... ?*
À quelle heure arrive... ?	*A che ora arriva... ?*
Gare	*Stazione*
Horaire	*Orario*

À l'hôtel

Hôtel	*Albergo*
Pension de famille	*Pensione familiare*
Je désire une chambre	*Desidero una camera*
À un lit	*A un letto*
À deux lits	*A due letti*

LITTÉRATURE

Le rapport entre la Toscane et la littérature est essentiellement florentin. **Dante,** grand poète devant l'Éternel, est né à Florence en 1265 et a écrit la plus belle partie de son œuvre pour une certaine Béatrice, croisée trois fois en tout et pour tout, et à qui il n'a jamais adressé la parole (ah, l'amour !). On doit à cette femme mystérieuse, l'existence de *La Vita Nuova* et son ombre flotte sur *La Divine Comédie.* Son œuvre sera commentée par **Boccace,** qui aura, lui, pour égérie, la fille illégitime du roi de Naples, Maria de Conti d'Aquino, la *Fiammetta* de son récit. De 1348 à 1353, il écrit *Le Décaméron,* œuvre magistrale dans laquelle dix personnes se réfugient à la campagne pour fuir l'épidémie de peste qui sévit à Florence.

De son côté, son ami **Pétrarque,** originaire d'Arezzo, aime d'un amour platonique (décidément !) Laure de Noves, rencontrée en Avignon. Elle lui inspire ses 300 poèmes, essentiellement des sonnets, regroupés dans *Le Canzoniere,* qui célèbrent cet amour impossible et qui ont donné forme au « pétrarquisme ».

Quant à **Machiavel,** mêlé de politique par tradition familiale et excellent négociateur, il est écarté du pouvoir lorsque Florence se soumet aux Médicis (1512). Il dédie tout de même *Le Prince* à Laurent de Médicis qui ne lit même pas l'ouvrage (il aurait pu en prendre de la graine !). Selon lui, le pouvoir n'est pas compatible avec la morale, et il vaut mieux être craint que d'être aimé.

Les siècles suivants furent plutôt calmes côté littérature toscane.

Plus moderne et dans la vague du roman noir italien de ces dernières années, **Nino Filasto,** fin connaisseur des milieux de l'art florentin *(Cauchemar de Dame)* et de la politique (il est avocat de formation), propose aussi des livres sombres à la limite du fantastique *(L'Éclipse du crabe).*

LIVRES DE ROUTE

Pour les livres épuisés, vous pouvez les commander sur Internet ● chapitre.com ● – **Histoires de Toscane,** de Lucien d'Azay, Éd. Les Belles Lettres, coll. « Sortilèges », 2002. Toscane des villes ou Toscane des champs, vingt-deux textes pour évoquer les infinies variations de cette région italienne à travers le temps et les regards. De Florence à Sienne en passant par Lucques, les impressions personnelles d'écrivains aussi différents que Mme de Staël ou Somerset Maugham, Dante ou Stendhal. Si les frères Goncourt trouvent en Florence et ses habitants un manque de tenue sans nom, ils ne peuvent cependant s'empêcher de goûter à la beauté de ses campagnes. Camus en parle comme la source même de l'art de vivre terriblement humain des Florentins. Cet échange entre beauté urbaine et magie de la campagne attire depuis des siècles écrivains, artistes et simples quidams dans cette région. Pour y retourner ou s'y retrouver, au choix de chacun. Tirage indisponible.

– **Rome, Naples, Florence,** de Stendhal, dir. P. Brunel, Gallimard, Folio n° 1845, 1987. Grand connaisseur de l'Italie, Stendhal retrace ses souvenirs de voyages. Si

Stendhal décrit avec réalisme la ville et ses monuments, il nous fait aussi partager ses émotions (le fameux « syndrome de Stendhal », voire rubrique plus loin), sensations et plaisirs éprouvés au cours de son passage à Florence.

– *Lorenzaccio,* de A. de Musset, Gallimard, Folio classique, n° 8, 2003. Pour vous enivrer de l'ambiance florentine du XVIᵉ siècle, plongez-vous dans la lecture de ce célèbre drame romantique. L'intrigue débute à Florence en plein carnaval ; vous découvrirez au milieu des masques l'histoire de l'assassinat en 1536 du tyrannique Alexandre de Médicis par son cousin Lorenzo.

– *Les Mystères de Florence,* de Carlo Collodi, Éd. Joëlle Losfeld, 2001. Le très célèbre créateur de Pinocchio est aussi l'auteur d'un roman historique dont l'intrigue et l'humour nous entraînent dans les lieux les plus troubles de la capitale toscane. Véritable tableau satirique de la société florentine aux mœurs dissolues et corrompue par l'argent.

– *Voyage en Italie,* de Jean Giono (1954), Gallimard, Folio n° 1143, 1979. Hors de sa Provence, Giono est perdu. Dès lors, la découverte de l'Italie en 1953 par ce vieux jeune homme de près de soixante ans est un hasard heureux pour la littérature. Cette escapade de quelques semaines dans une guimbarde sur les routes de Toscane et de la plaine du Pô, Giono la vit comme une renaissance et un éblouissement.

– *Les Pierres de Florence,* de M. Mac Carthy, Payot, coll. « Petite Bibliothèque Payot », n° 468, 2003. Un récit coloré, nourri de nombreuses anecdotes et informations rares. L'auteur restitue, grâce à ses longs voyages à Florence, l'histoire des Florentins, de l'aristocratie et du peuple : un excellent compagnon de voyage !

– *Le Décaméron,* de Giovanni Boccaccio, dit Boccace, Gallimard, Folio classique, n° 4352, 2006. Lors de la grande peste de 1348 à Florence, sept femmes et trois hommes, réfugiés à la campagne, décident que chacun d'entre eux racontera, chaque jour, dix histoires aux autres. Texte classique par excellence, les cent nouvelles du *Décaméron* composent un tableau haut en couleur, comique, licencieux, sentimental, tragique et pathétique aussi, de l'Italie du XIVᵉ siècle.

– *Le Dernier des Médicis,* de Dominique Fernandez, Grasset, 1994. Une peinture impitoyable de la dégénérescence d'un grand-duc toscan, dernier descendant d'une bien illustre famille, dans une Florence tiraillée entre les factions politiques rivales.

– *L'Art italien,* d'André Chastel, Flammarion, coll. « Tout l'Art », 1999. Panorama complet de l'art italien jusqu'au XXᵉ siècle par celui qui fut le spécialiste en la matière.

– *Avec vue sur l'Arno* (1970), de E.M. Forster, Éd. 10/18, coll. « Domaine étranger », n° 1545, 2006. Un roman initiatique dans le plus pur esprit british, dont la première partie se déroule à Florence et dans les collines du Chianti. Entre bienséance et amour véritable, le cœur de la jeune Lucy Honeychurch balance... Roman à l'origine du film *Chambre avec vue,* de James Ivory.

– *La Passion Lippi,* de Sophie Chauveau (2004), Gallimard, Folio n° 4354, 2006. Biographie romancée de Filippo Lippi, l'un des peintres les plus célèbres du *Quattrocento.* Repéré dans les rues de Florence par Cosme de Médicis, ce peintre-moine (élève de Fra Angelico) a défrayé la chronique par son libertinage et sa manière de peindre. Donne un bon aperçu du milieu artistique de l'époque. Et dans la même veine une bio sur Botticelli « Le Rêve Botticelli » aux éditions Télémaque (2005).

– *Une année à Florence : impression de voyages,* de A. Dumas, F. Bourin, 1991. Ce récit raconte le voyage effectué par Dumas de Marseille à Florence en 1837-1838. Les descriptions et anecdotes se mêlent aux évocations historiques. Lire le très beau chapitre sur Florence.

– Et si vous vous intéressez à la littérature italienne contemporaine, nous vous conseillons de lire les œuvres majeures de ces talentueux auteurs : Ecco, Tabucchi, Buzzati, Baricco, Levi, Benacquista...

ORIENTATION

Le numérotage des maisons est doté d'une double numérotation : les plaques sont noires ou rouges et, même s'ils sont côte à côte, les chiffres ne se suivent pas ; les plaques rouges sont réservées aux entreprises commerciales (notamment aux restaurants), et les noires (parfois bleu foncé) aux maisons particulières et aux hôtels. Les chiffres sont suivis d'un « r » pour les plaques rouges et d'un « n » (ou de rien du tout) pour les noires et les bleues.

PERSONNES HANDICAPÉES

On a pu constater que les Italiens étaient plus en avance que nous (pas difficile !) pour tous les aménagements concernant les personnes à mobilité réduite. Ainsi, de nombreux hébergements sont équipés d'au moins une chambre pour personnes handicapées (mais pas les pensions, souvent situées au deuxième ou troisième étage sans ascenseur). N'hésitez pas à appeler pour vous renseigner, même si le symbole ♿ ne figure pas dans l'adresse que nous indiquons, car de plus en plus d'hôtes aménagent leur structure en conséquence.

PHOTOS

– Que vous soyez des partisans du « tout numérique » ou des fidèles défenseurs de l'argentique, les amateurs de tous crins seront comblés. Paysages et monuments sont magnifiques. Les occasions ne manquent pas, surtout lorsque la lumière est au rendez-vous.
– On peut photographier librement partout, sauf dans pratiquement tous les musées (même si on vous laisse conserver votre appareil photo). Généralement, les galeries de peintures interdisent toute utilisation du flash et même du pied. Il est préférable de se conformer au règlement (les éclairs de flash nuisent à la conservation des fresques et peintures), sinon vous risqueriez de voir arriver en courant les personnes chargées de la surveillance des lieux qui peuvent éventuellement vous flanquer à la porte.
– Pour les nostalgiques de l'argentique, pensez à prendre des pellicules de sensibilités différentes.
– Évitez les magasins à proximité des monuments : arnaque garantie. Des tirages peuvent être effectués dans des délais records chez des photographes équipés de machines automatiques (les photos ne sont pas toujours bien tirées, il faut le reconnaître).
– On a tout intérêt à assurer son équipement avant le départ, s'il s'agit d'appareils coûteux, et à être vigilant, pour éviter tout désagrément.

POSTE

– Les bureaux de poste sont ouverts en général du lundi au vendredi de 8h15 à 19h, le samedi de 8h à 12h30 ; fermés les dimanche et jours fériés.
– La poste italienne a mis en circulation un timbre *Posta prioritaria* obligatoire vers les pays européens à 0,65 € qui permet d'envoyer une lettre en un temps record (1 journée pour l'Italie et 2-3 jours pour l'étranger) : un peu plus cher que le tarif normal, mais, en principe, ça marche ! Ce timbre peut être acheté dans un bureau de tabac *(tabacchi)*.
– Pour se faire adresser du courrier en poste restante, tenir compte des délais d'acheminement et demander à l'expéditeur de rédiger l'enveloppe avec la mention : « *Fermo posta, posta centrale di... »,* et le nom de la ville en italien, précédé, si possible, du code postal comme en France.

– Pour tout autre renseignement, n'hésitez pas à appeler le centre d'appel au ☎ 803-160. Des opérateurs parlant aussi bien italien qu'anglais et français répondent à vos questions de 8h à 20h.

POURBOIRE ET TAXES

Pourboire

Rien ne vous oblige à laisser un pourboire *(una mancia)*. Libre à vous d'en décider selon la qualité du service dont vous avez pu bénéficier. Les chauffeurs de taxi et employés d'hôtel, lorsqu'ils portent vos bagages, attendent une *mancia*. Dans les églises, les sacristains sont souvent remplacés par des tirelires électriques (0,50, 1 ou 2 €) qui illuminent les chefs-d'œuvre sans avoir à forcer la main.

L'addition

Ne vous étonnez pas de voir votre addition majorée des 2 à 3 % du traditionnel *pane e coperto* (lequel a théoriquement été supprimé, mais il continue d'être appliqué dans la majorité des restos). Telle est la pratique en Italie. Celui-ci peut varier entre 1,50 et 3 €, au-delà, cela devient du vol. Il doit être signalé sur la carte, quand il y en a une ! Les 10 à 15 % de *servizio* d'antan ont tendance à disparaître mais pas partout. Ajoutez à cela une bouteille d'eau minérale (environ 2 €), et vous comprendrez rapidement pourquoi l'addition grimpe si vite. N'oubliez pas de la vérifier avant de payer.

Si on ne vous propose pas de carte en arrivant dans un resto, demandez-la. Sachez que si vous décidez de faire confiance au patron pour le choix des plats, vous mangerez sûrement délicieusement bien, mais l'addition peut faire mal (et peut parfois être établie à la louche si vous n'avez pas vu les prix avant). Nombres de nos lecteurs ont eu ainsi l'impression de se « faire avoir ».

SANTÉ

Pour un séjour temporaire à Florence, pensez à vous procurer la carte européenne d'assurance maladie. Il vous suffit d'appeler votre centre de sécurité sociale (ou de vous connecter au site internet de votre centre, encore plus rapide !) qui vous l'enverra sous une quinzaine de jours. Cette carte fonctionne avec tous les pays membres de l'Union européenne (y compris les 12 petits derniers), ainsi qu'en Islande, au Lichtenstein, en Norvège et en Suisse. C'est une carte plastifiée bleue du même format que la carte Vitale. Elle est valable un an, gratuite et personnelle (chaque membre de la famille doit avoir la sienne, y compris les enfants).

Vaccins

Aucun n'est obligatoire, mais il est préférable d'avoir son rappel antitétanique à jour, surtout si l'on fait du camping. Nous vous recommandons chaudement un répulsif antimoustiques (ces charmantes petites bêtes étant très virulentes en période estivale).

■ *Catalogue Santé Voyages* **(Astrium) :** 83-87, av. d'Italie, 75013 Paris. ☎ 01-45-86-41-91. Fax : 01-45-86-40-59. ● *santevoyages.com* ● (infos santé voyages et commande en ligne sécurisée). Envoi gratuit du catalogue sur simple demande. Livraison *Colissimo suivi* en 48h. Expéditions DOM-TOM.

SITES INTERNET

Sites généraux

- *routard.com* ● Tout pour préparer votre périple. Des fiches pratiques sur plus de 180 destinations, de nombreuses informations et des services : photos, cartes, météo, dossiers, agenda, itinéraires, billets d'avion, réservation d'hôtels, location de voitures, visas... Et aussi un espace communautaire pour échanger ses bons plans, partager ses photos ou trouver son compagnon de voyage. Sans oublier *routard mag,* ses reportages, ses carnets de route et ses infos pour bien voyager. La boîte à outils indispensable du routard.

- *enit-france.com* ● En français. Site de l'office de tourisme, très riche en informations. Nombreuses rubriques pratiques qui aideront à préparer votre séjour. Permet également de faire un tour d'horizon complet de la culture italienne.

- *touristie.com* ● En français. Site régulièrement mis à jour. Possibilité de réserver en ligne des hôtels, une voiture et des billets d'avion ainsi que les entrées dans les musées. Rubriques très complètes sur la littérature, le cinéma, la gastronomie, etc. Une carte générale divisée par région vous aidera à vous situer. Indispensable avant de foncer vers la Botte ! Également l'histoire de Florence à travers ses grands artistes (Michel-Ange, Botticelli, Raphaël) et un dossier sur l'école de Florence, le cinéma italien, la Renaissance...

- *paginegialle.it* ● Correspond à nos Pages jaunes. Très utile pour chercher une adresse.

- *museionline.it* ● En anglais et/ou en italien. Un site incontournable si vous vous apprêtez à visiter tous les musées d'Italie. Ils y sont tous, répertoriés par catégories, avec les prix, les horaires et le site web de chaque musée. En plus, il vous donne la liste des expos temporaires (régulièrement mise à jour). On vous le recommande chaudement.

- *france-italia.it* ● Le site français en Italie avec la liste complète des ambassades, consulats, centres culturels et alliances françaises, ainsi qu'un dossier sur les rapports économiques franco-italiens. Infos intéressantes pour les étudiants qui veulent y séjourner.

- *italieaparis.net* ● Un site qui vous donnera un avant-goût de la Botte ou qui pourra, tout aussi bien, essayer de vous guérir du mal du pays à votre retour. Malheureusement ne conseille que des adresses parisiennes, mais les infos culturelles profiteront à tout le monde !

- *primitaly.it* ● En anglais et en italien. Utile pour les recherches d'ordre pratique ainsi que pour les recherches par ville. À consulter avant le départ.

- *gelatoartigianale.it* ● En italien. Le site de la très sérieuse *Accademia del Gelato*. Spécialement conçu pour les gélatophiles avertis ! Vous saurez tout sur les quelque 400 000 t de glace annuelles, sur les 25 000 *gelatiere* disséminées à travers tout le pays ainsi que sur les 14 kg ingurgités par an et par personne. Son histoire, sa fabrication, sa conservation et ses nombreuses recettes n'auront plus de secret pour vous. Vous pouvez même adhérer au *club del Gelato* !

Sites sur Florence et les arts

- *renaissance-amboise.com/dossier_renaissance* ● Florence, ville d'Italie, capitale de la Toscane, foyer des arts. Site assez complet avec musique et photos. Dossiers sur la peinture italienne (*Quattrocento* à Florence, Renaissance...).

- *mega.it/fra/gui/pers* ● Visite interactive des monuments, époques historiques, artistes et œuvres qui font Florence.

Sur la Renaissance italienne

- *edlo.net* ● Très beau site perso en français fait par un passionné de voyages, et notamment de l'Italie et de la Toscane, avec de nombreux liens très intéressants sur la Toscane, les peintres de la Renaissance... Un bon site à découvrir !

• *uffizi.firenze.it* • Le site officiel de la galerie des Offices à Florence où l'on peut voir les tableaux de grands maîtres ainsi que de Botticelli. Site en anglais et en version italienne avec le classement par ordre alphabétique des auteurs, des peintures et un plan du musée.

• *wga.hu* • En anglais. Un site d'une très grande qualité d'image, car on a accès à toutes les œuvres d'art des principaux musées d'Europe avec, à chaque fois, un commentaire très complet.

Sur la Toscane

• *turismo.toscana.it* • Site officiel de la région, très bien documenté.

• *cultura.toscana.it* • Site uniquement consacré à la culture toscane, comme son nom l'indique.

• *artisandata.it/francese* • En français, un site consacré à l'artisanat, où l'on découvre aussi les foires et festivités ainsi que les expositions, les musées et les randonnées à faire. Toute une partie consacrée aux vins et à la gastronomie locale. À voir !

Sur le cinéma et la presse

• *rai.it* • Le site de la première radio-télévision italienne.

• *cinecitta.it* • Site officiel du géant italien avec le box-office de chaque semaine, des infos et l'actualité du cinéma.

TABAC

Amis fumeurs, sachez que l'Irlande, la Norvège et maintenant l'Italie comptent parmi les pays d'Europe à avoir interdit depuis le 10 janvier 2005 la cigarette dans TOUS les lieux publics (restaurants, cafés, bars et discothèques). Si les partisans du *vietato fumare* se réjouissent de pouvoir désormais dîner sans craindre l'asphyxie, les accros au tabac ont, quant à eux, la vie dure. Cette loi est scrupuleusement respectée par la population. Alors à bon entendeur... D'autant plus qu'en cas d'infraction une grosse amende les attend : 27 € à la moindre cigarette allumée (275 € s'il y a des enfants ou des femmes enceintes à proximité). Quant aux restaurateurs, ils encourent une peine de 2 200 € s'ils ne font pas respecter cette loi dans leur établissement.

Le moment est donc venu de faire connaissance avec les autres fumeurs agglutinés sur le trottoir devant l'établissement autour du cendrier géant (pratique somme toute plutôt sympathique aux beaux jours mais beaucoup moins en hiver, quand le mercure flirte avec les dessous du zéro).

TÉLÉPHONE – TÉLÉCOMMUNICATIONS

Téléphone

L'usage du portable en Italie est très répandu, mais son utilisation en est parfois excessive, à tel point que des règlements en interdisent l'utilisation dans certains lieux publics. Mais sont-ils vraiment les seuls à agir ainsi ? Cette folie des *telefonini* est telle que souvent, de nombreuses lignes sont saturées. Ne vous étonnez pas non plus des numéros de téléphones dont le nombre de chiffres varie (généralement de 8 à 10), c'est normal !

Les cartes prépayées

Elles s'avèrent très utiles pour les réservations de restos (surtout en période de Carnaval) ou de visites guidées, ou tout simplement pour un rendez-vous galant. Vous l'insérez dans votre portable et en 2 mn vous avez une ligne italienne. Coût de la communication bien moins élevé qu'avec son portable étranger (voir plus loin le chapitre « Informations et adresses utiles »).

Les cabines téléphoniques

Mêmes si celles-ci tendent à disparaître, on les trouve encore dans le centre-ville. Elles fonctionnent avec des cartes magnétiques qui s'achètent dans les bureaux de poste, les tabacs (signalés par un « T » blanc sur fond noir) et quelques bars-restaurants ; il existe aussi des distributeurs automatiques de cartes. Ne pas oublier de plier le coin en plastique de la carte pour téléphoner (gage que la carte n'a jamais été utilisée) et d'appuyer sur la touche « OK » après avoir composé le numéro de votre correspondant. On peut également téléphoner dans les centres *Telecom Italia* ou à la poste centrale.

Appels internationaux et nationaux

Italie → *France :* 00 + 33 + numéro à 9 chiffres de votre correspondant (c'est-à-dire le numéro à 10 chiffres sans le zéro).
Code des autres pays francophones : *Belgique,* 32 ; *Luxembourg,* 352 ; *Suisse,* 41 ; *Canada,* 1.
France → *Italie :* 00 + 39 + 0 + indicatif de la ville + numéro de votre correspondant (6 ou 7 chiffres).
Italie → *Italie :* Principaux indicatifs de villes italiennes, à faire précéder d'un 0.
– *Renseignements :* ☎ 12 (gratuit).
– *Appel en PCV :* ☎ 15 ou 170.
– Pour un appel d'***urgence,*** composez le : ☎ 113.
Depuis l'ouverture de France Telecom à la concurrence, les prix des télécommunications varient beaucoup selon le type de forfait souscrit. Pour s'y retrouver, ce n'est pas toujours évident. N'hésitez pas à faire jouer la concurrence, certains opérateurs proposent même les communications gratuites vers certains pays européens (dont l'Italie). Renseignez-vous ! C'est toujours pratique quand on veut pré-réserver les musées ou hôtels.
– Un conseil : sur place, n'appelez pas de votre hôtel ou d'un poste privé, vous auriez la mauvaise surprise de voir votre communication majorée de près de 70 % !

Internet

On trouve des centres Internet partout dans Florence. Ils sont généralement ouverts tous les jours (sauf dans de rares cas le dimanche) et ferment leurs portes vers 21h ou minuit. Les connexions sont de bonne qualité.

TRANSPORTS INTÉRIEURS

L'avion

Coûteux, mais permet de gagner beaucoup de temps. Se renseigner sur place sur les éventuelles réductions, ou en France en s'adressant à Air France et Alitalia (se reporter en début de guide au chapitre « Comment y aller ? »). Les compagnies *low-cost* sont aussi avantageuses à certaines périodes.

Le train

Réservations et informations

– Les chemins de fer italiens *(Ferrovie dello Stato)* proposent des réductions intéressantes, quel que soit votre âge, pour voyager à travers toute l'Italie, mais également pour rejoindre les grandes villes européennes (comme Paris ou Bruxelles).

Pour toute information, consulter le site Internet ● trenitalia.com ● Possibilité de réserver en ligne. Vous pouvez également les joindre au ☎ 89-20-21 (numéro unique pour toute l'Italie).

– Les agences de voyages autorisées vendent tous les types de billets de train possibles et imaginables. Vous pouvez également acheter et retirer vos billets aux guichets automatiques des grandes gares.

Horaires

– Retards rares sur les grandes lignes, mais fréquents sur les petites. Si votre train a un retard de plus de 30 mn, vous pouvez

> ### SUIVEZ LE GUIDE !
>
> *Pour le train, gare aux faux amis ! Le* diretto, *par exemple, n'est pas si direct que ça ! Il relie les différentes gares d'une région et les villes des régions limitrophes. Il est cependant un peu plus rapide et s'arrête moins souvent que les* regionali, *des trains à desserte régionale qui s'arrêtent partout. Pour accéder à la vitesse supérieure on passe aux trains* interregionali, *qui couvrent des destinations touristiques (leur circulation est pour cette raison souvent limitée aux fins de semaine et à certaines périodes de l'année). Tous ces trains ont en tout cas un point commun : leur manque de confort.*

demander une indemnisation, sous forme d'avoir. Se présenter assez tôt à la *stazione,* car il arrive qu'un train annoncé au départ sur un quai parte finalement d'un autre quai… Prévoyez large pour les correspondances.

– Les horaires sont disponibles chez certains marchands de journaux. On peut aussi utiliser les digiplans dans les gares. Ils donnent des infos sur les horaires des trains partant de la gare émettrice et sur ceux des trains reliant les principales villes du pays ou même le réseau européen. Tout ça régi par un code couleur, à savoir : vert et noir pour les trains régionaux et interrégionaux, rouge pour les trains *Intercity,* bleu pour les *Eurostar.*

Quelques remarques

Pour rejoindre plus rapidement et plus confortablement les villes de moyenne importance aussi bien que les plus grandes villes de toute l'Italie, vous utiliserez l'*Intercity.* Sur ces trains, la réservation est optionnelle et coûte 3 €. Enfin, les routards pressés et plus aisés emprunteront les trains à grande vitesse, les *Eurostar,* qui relient les grandes villes entre elles (Naples, Rome, Florence, Bologne, Venise, Milan ou Turin). Réservation automatique à l'émission du ticket et donc obligatoire. Le mieux question rapidité et confort, mais aussi le plus cher. Beaucoup de lignes secondaires, peu rentables, ont été remplacées par des services de bus.

Comme chez nous, les billets de train se compostent aux oblitérateurs jaunes avant le départ (en cas d'oubli ou de manque de temps, partez à la recherche du contrôleur après être monté dans le train).

La voiture

C'est bien entendu le moyen idéal pour visiter la campagne italienne, mais un handicap terrible dès qu'il s'agit de s'infiltrer dans les cœurs historiques exigus des vieilles cités toscanes. Florence ne déroge pas à la règle. La vieille dame ne se livre qu'aux vrais pèlerins, « pedibus cum jambis » ! En revanche, la voiture sera d'une grande utilité pour sillonner les environs de Florence sans contrainte, ou même envisager une ou deux excursions vers ses rivales et néanmoins voisines Sienne, Lucques ou Pise. Les stations-service sont fréquentes sur les autoroutes, où elles ne ferment pratiquement jamais. Elles affichent 24h/24, sauf que, dans la plupart des cas, la carte *Visa* n'est pas reconnue par le distributeur 24h/24. Elle est seulement prise au comptoir lors des horaires d'ouverture de la station. Il faut alors payer en liquide (en général ce sont des billets de 20 € qu'on vous demande). Après avoir introduit vos billets dans le distributeur, vous choisissez le numéro de la pompe.

Elle se déclenche et voilà, le tour est joué ! Conclusion de l'histoire : toujours avoir du liquide ou éviter le dimanche et l'heure de la sieste pour faire le plein !
Les stations-service en ville sont généralement fermées entre 12h30 et 15h30 (la sacro-sainte sieste), mais cela dépend du temps, de l'endroit et... de l'âge du capitaine.

Location de voitures

La solution la plus heureuse (mais pas la moins onéreuse) si l'on envisage un séjour florentin prolongé, assorti d'une ou deux journées de balades extra-muros. Pas d'angoisse de parking !

■ L'agence *Auto Escape* réserve auprès des loueurs de véhicules de gros volumes d'affaires, ce qui garantit des tarifs très compétitifs. *N° gratuit :* ☎ 0800-920-940. ☎ 04-90-09-28-28. Fax : 04-90-09-51-87. ● info@autoesca pe.com ● autoescape.com ● *Réduc supplémentaire de 5 % aux lecteurs du Guide du routard sur l'ensemble des destinations. Résa recommandée. Ser*vices d'Auto Escape également *sur* ● *rou tard.com* ●
■ Et aussi *Hertz (en France :* ☎ *0825- 861-861 ; en Italie :* ☎ *199-11-22-11/ 33-11, tlj 8h-23h),* **Avis** *(en France :* ☎ *0820-05-05-05 ; en Italie :* ☎ *39-02- 75-41-97-61 ou* ● *avisautonoleggio.it* ●*)* et *Budget (en France :* ☎ *0825-00-35- 64, 0,15 €/mn, lun-ven 9h-18h30, sam 9h-13h ou* ● *budget.fr* ●*).*

Circulation et stationnement

Stationner à Florence est un petit enfer que Dante lui-même aurait estimé. Même les Florentins y perdent leur latin, c'est dire ! La municipalité tente par tous les moyens de décongestionner le réseau étroit du centre-ville : rues semi-piétonnes uniquement accessibles aux taxis et bus, circulation interdite entre 8h30 et 18h30 dans certains secteurs, circulation alternée... Petits conseils pour garder la tête froide :
– Tout ce qu'il faut voir à Florence est rassemblé dans un petit périmètre et se découvre à pied. Si vous êtes motorisé, le mieux est de laisser votre voiture à l'un des principaux parkings de la ville (voir « Transports. Parkings publics » dans la rubrique « Informations et adresses utiles »). En dehors de ces parkings payants (et des emplacements signalés par un « P » blanc sur fond bleu), il est parfois possible de garer sa voiture gratuitement mais ça devient de plus en plus rare. Pour le reste, sachez simplement que le stationnement dans le centre historique est réservé exclusivement aux riverains. Et encore, les Florentins eux-mêmes sont confinés dans leur quartier et ne peuvent garer leur véhicule où bon leur semble !
– *Types de stationnement :* seuls les emplacements marqués au sol en bleu sont autorisés aux véhicules non résidents. On en trouve principalement sur les boulevards circulaires ou aux abords immédiats du centre, comme le long du Lungarno della Zecca Vecchia sur les berges de l'Arno *(plan général E-F4).* Les marquages en jaune ou blanc sont réservés à des véhicules prioritaires. Le parcmètre que nous connaissons bien a une place privilégiée par rapport aux cartes de stationnement (à gratter genre loto et à acheter dans les débits de tabac (parfois fermés pendant la sieste, attention !) : *gratta et sosta). Attention :* à la différence de la France, les patrouilles de contractuels sont parfois épaulées par des gardiens permanents affectés à une zone délimitée. En l'absence de machine, c'est même à eux que vous devrez vous adresser pour payer. Quant aux panneaux indicatifs des stationnements, c'est une véritable jungle. Les paiements s'effectuent en fonction des jours ouvrables ou fériés, des heures de la journée ou même de la nuit, et des événements (foires, travaux) prévus. Signification des sigles : les deux marteaux croisés signifient jours ouvrables ; la croix signifie dimanche et parfois jours fériés. Presque toujours, le stationnement autorisé et payant est limité dans le temps : cela va de 10 mn à 2h, rarement plus ; même pour un parking de supermarché. Lorsqu'il devient gratuit, il faut souvent apposer son disque de stationnement sur son pare-

brise. Car, même dans ce cas-là, le stationnement est limité en temps. Dernière recommandation : Florence est divisée en 5 quartiers nettoyés à tour de rôle. En raison de l'étroitesse des rues, les automobilistes sont priés de vider les lieux pour laisser passer les machines. Des panneaux indiquent le jour désigné (mais cela ne concerne que certains secteurs étroits, les marquages n'étant que rarement concernés).

Et si malgré tout vous étiez victime d'un **enlèvement de véhicule :** ☎ 055-783-882. Viadotto all'Indiano, località Ponte a Greve.

– Ayez tout de même présent à l'esprit que, partout en Italie, les voleurs adorent visiter les voitures, surtout les étrangères ! Alors un conseil : videz la vôtre, bloquez le volant et simulez un désordre ; ça vous évitera une serrure forcée ou une vitre cassée !

Limitation de vitesse

Elle est calculée en fonction de la cylindrée des véhicules. Dans les agglomérations, elle est de 50 km/h.

	Route	Autoroute
Autos (jusqu'à 1 099 cm^3)	90 km/h	110 km/h
Motos (de 150 à 349 cm^3)	90 km/h	110 km/h
Autos (plus de 1 099 cm^3)	90 km/h	130 km/h
Motos (plus de 349 cm^3)	90 km/h	130 km/h
Autobus de plus de 8 t	70 km/h	90 km/h

Les excès de vitesse et autres infractions sont sanctionnés essentiellement par des amendes qui coûtent un tiers de moins si on les règle sur-le-champ. *Attention* à l'état de vos feux, la gendarmerie est assez pointilleuse là-dessus.

Quelques principes de conduite

– L'essentiel, c'est de surveiller ce qui est devant soi, en partant du principe que chacun se méfie de celui qui est devant lui. En cela, jusqu'à présent, il y a pas mal de points communs avec la conduite parisienne. Cependant, si les Français ont enfin appris à lever le pied ces dernières années, on remarque qu'il n'en est encore rien chez nos voisins à la conduite toujours très sportive et bien collante (les distances de sécurité, késako ?). En revanche, le chauffeur italien s'avère souvent moins hargneux et plus tolérant que le français.

– Le klaxon est souvent utilisé. Pour beaucoup de raisons : parce que vous vous êtes arrêté à un stop (eh oui ! vous remarquerez que le stop est rarement respecté), parce que vous tardez à démarrer, parce que... On klaxonne pour dire bonjour à un ami, pour un rien, pour le plaisir. Restez zen, car c'est un rite, rarement un signe d'énervement. On le répète, l'automobiliste italien n'est pas agressif comme son homologue français, tout juste manifeste-t-il une petite irritation s'il ne vous trouve pas assez rapide (d'où une éventuelle petite quinte de klaxonite).

– Voilà, pour rouler heureux, oubliez vos petites manies et vos critères de conduite, armez-vous d'une bonne dose d'humour, intériorisez la façon de conduire des Italiens et l'enfer des villes vous paraîtra plus doux.

Le bus

Pour gagner du temps, n'hésitez pas à emprunter les petits **bus** orange de la compagnie *ATAF* (● ataf.net ● ou ☎ 800-42-45-00), spécialement conçus pour les petites rues du centre-ville. Attention, les tickets *(biglietti)* s'achètent dans les bars-tabac ou les distributeurs automatiques dispersés aux quatre coins de la ville. Un ticket coûte 1,20 € et est valable 70 mn (on peut prendre plusieurs bus et emprunter différentes lignes sans changer de ticket). Vous ne pouvez pas payer dans le bus, sauf lorsque les boutiques délivrant les tickets sont fermées (du moins en théorie). Votre ticket sera alors majoré et vous coûtera 2 €. Se munir d'un plan des différentes lignes, disponible dans les offices de tourisme (vous n'en verrez ni aux arrêts ni dans les bus). Outre le simple billet valable 70 mn, vous pouvez acheter 4 billets de 70 mn (4,50 €), 24h (5 €), 3 jours (12 €). Quelques lignes importantes à retenir : n° 7 (gare centrale, San Dominico, Fiesole) ; n° 10 (gare centrale, Duomo, San Marco, Settignano) ; n° 13 (gare centrale, piazza Libertà, piazzale Michelangelo, porta Romana) ; n° 23 (gare centrale, Duomo, palazzo Vecchio, Santa Croce) ; n° 28 (gare centrale, Fortezza da Basso, Sesto Fiorentino) ; n° 37 (gare centrale, ponte alla Carraia, porta Romana, chartreuse de Galuzzo).

Le scooter

Qui n'a pas rêvé de parcourir, cheveux au vent, l'Italie en scooter ? Un conseil : si vous n'en avez jamais fait, ce n'est pas le moment de commencer. Le port du casque est obligatoire (contrairement à ce qu'on peut voir). Une dernière recommandation : vérifiez que vous êtes bien assuré ; un accident est vite arrivé...

La bicyclette

Un moyen de transport qui se répand de plus en plus dans le centre historique. Seul problème : l'absence de pistes cyclables. De plus, tout comme pour le scooter, il faut savoir slalomer entre les voitures et ça, franchement, ce n'est pas gagné. On vous aura prévenu !

Le taxi

Ils ont mauvaise réputation et ce n'est pas totalement injustifié. Ne prendre que des taxis officiels. Des suppléments peuvent être exigés pour les bagages, les services de nuit ou les jours de fêtes affichés dans tous les taxis. En cas d'absence de compteur, attention ! Vous n'êtes sûrement pas là où vous pensiez être. Pour relier le centre-ville de l'aéroport, compter 20 à 25 €.

URGENCES

On ne vous demande pas de les apprendre par cœur, mais c'est bon à savoir au cas où...

■ *Carabinieri :* ☎ 112.
■ *Police :* ☎ 113. En cas de vol ou d'agression, appelez le ☎ 112 ou 113 ; on vous communiquera l'adresse du commissariat *(questura)* le plus proche de l'endroit où vous êtes.
■ *Commissariat de police principal à Florence :* via S. Vitale, 15. ☎ 06-46-861.
■ *Croce rossa italiana (CRI) :* ☎ 118.

■ *Pompiers (Vigili del Fuoco) :* ☎ 115.
■ *Pompiers pour les incendies de forêt :* ☎ 1515.
■ *Assistance routière :* ☎ 803-803.
■ *Automobile Club Italia :* ☎ 803-116 (avec répondeur).
■ *Dépannage routier (ACI) :* ☎ 803-116.

HOMMES, CULTURE ET ENVIRONNEMENT

ARNO

Le 4 novembre 1966, Florence, construite au fond d'une vallée encaissée, fut engloutie par les eaux dévastatrices de l'Arno. Les Florentins assistèrent impuissants à cette catastrophe qui s'abattit sur leur cité avec une violence inouïe. Il fallut presque remonter à l'an 1333 pour trouver le souvenir d'une telle calamité. Dans le quartier de l'église Santa Croce, le niveau des eaux atteignit 5 m ! Les portes de bronze du baptistère de la piazza del Duomo furent défoncées par le courant : certains panneaux furent arrachés et retrouvés à plus de 2 km. De nombreux chefs-d'œuvre exposés dans les églises de la ville furent défigurés par la boue mazoutée et rongés par l'humidité, et nombre d'entre eux sont toujours en restauration.

Chaque année en octobre et en novembre, le niveau de l'Arno monte irrésistiblement, sans provoquer d'inondation. Cependant, certains observateurs estiment que les risques d'une nouvelle catastrophe ne sont pas totalement écartés. Malgré les travaux de canalisation entrepris après 1966 et la construction de digues, Florence ne serait toujours pas, selon eux, à l'abri d'une nouvelle inondation destructrice. Comme l'a si bien dit Jean Giono à propos de cette rivière : « C'est un torrent qui a du caractère... C'est un fleuve comme un chat est un tigre. »

BOISSONS

Le vin

Tout le monde a déjà bu du chianti puisqu'on en trouve, aux côtés du médiocre valpolicella et du pétillant lambrusco, dans tout resto italien qui se respecte. Mais – et c'est là tout le problème de l'Italie – on a de gros risques de tomber sur un mauvais chianti, l'Italie s'évertuant à n'exporter en France que sa piquette. Allez donc savoir pourquoi ! Peut-être pour inciter les Français à voyager...

L'Italie a mis tardivement de l'ordre dans ses vins en créant, en 1963, trois degrés correspondant plus ou moins à nos appellations contrôlées. Les *IGT (indicazione geografica tipica)* sont des vins de table portant une indication géographique. Les *DOC (denominazione di origine controllata)* sont des appellations d'origine contrôlée qui doivent être conformes à certaines règles. Des règles qui freinent parfois l'imagination des producteurs, aussi n'est-il pas rare de voir certains d'entre eux commercialiser des vins d'une très grande qualité (l'*ornellaia*, le *sassicaia* et le *tignanello*) sous le nom surprenant de vins de table. Les *DOCG (denominazione di origine controllata e garantita)* subissent une réglementation encore plus contraignante. Cette dernière appellation est accordée par le président de la République lui-même, sur avis du ministère de l'Agriculture et des Forêts. Les grands noms du vin italien *(barolo, brunello di montalcino, vino nobile di montepulciano, chianti classico...)* appartiennent à cette dernière catégorie. Noblesse oblige.

Les contrôles de qualité, de plus en plus sérieux, sont assurés par l'Institut national pour la surveillance des appellations d'origine, constitué lui-même par le ministère de l'Agriculture et des Forêts. Un contrôle supplémentaire, dans l'intérêt des producteurs, est assuré par des *consorzi* dans des conditions qui pourraient être optimisées. La régionalisation étant assez poussée, on trouve surtout les grands vins près de leur lieu d'origine.

HOMMES, CULTURE ET ENVIRONNEMENT

Les vins de Toscane

La Toscane a beau fournir moins de 5 % de la production nationale, près de la moitié de celle-ci correspond à des appellations d'origine contrôlée, voire garantie (les DOC et DOCG italiennes).

Pas moins de onze appellations ont droit à la DOCG, le top du top en Italie. La première d'entre elles est le chianti qui couvre un espace de 70 000 ha entre Florence et Sienne. On dit du chianti que c'est un vin « polyvalent » : jeune, il accompagne les charcuteries, les pâtes et la viande blanche ; vieilli, c'est un vin pour les viandes rouges et le gibier. On le sert à température ambiante (donc souvent chaud) même si nos palais y sont peu habitués. C'est dans le cœur de cette région que nous trouvons le *chianti classico,* reconnaissable au coq noir qui figure sur le col des bouteilles (c'est l'emblème de la Ligue du chianti médiéval, qui défendit âprement ses droits !). Pour les puristes, rien de ce qui se fait en dehors du secteur du *chianti classico* n'est véritablement du chianti. L'essentiel du chianti, en termes de production, ne serait donc pas du chianti. Propos un peu exagéré qui n'est pas sans expliquer la naissance d'un deuxième consortium, à côté du *chianti classico,* sous l'appellation de *chianti putto.* Il regroupe les autres dénominations : colli Fiorentini, Rufina, Montalbano, colli Senesi, colli d'Aretini (d'Arezzo), colli Pisane (de Pise). Pour info, *putto* veut dire « petit amour », ce qui explique la présence du petit chérubin décorant le col des bouteilles desdites dénominations.

De couleur rouge rubis, il devient grenat en vieillissant. Charpenté, son parfum est intense. Les chianti de base sont des vins à boire jeunes. Ils peuvent être pétillants *(frizzante).* Mais bon nombre d'entre eux ne manqueront pas de vous décevoir. Sans faire une fixation sur le *chianti classico* (il y a de très bons chianti parmi les *chianti putto*), soyez plutôt attentif à ce que vous dit la bouteille. S'il s'agit d'une *riserva,* cela signifie que votre vin a vieilli trois ans avant d'être commercialisé ; c'est une garantie de qualité.

Pour avoir la main sûre, retenez les *cantine* ou autres *fattorie* (producteurs) suivants : Marchese Antinori, Badia a Coltibuono, Castello dei Rampolla, Castello di Ana, Castello di Brolio, Castello di Verrazzano, Marchese de Frescobaldi, Nozzole, Poliziano... Après l'achat de plusieurs bouteilles, vous vous rendrez compte que celles-ci, par leur forme, ressemblent à nos bouteilles de bordeaux.

Un autre vin rouge fait la renommée de la Toscane : le *vino nobile di Montepulciano.* C'est un vin de garde plutôt généreux en bouche, souvent très puissant. Les impatients se jetteront sur le *rosso di Montepulciano,* un vin plus jeune, plus souple, qui n'est pas à dédaigner pour autant (votre porte-monnaie vous conduira d'ailleurs naturellement vers lui). Les autres pourront adhérer à la devise « *Il montepulciano d'ogni vini è il re* » (« Le montepulciano de tous les vins est le roi »). Produit par les familles nobles de Montepulciano (ville située à 45 km au sud de Sienne), vous retiendrez les producteurs suivants pour goûter au meilleur de ce vin : Avignonesi, Fattoria del Cerro, Poliziano... Là encore, n'économisez pas vos sous car il vous faut privilégier la *riserva.*

Un second « vin star » est le *brunello di Montalcino.* Il s'agit d'une véritable petite merveille... malheureusement ignorée des Français. C'est un vin de grande garde qui peut vieillir sans problème 25 ans avant d'atteindre son apogée. La *riserva* ne

---

UN VRAI FIASCO !

Le fiasco *(fiasque), coûteux et garni d'une enveloppe de paille pourrissante, ne se retrouve guère que sur les tables des gargotes pour entretenir le folklore. Elle fut pourtant à l'origine du succès du chianti et servait à protéger les bouteilles lors du transport. Cet emballage a quasiment disparu au profit des bouteilles « bordelaises », plus sérieuses. Mais si vous voulez transformer votre appartement en pizzeria, n'hésitez pas à en rapporter quelques-unes ! Sachez d'ailleurs que la plupart des housses de paille sont aujourd'hui importée des Philippines ! Pas franchement authentique...*

peut être vendue avant cinq ans. Un minimum car ce vin exige beaucoup de patience... contrairement au *rosso di Montalcino,* qui provient de vignes plus jeunes. Le *brunello,* d'un prix élevé, est dur et tannique. Très complexe, il ne déçoit qu'exceptionnellement. Les plus grands producteurs sont le Castello Banfi, Biondi-Santi (le « nec plus ultra »), Lisini, Caparzo, Col d'Orcia...

Deux autres appellations ont droit au titre honorifique DOCG. Le *carmignano,* un excellent vin rouge nettement moins cher que les précédents. Deux producteurs à retenir : Capezzana et la Fattoria di Artimino. Et le *vernaccia di San Gimignano,* un vin blanc généralement sec. Très doux (et non plus sec), il peut être légèrement poivré. Vous aurez plus de chance de le rencontrer sur l'autel de l'église du coin que dans votre verre. À l'origine, il s'agit en effet d'un vin de messe.

Nous passerons sur la quantité d'autres appellations que nous rencontrons en Toscane (une trentaine de DOC) pour vous dire tout le bien qu'il faut penser de certains vins de table, même si on trouve le pire comme le meilleur. Ceux qui découvriront un *tignanello* (Antinori), un *ornellaia* (Tenuta dell'Ornellaia) ou un *sassicaia* (Tenuta San Guido) ne jugeront plus de haut le vin italien.

Alors, comment faire son choix parmi tous ces crus d'exception ? Chance inouïe pour l'amateur, les restaurateurs cèdent généralement leurs bouteilles sans majoration excessive. Du coup, chaque repas donne l'occasion d'une nouvelle dégustation... de quoi établir sa petite liste avant de rentrer à la maison ! Par ailleurs, la qualité des crus toscans est telle que même le vin en carafe (*vino della casa*) se laisse boire sans hésitation. Du moins la plupart du temps... De quoi se faire plaisir à moindres frais !

Le vin santo et la grappa

Un peu partout en Toscane vous sera proposé en guise de dessert un verre de *vin santo* accompagné des *biscotti di Prati (cantucci)* qu'il faut tremper dans cet élixir. Ce dernier s'obtient par la vinification de raisins séchés à l'ombre après avoir été suspendus aux poutres des greniers. D'une couleur ambre foncé, doré, le « vin pour les saints » (à l'origine consommé par les prêtres) vous séduira par sa douceur qui compense une forte teneur en alcool. Il accompagnera également très bien un assortiment de *crostini.*

La *grappa* est le nom italien du marc... donc de l'eau-de-vie obtenue par la distillation du marc de raisin. Sa teneur en alcool avoisine les 45° et elle n'est donc pas à conseiller aux plus inexpérimentés. Elle n'est pas toujours médiocre, contrairement à certaines idées reçues. Que les sceptiques trempent leurs lèvres dans la *grappa de brunello di Montalcino* pour réviser leur jugement. Vous retrouverez la *grappa* un peu partout en Italie... y compris dans votre café (il s'agira alors d'un *caffè corretto*).

Chianti – coq noir (la légende)

Un mystérieux coq noir sert d'emblème aux caves de certains chianti dont celles du Conzorzio del Gallo Nero.

Au palazzo Vecchio de Florence, sur le plafond de la salle des Cinquecento, vous pourrez admirer une peinture de Vasari représentant un coq noir (gallo nero). Alors, pourquoi un coq noir ? La légende du coq noir tient à la naissance même de la ville et ressemble curieusement à la fois à un conte de fées et à une fable de La Fontaine. Il était une fois deux villes qui n'arrêtaient pas de se battre pour la conquête de nouveaux territoires. Un jour, la sagesse l'emporta ; au lieu de continuer ces luttes meurtrières, les deux villes, Florence et Sienne, misèrent le sort des conquêtes sur deux coqs. Au chant du coq choisi par chaque cité, un coureur devait partir en direction de l'autre ville, le point de rencontre devenait frontière. Sienne la magnifique se devait d'avoir le plus beau coq. On choisit un superbe coq blanc qui fut bichonné et nourri, comme... un coq en pâte. Florence, ville naissante et pauvre, n'avait qu'un coq noir et maigre qui lui fut difficile d'entretenir. Le jour J, le pauvre coq noir se mit à chanter tant il avait faim, alors que l'aurore n'était pas encore levée, tandis que son alter ego faisait la grasse matinée. C'est, paraît-il, la raison pour laquelle le territoire de Florence est bien plus important que celui de Sienne.

Le café

Tout le monde connaît l'incontournable *espresso* mais rares sont les Italiens qui le demandent. En effet, certains le souhaitent *ristretto* (serré), voire *ristrettissimo,* ou au contraire *lungo* (préciser *una piccola tassa,* ça fait toujours une gorgée de plus). D'autres le veulent *al vetro* (dans un verre) ou bien *macchiato* (« taché » d'une goutte de lait froid, tiède ou chaud). Le café au lait se demande : *caffè latte, latte macchiato.* À ne pas confondre avec le fameux *cappuccino, espresso* coiffé de mousse de lait et saupoudré, si on le demande, d'un peu de cacao. Sublime quand il est bien préparé ! À moins que vous ne préfériez le *caffè corretto,* c'est-à-dire « corrigé » d'une petite liqueur. Mieux vaut le boire debout au comptoir, à l'italienne (souvent moins d'1 €)... Assis, il peut coûter jusqu'à cinq fois plus cher !

Le chocolat

C'est un marchand florentin du nom d'Antonio Carletti qui découvrit le chocolat à boire lors d'un voyage en Espagne en 1606. La *cioccolata* (et non le *cioccolato* qui est le chocolat à croquer) est, pour certains, meilleur que le *cappuccino* qui, dans bien des endroits touristiques, se transforme, de plus en plus, en un banal café au lait. Ce chocolat chaud, réalisé dans les règles de l'art, est tellement onctueux qu'on dirait de la crème (en fait, on remplace le lait par de la crème fraîche et on peut demander en plus de la crème montée par-dessus – *con panna* –, bonjour les calories !). Un vrai régal à déguster à la petite cuillère.

L'eau

L'eau du robinet est potable. Mais elle n'est jamais servie dans les restaurants, où l'on vous proposera toujours de l'eau minérale. Précisez *naturale* si vous souhaitez de l'eau plate, *frizzante* ou *con gas* pour de l'eau gazeuse. Pour l'eau du robinet, si vous y tenez vraiment, demandez *acqua del rubinetto,* mais le goût est parfois métallique (de plus c'est plutôt mal vu, et ça vous catalogue illico *turisto*).

CINÉMA

La Toscane offre un cadre privilégié pour les tournages de films en raison de l'exceptionnelle beauté de ses paysages et de Florence dans une mesure encore plus grande. Figure de la région, **Franco Zeffirelli,** né à Florence, est premier assistant de **Visconti** au début des années 1950 et réalisateur de nombreux films comme *Jésus de Nazareth, Un thé avec Mussolini* ou *Callas Forever.* Passionné par Shakespeare, il réalise *La Mégère apprivoisée* avec Elizabeth Taylor et Richard Burton (1967), *Roméo et Juliette* (1968) et bien plus tard, en 1990, *Hamlet* avec Mel Gibson et Glenn Close. Il s'attaque aussi à l'opéra en adaptant pour le grand écran *La Traviata.* **Paolo et Vittorio Taviani,** eux, sont nés dans le village de San Miniato, dans la province de Pise. Leur premier documentaire sera d'ailleurs consacré au massacre perpétué par les nazis dans la cathédrale du bourg, avant de tourner, en 1982, *La Nuit de San Lorenzo* au même endroit. Ensuite se dérouleront plusieurs autres fictions en Toscane : à Florence et Pise *(Les Affinités électives, Good Morning Babilonia),* San Gimignano (*Le Pré*)...

Auteur de nombreux films, essentiellement comiques, sur le thème de la critique sociale, **Mario Monicelli** a tourné *Mes chers amis* avec Philippe Noiret et Ugo Tognazzi à Florence et *Pourvu que ce soit une fille* dans la campagne siennoise. C'est également à Florence que se déroule l'action de *Metello* et de *La Viaccia* (avec Belmondo et la belle Claudia Cardinale) de **Mauro Bolognini** (réalisateur des *Garçons* avec Laurent Terzieff et Jean-Claude Brialy). C'est aussi le lieu de tournage privilégié de **Leonardo Pieraccioni,** dont les films comiques ont beaucoup de succès en Italie *(Le Cyclone).* Comédies « à l'italienne » également avec **Luigi Comencini** qui fit un triomphe avec *Pain, Amour et Fantaisie.* Il abandonna ensuite le genre pour se consacrer à des films plus « sérieux » dont *La Ragazza,* film psychologique et historique qui recrée l'atmosphère de l'après-guerre en Toscane. C'est également l'endroit que choisit **Bernardo Bertolucci** en 1996 pour *Beauté volée* avec Liv Tyler, l'histoire d'une jeune Américaine qui va émoustiller les sens quelque peu endormis d'un groupe d'artistes locaux.

Mais il ne faut pas oublier que la région a aussi inspiré des réalisateurs du monde entier dont James Ivory *(Chambre avec vue),* Ridley Scott *(Hannibal),* Brian de Palma *(Obsession)* pour ce qui est de la ville de Florence ou encore Marco Tullio Giordana *(Nos meilleures années)* qui retrace la grande crue de Florence en 1966. Également Kenneth Branagh qui a tourné le magnifique *Beaucoup de bruit pour rien* dans la région du Chianti, ou Jane Campion dont le *Portrait de femmes* (avec Nicole Kidman) est situé à Lucques, sans oublier Anthony Minghella qui a fait de nombreuses prises à Pienza pour *Le Patient anglais* ou encore Ridley Scott pour *Gladiator.* Et puis, si on remonte dans le temps, Gérard Oury a filmé beaucoup de scènes du *Corniaud* à Pise et dans sa région.

COUTUMES

La *siesta*

La sieste fait partie des traditions depuis l'Antiquité. L'été surtout, la ville s'endort après le déjeuner. Les boutiques ferment, la circulation ralentit et les travailleurs de la sixième heure (sieste vient de *sexta hora*) sont l'exception. Le plus sage, après tout, serait

LA *FRENCH TOUCH*
Un proverbe romain dit : « quand vient l'heure de la sieste, seuls les chiens et les Français se promènent ». À méditer...

pour le visiteur de suivre ce rythme réputé reconstituant pour l'esprit et le corps. Mais les autorités s'efforcent de transformer les habitudes et la *siesta* ne sera bientôt plus qu'un lointain souvenir. Hélas.

La *passeggiata*

L'une des images les plus évocatrices est sans nul doute cette coutume venue du Sud. Elle persiste surtout dans les villages. Il n'est pas rare en effet, de voir les gens sortir de leur maison vers 17h-18h et installer des chaises pour faire un brin de causette avec la voisine ou se saluer entre connaissances. Disons le tout net : la *passegiata* est de moins en moins pratiquée dans les grandes villes et cette évolution montre à quel point les mœurs ont évolué depuis quelques années.

Chants traditionnels

Moins connus en France que les chants corses, les chants toscans polyphoniques n'en sont pas moins beaux. Les groupes, mixtes ou non (cela peut se réduire au simple duo), accompagnés le plus souvent par un accordéon – jadis c'était le luth, la viole ou la cornemuse (*zampogna* ou *surdulina*) –, se mettent à l'unisson pour chanter des ballades (*ballate),* des textes narratifs (*cantastorie),* des chants à couplets (*stornelli)* ou des comptines (*filastroce).* Vous aurez peut-être l'occasion, si vous vous baladez en Toscane, d'entendre chanter des groupes de femmes à Casciana, ou à Limano près de Lucques, et un groupe d'hommes de Castel del Piano près de Grosseto. Chaque année à Arezzo, fin août-début septembre, a lieu un grand rassemblement international de chanteurs polyphoniques.

CUISINE

La carte des restaurants se divise en cinq grands chapitres : *gli antipasti, il primo, il secondo, i contorni* et *i dolci*. Il faut faire un choix en sachant que les Italiens eux-mêmes, en dehors de certains repas de fêtes, se contentent de deux ou trois chapitres selon leur faim. Sinon, bonjour l'addition !

La cuisine est aussi très marquée régionalement, plus encore qu'en France, du fait de l'unification tardive de l'Italie. Chaque région a ses recettes, ses spécialités, et finalement la cuisine est restée cloisonnée bien après 1870. Aujourd'hui, avec le développement du tourisme, des transports, on assiste comme partout à l'émergence d'une cuisine plus générique, moins typique, ce qui n'empêche pas les Italiens de rester très fidèles à leur patrimoine culinaire régional.

Les spécialités culinaires toscanes

La cuisine est simple mais variée. Sobre, rigoureuse, voire sévère, elle n'est pas sans faire penser aux Toscans eux-mêmes. Elle est, en fait, le pur produit de leur caractère. Des influences étrusques seraient toujours visibles. Au moment de la Renaissance, la cuisine florentine s'est enrichie de produits étrangers provenant d'Amérique, à commencer par la tomate... devenue incontournable.

À Florence...

Les anciennes recettes florentines se retrouvent au travers de la *ribollita,* de la *pappa al pomodoro,* de la *bistecca...* Mais beaucoup d'autres ont malheureusement été perdues. Un mouvement ayant cours en Italie pousse cependant à la redécouverte du passé gastronomique des régions comme en témoigne la floraison des gargotes traditionnelles (les fameuses *osterie*), et plus spécialement le mouvement *slow food* (voir plus loin « Le succès du *slow food* »). Tout n'est donc pas définitivement perdu...

... et dans toute la Toscane

Pour simplifier, on pourrait dire que trois cuisines se rencontrent en Toscane : celle des terres, que vous retrouverez à Florence, à Sienne et dans le Chianti, celle de la côte, que vous goûterez notamment à Livourne et qui fait une belle place aux poissons, et celle de la Maremme, symbolisée par le sanglier. Les ingrédients essentiels sont : le pain sans sel *(filone)* – présent dans beaucoup de recettes classiques depuis l'*antipasto* jusqu'au dessert –, l'huile d'olive – omniprésente (les grands domaines viticoles produisent toujours de l'huile d'olive) – et certaines herbes aromatiques comme le romarin, l'origan, le thym, la sauge et le fenouil.

Antipasti

– **Les crostini :** tartines croustillantes, garnies de pâtés (à base de foie de volaille), de fromage ou de légumes, et servies partout comme entrée.
– **La bruschetta :** tranche de pain grillée frottée d'ail, recouverte d'huile et de tomates coupées en petits morceaux. On la rencontre le plus souvent dans sa version régionale, la *fett'unta.* Simple et délicieux.
– **La charcuterie :** *lardo di colonnata.* À l'origine, le *lardo di colonnata* était la nourriture des pauvres tailleurs de pierre de la région de Carrare (nord de la Toscane). Il est aujourd'hui très recherché et se mange sur des morceaux de pain grillé. Délicat, il tire son nom de sa blancheur marmoréenne et de ses veines rosées qui évoquent des colonnes de marbre. À savourer également : le *finocchiona,* un saucisson aromatisé de graines de fenouil sauvage, et divers *prosciutti* (jambons)...

I primi

– Ici, un peu moins qu'ailleurs cependant, la **pasta** occupe une place de choix. On trouve souvent des *taglioni al tartuffo* (fines tagliatelles aux truffes) ou les *spaghetti* al ragù (avec une sauce proche de la bolognaise). Les *pappardelle al sugo di lepre* (avec une sauce au lièvre) sont une petite merveille qui ne demande pas moins de 2h30 de préparation.

– *Le risotto toscano* est préparé avec du foie de poulet, de l'oignon, de l'ail, du persil et du céleri.

– *Les minestre e zuppe :* la variété et le charme de la cuisine toscane passent également par de nombreux et délicieux potages et autres soupes. La *ribollita* est avant tout une soupe épaisse faite à base de légumes dont le *càvolo nero* (chou noir). On y trouve aussi du pain, qui est le seul ingrédient nutritif et tenant un peu au corps. Ce plat est emblématique d'une certaine cuisine diététique : on choisira du pain toscan rassis et sans sel pour ne pas dénaturer le goût. Son nom originel est *minestra di pane.* Le nouveau nom, *ribollita,* tient au fait que la soupe est cuisinée pour quelques jours et qu'à partir du deuxième elle est réchauffée et rebouillie. Et, bien sûr, le plat du second jour n'a rien à voir avec le plat du premier jour.

– À noter, d'autres *soupes :* l'*acquacotta* (bouillon agrémenté de coulis de tomates, cèpes, ail, persil, servi avec des tranches de pain huilé), la *panzanella,* les *minestre di farro* (épeautre), *di ceci* (pois chiches), *di fagioli* (haricots), *di càvolo nero con le fette* (chou noir avec pain), et la *zuppa di vongole* (palourde, donc servie sur la côte seulement).

– *La pappa al pomodoro :* panade à la tomate. Un des incontournables de la cuisine toscane au même titre que la *ribollita.*

I secondi

– *La bistecca :* une merveille mais un peu ruineuse. Attention ! Les prix sont souvent mentionnés *per un'etto* (pour 100 g) à moins qu'il ne soit précisé que c'est au kilo. Compter entre 300 et 500 g par personne. La *bistecca* est une viande de grande qualité provenant d'un élevage bovin du val di Chiana (région au sud d'Arezzo). Cette tranche de bœuf épaisse, comprenant l'aloyau et le filet, se cuisine à la braise et se consomme saignante voire bleue. La *bistecca* donne lieu à une *sagra* (foire), qui se déroule les 14 et 15 août à Cortone. Des milliers de *bistecche* sont alors cuites au charbon de bois sur un gril immense (14 m) en plein cœur de la ville.

– *Les viandes de gibier :* le lièvre est cuisiné avec les fameuses *pappardelle al sugo di lepre* ou à l'aigre-doux *(lepre in dolceforte).* Le sanglier est omniprésent en Toscane (plus rarement à Florence), à tel point que dans le bourg médiéval de Capalbio on lui organise une petite fête le deuxième week-end de septembre. Le lapin « façon chasseur » *(coniglio alla cacciatora)* est apprécié des voraces toscans.

– *Les abats :* la *trippa fiorentina,* le *lampredotto* ou encore la *zampa alla parmigiana* témoignent du goût des Toscans pour les abats.

– *Le poulet (pollo)* n'est pas oublié non plus : le *pollo alla toscana,* le *pollo alla diavola* (à la diable) ou le *colli di pollo ripieni* sont des recettes à base de poulet que vous rencontrerez sur les cartes des restos de la région.

– *Des fritures (cervelli e carciofi fritti, pollo e coniglio fritto).*

– *Le poisson :* on rencontre des spécialités de poisson principalement sur la côte, comme le *cacciucco alla livornese* (sorte de bouillabaisse), la *baccala* (morue) *alla livornese,* la *baccala con i ceci,* les *calamari in zimino* ou bien encore le *tonno e fagioli.*

I contorni

Sachez que lorsque vous commandez un plat de viande ou de poisson, il n'est jamais accompagné de légumes. Ceux-ci se demandent séparément (et en supplément) si vous en désirez.

– *Les fagioli* (haricots) constituent la véritable viande des pauvres *(carne dei poveri).* Importés en Italie depuis la découverte de l'Amérique, ils constituent une des bases de l'alimentation toscane. On les utilise pour enrichir les soupes et potages ou en guise de *contorni* pour accompagner les viandes (la *bistecca* notamment) et le gibier. Les plus fréquents dans le coin portent le nom de *cannellini* (à ne pas confon-

dre avec... les *cannelloni*). Petits et blancs, ils n'ont rien à voir avec les *fagiolini di Sant'Anna* qui ne manqueront pas de vous impressionner par leur longueur.
– En dehors des *fagioli,* vous rencontrerez les *patate in umido* (pommes vapeur), le fameux *càvolo nero* (chou noir), les *funghi porcini* (cèpes) et quantité d'autres légumes.

I dolci

Ce n'est pas la plus belle page de la cuisine florentine, mais voici quelques spécialités de desserts. Beaucoup d'entre elles sont liées aux saisons ou à un événement précis : la *schiacciata con l'uva* (pain garni de raisins que l'on trouve uniquement en période de vendanges) ou bien encore la *schiacciata alla fiorentina* (sorte de pain de Gênes plat aromatisé aux agrumes ; c'est un mets typique du carnaval). L'habitude de finir un repas avec un morceau de fromage ou un dessert est surtout un prétexte pour boire encore un peu de vin.
– **Le zuccotto :** spécialité de Florence à base de chocolat et fruits confits.
– **Le castagnaccio :** mélange de farine de châtaignes cuisiné dans un four et agrémenté de pignons, d'huile, de romarin et quelquefois de raisins.
– **Le panforte :** spécialité de Sienne. Riche d'épices, de fruits confits et d'amandes. Consommé traditionnellement pour Noël, on en trouve désormais toute l'année en Toscane.
– **Les biscotti di Prato** (ou *cantucci*) sont des biscuits secs parfumés aux amandes que l'on trempe dans un verre de *vin santo*.

Les fromages de Toscane

– **Le pecorino** se décline de multiples façons selon sa provenance régionale : *siciliano, romano, sardo*... et (évidemment !) *toscano*. Ce dernier a longtemps été le seul à garnir la table du peuple. Plus qu'un simple fromage, le *pecorino* était aussi la « viande » des pauvres. Et pourtant, dans la Garfagnana (Nord-Ouest de la Toscane), on n'hésite pas – aujourd'hui encore – à s'en servir pour pratiquer la *ruzzola* (sorte de pétanque mais à la place des boules, on lance... des fromages). On le produit dans différentes zones de Toscane. Le secret du *pecorino* est dans les herbes savoureuses et parfumées de Toscane qui donnent au lait son goût inimitable, et dans le choix des races de brebis.
Il peut être consommé frais *(fresco)* ou affiné (*semi stagionato* ou *stagionato*). On trouve parfois aussi du *pecorino con le pere* (poire), à l'automne, ou *con i baccelli* (fèves), au printemps.

L'huile d'olive

Que serait la *bruschetta* sans l'huile d'olive de Toscane ? Ce produit de haute tradition est le meilleur de toute l'Italie. Sa réputation, due à sa fragrance et à son onctuosité, est exceptionnelle. Les oliviers reçoivent les mêmes attentions et les mêmes soins que les pieds de vigne. Comme pour le vin, il y a des crus, et les goûteurs d'huile doivent avoir les mêmes compétences que les œnologues. De même qu'il y a différents crus dans la même variété, il y a également différentes qualités dans la même variété. Celles-ci dépendent du sol des plantations, de leur exposition et du type de presse utilisée pour l'extraction. Les meilleures huiles se font avec des olives noires, pressées avec des presses de pierre, mais celles-ci sont de plus en plus rares. Actuellement, les presses automatiques en acier sont naturellement les plus utilisées. L'huile la plus recherchée est celle de première pression à froid, elle a pour nom *Extra Vergine*. Elle a moins de 1 % d'acidité. Viennent ensuite les huiles de deuxième pression à froid ou à chaud ; elles ont pour nom *Sopra Vergine* et *Fina Vergine*. Dans toute la région du Chianti, de nombreuses *fattorie* (fermes) produisent leurs propres huiles. Elles se valent toutes et sont vraiment excellentes.

La pizza

Si la Toscane n'est pas le vrai royaume de la pizza, Florence compte quelques *pizzerie* traditionnelles. Elle naquit, il y a longtemps, dans les quartiers pauvres de Naples où c'était la nourriture des dockers. La pâte, agrémentée d'un petit quelque chose suivant la richesse du moment (huile, tomate, fromage...), que l'on roulait sur elle-même, constituait leur casse-croûte de midi. Elle a fait du chemin depuis : il y aurait, d'après les spécialistes, près de 200 façons de la préparer. La recette de base est *alla napoletana* (recouverte de tomates et d'anchois avec de l'huile d'olive). Les bonnes pizzas sont cuites au feu de bois et préparées par un *pizzaiolo* qui a la responsabilité de la fabrication de la pâte, de sa décoration et de sa cuisson. Tout un art !

La *pasta* (les pâtes)

La *pasta* méritait bien une rubrique à elle seule. Voir donc un peu plus loin « *Pasta* (les pâtes) ».

Le succès du *slow food*

De plus en plus de restaurants florentins affichent désormais l'autocollant *slow food* et c'est tant mieux (reconnaissable au symbole du petit escargot). Ce mouvement, né en Italie en 1989 (le siège de l'association est aujourd'hui à Bra, dans le Piémont), a décidé de défendre les vraies valeurs de la cuisine traditionnelle, particulièrement celles des petites *trattorie* du terroir. Il était grand temps de sauvegarder les bons produits du terroir et les plats de tradition.

Le retour du bien-manger et la volonté de préserver la biodiversité sont apolitiques. Le *slow food* n'est pas contre la modernisation à condition qu'elle soit au service du goût. Les restaurants *slow food* (on en sélectionne certains) ne sont pas bon marché car ils privilégient justement la cuisine dite du marché. La carte est parfois absente (le patron déclame alors ce qu'il a le jour même dans ses fourneaux) et surtout, on prend le temps de manger... et d'apprécier. Attention cependant, un resto slow-food n'est pas une assurance de qualité, car on peut avoir de bons produits et ne pas savoir les cuisiner, mais n'ayez pas trop d'inquiétude, la plupart du temps, vous vous régalerez.

Si vous voulez plus de renseignements, vous pouvez vous rendre sur leur site ● slowfood.com ●

Petit lexique culinaire

Aglio	Ail
Ai ferri	Grillé
Arrosto	Rôti
Asparagi	Asperges
Baccalà	Morue
Bistecca alla fiorentina	Steak épais assaisonné de poivre et d'huile d'olive
Burro	Beurre
Calamari	Calamars
Carciofi	Artichauts
Casalinga	Comme à la maison, « ménagère »
Cassata	Bombe glacée aux fruits confits
Ceci	Pois chiches
Cipolla	Oignon
Contorno	Garniture de légumes
Cozze	Moules
Fagioli	Haricots blancs
Fagiolini	Haricots verts
Formaggio	Fromage

Fragole	Fraises
Frittura	Friture
Frutti di mare	Fruits de mer
Funghi	Champignons
Gamberi	Crevettes
Gelato	Glace
Insalata	Salade
Maiale	Porc
Mandorle	Amandes
Manzo	Bœuf
Mela	Pomme
Melanzana	Aubergine
Noci	Noix
Pane	Pain
Panna	Crème épaisse
Pasticceria	Pâtisserie
Peperoni	Poivrons verts ou rouges
Pesce	Poisson
Pollo	Poulet
Pomodoro	Tomate
Ragù	Sauce à la viande
Riso	Riz
Risotto	Riz cuisiné
Sarde	Sardines
Spumone	Glace légère aux blancs d'œufs
Torta	Gâteau, tarte
Tortelli	Raviolis farcis d'herbes et de fromage frais
Uovo	Œuf
Uva	Raisin
Verdure	Légumes
Vitello	Veau
Vongole	Palourdes ou clovisses
Zucchero	Sucre
Zucchine	Courgettes
Zuppa	Soupe

HOMMES, CULTURE ET ENVIRONNEMENT

GÉOGRAPHIE

La géographie, qu'elle soit humaine, économique ou électorale, réserve à la Toscane une position charnière entre le Nord et le Mezzogiorno. Presque enclavée au nord et à l'est par les montagnes des Apennins et ouverte sur la vaste plaine du Latium romain, cette région est trop diverse pour en faire un ensemble homogène.
– **Au nord,** on trouve des massifs schisteux et argileux, terrains de prédilection des châtaigniers et des rendements céréaliers qui déchantent. La mise en valeur du sol est relativement limitée et peu gratifiante.
– **Au sud,** sous les taillis, les bocages et les petites parcelles de céréales se trouve un substratum rocheux prépliocène (dixit les manuels spécialisés), comme du côté des monts Métallifères dans les environs de Massa Marittima. Du côté de Sienne, vers l'abbaye du monte Oliveto Maggiore, les mêmes collines datent de l'âge plaisancien. Très fertiles, elles sont modelées en mamelons et n'en finissent plus d'onduler. Sur leurs hauteurs se réfugient les petits villages médiévaux comme Pienza, Montalcino ou Montepulciano.
– **Au centre,** entre Florence et Sienne, le cépage San Giovanese du Chianti, mais aussi les oliviers et les cultures fruitières s'épanouissent sur des dépôts à la fois sableux, caillouteux, argileux et gréseux. La relative richesse minérale du val d'Elsa reste inexploitée pour des raisons principalement économiques. Seul le *monte*

Amiata étrusque procurait jusqu'à une période récente une part importante de la production de mercure mais, pour des questions de rentabilité, l'exploitation a cessé en 1975.

– **À l'est,** la majeure partie de l'Ombrie non montagneuse est formée par une vallée centrale ouverte par le cours du Tibre *(Tevere),* alimentée par une succession de cours d'eau disposés perpendiculairement. Les flancs de ces vallées sont pour la plupart couverts d'immenses champs d'oliviers et exploités sous la forme du métayage. Ils sont aussi intensément utilisés, grâce à leur exposition, à la culture de la vigne.

– **Le val d'Arno :** axe majeur (pour ne pas dire le seul) de la région, il concentre à lui seul la majeure partie de l'habitat des deux régions. C'est le cœur de l'activité toscane.

L'ensemble de la région est caractérisé par des failles qui entaillent de part en part ce cœur de l'Italie. Cela explique le caractère spectaculaire des tremblements de terre, comme ceux de 1997.

HISTOIRE

Les Étrusques

Caton l'Ancien, Virgile ou Catulle y sont allés de leur couplet sur les Étrusques, ce peuple mystérieux qui défia les Romains. Berceau de la civilisation étrusque, l'actuelle Toscane connut à partir du IIe millénaire av. J.-C. deux vagues successives d'envahisseurs. Les Indo-Européens vinrent en effet se mêler aux éléments méditerranéens indigènes (la population « villanovienne ») pour donner naissance à des peuples très diversifiés sur les plans culturel, linguistique et technique. Si les Phéniciens et les Grecs (775 av. J.-C.) eurent également un rôle civilisateur considérable, les premiers à tenter l'unification politique et culturelle de la péninsule italienne furent les Étrusques.

Le B.A.-BA de l'abc étrusque

La langue étrusque a fasciné très tôt les spécialistes pour la bonne et simple raison qu'elle n'avait aucun lien de parenté avec les autres langues du Bassin méditerranéen. Hérodote s'est même amusé à brouiller les pistes puisqu'il fait remonter leur origine jusqu'au fils du roi lydien, Tyrrhenos (d'où la mer Tyrrhénienne, *il mare Tirreno,* tire son nom).

À part ce document exceptionnel, finalement bien maigre, seuls subsistent les statues, vases et autres objets qui portent une inscription « J'appartiens à untel » ou « J'ai été offert par ». Sans possibilité de l'apparenter aux autres langues, la conclusion actuelle des spécialistes est que la langue serait tout

PARLA ETRUSCO ?

Vers le milieu du XIXe siècle, un aristocrate croate acheta à un antiquaire d'Alexandrie une momie enrubannée dans son linceul. L'étoffe était maculée de sang par endroits mais, sur toute sa longueur, on pouvait distinctement repérer deux écritures. L'une de couleur rouge, l'autre de couleur noire. De récentes datations au carbone 14 ont révélé que la toile datait du IVe siècle avant notre ère. Les bandelettes de la momie de Zagreb, telles qu'on les appela par la suite, devinrent le seul document exploitable pour la compréhension de l'étrusque. Il détaille avec précision les rites funéraires ainsi que le panthéon des dieux étrusques à honorer.

bonnement autochtone. Comme le basque ou l'ibère, autres grains de beauté de l'histoire, elle aurait résisté pour des raisons économiques et sociales à la vague indo-européenne qui forgea le socle commun des langues du Vieux Continent.

L'alphabet étrusque

L'écriture apparaît en Étrurie (Toscane actuelle) aux alentours de 700 av. J.-C., au moment où les contacts entre les Étrusques et les Grecs, qui sont arrêtés au sud de l'Italie, se font plus intenses.

Pour adapter l'alphabet grec aux exigences de leur langue, les Étrusques le modifient en procédant à des suppressions et des ajouts qui entraînent des variantes dans les différentes zones de l'Étrurie.

Nous connaissons aujourd'hui près de 13 000 inscriptions en langue étrusque. Le vocabulaire que nous comprenons est donc très pauvre et le travail des glottologues avance à petits pas.

On a cru faire une découverte décisive avec l'apparition mystérieuse de la pierre de Cortone, une plaque de bronze sur laquelle sont gravées 40 lignes de texte qui correspondent à une sorte de contrat. Cependant, l'étude de ce texte n'a apporté qu'une maigre contribution aux études réalisées sur la langue étrusque. Car, tant que l'on ne trouvera pas de textes bilingues étrusque-latin, étrusque-grec ou étrusque-phénicien, aucune vraie révolution ne pourra avoir lieu.

Géopolitique étrusque

En 396 av. J.-C., Furius Camillus, dont le nom indique qu'il était plutôt mécontent de la grandeur étrusque, fait de la spéléo dans les environs de Véies. Lui et ses hommes, armés de leurs glaives, s'introduisent dans l'un des boyaux construits par les Étrusques qui conduisent aux puits de la ville. Il ne leur reste que quelques centimètres pour déboucher à la surface quand ils entendent une voix : celle d'un haruspice de la cité. En effet, les Étrusques, comme les Grecs, avaient la manie de lire le futur dans les entrailles des volailles ou des moutons. Ils en déduisaient la volonté divine et agissaient en fonction. À Véies, l'haruspice annonce que la victoire reviendrait aux possesseurs du foie posé sur l'autel. Les Romains sortent de leur trou comme d'une boîte de Pandore et se mettent à massacrer tout le monde. L'haruspice avait dit vrai.

Quoi qu'il en soit de cette histoire digne d'une bande dessinée, la pierre d'achoppement sur laquelle butèrent les Étrusques fut le début de leur fin. Les douze cités étrusques (Cerveteri, Chiusi, Cortone, Orvieto, Pérouse, Populonia, Roselle, Tarquinia, Véies, Vetulonia, Volterra et Vulci) formaient le cœur de leur civilisation qui n'avait pour équivalent que celles d'Athènes ou de Phénicie. Cette civilisation n'avait cessé de s'épanouir et d'essaimer son pouvoir depuis le nord de Ravenne jusqu'au sud du territoire romain pendant près de huit siècles (du XIe au IIIe siècle av. J.-C.). Elle s'appuyait sur de petites cités-États dirigées par des oligarchies familiales. Leurs seuls liens fédérateurs, et leurs principaux problèmes, étaient la religion et peut-être une conscience trop orgueilleuse de leur singularité. Les douze cités se jalousaient leur autonomie et aucun commandement commun ne pouvait prendre la direction des affaires politiques et militaires. Leur seule force provenait de la mer. L'île d'Elbe accouchait chaque année de 10 000 t de minerai, transformé dans les hauts-fourneaux de Populonia par leurs esclaves. Les Grecs et les Phéniciens y accouraient et lestaient leurs navires pour ensuite transformer le matériau en armes. Le *monte Amiata* fournissait quant à lui du cuivre, de l'étain et du plomb argentifère. Le rayonnement économique des Étrusques s'étendait sur une zone géographique considérable : l'actuel Danemark, le cours du Rhin, Londres, la Bretagne gauloise, la côte ouest de la péninsule Ibérique depuis la Galice jusqu'à Cadix, Carthage, la Sicile, le cours du Danube, Naucratis (le supermarché égyptien de l'Antiquité)... Bref, les Étrusques étaient d'infatigables voyageurs et de sacrés commerçants. Et, en plus, ils avaient réussi à s'allier aux Carthaginois, ce qui leur conférait un contrôle (relatif) des mers. De 616 à 509, l'Étrurie domina Rome et lui donna même deux rois dont Tarquin l'Ancien. L'alliance fonctionna à merveille avec Carthage, mais en 474 ce furent les Syracusains qui sonnèrent le glas de l'Étrurie. Les Étrusques y perdirent la domination des routes commerciales. Comme la scène se passait à Cumes et que, depuis 509, Rome n'était plus sous leur jurisprudence, ils furent acculés et ne purent communiquer avec leurs positions de Campanie. Les amis d'hier sont les ennemis d'aujourd'hui. Les Syracusains ne se bornèrent pas à leur flanquer une déculottée ; ils vinrent même jusque sur leurs terres chercher l'embrouille. Dans le même temps, les Étrusques virent également leurs territoires au nord menacés par les Gaulois. Le vaisseau des « Tusques » (sobriquet donné par les Romains) avait pris l'eau de toutes parts et Rome eut désormais les coudées franches pour se jeter sur sa dépouille.

À la recherche de la civilisation étrusque...

Le Moyen Âge n'a pas été très riche en reliques. Il faudra attendre le XVIe siècle, quasiment 1 000 ans après leur âge d'or, pour que les Étrusques sortent de l'ombre. Les Médicis, et notamment Laurent le Magnifique, figurent parmi les premiers à s'y intéresser. Tout le monde s'y met et cela devient presque une contagion. On remarque chez Michel-Ange, pour ne citer que lui, de nombreuses références. Par exemple, sur la *Pietà* de la cathédrale de Florence on repère un personnage qui a enfilé une tête de loup. Celui-ci est clairement inspiré des nombreuses fresques des nécropoles qui présentent le « Dieu du monde d'en bas » des Étrusques. Mais le tournant des recherches apparaît vers la fin du XVIIIe et au XIXe siècle. Ce sont les Anglais qui se passionnent pour l'étude de cette nation. Un noble, Thomas Coke, donne le *la* et, vers 1760, James Byres publie un ouvrage richement illustré ; un véritable manuel du parfait étruscologue. À la fin des guerres napoléoniennes, les premières routardes anglo-saxonnes, des *ladies* de la haute, parcourent la campagne toscane pour visiter les tombeaux et constater, déjà, la détérioration des nombreuses peintures. Plus tard, la guerre inventa la télédétection. À partir de photographies prises de montgolfière puis de clichés effectués en 1944, on constata des taches plus ou moins sombres révélant au sol la présence de tumulus.

> **MY NAME IS BRADFORD**
>
> *Bradford, un agent des services de renseignements de Sa Majesté, cartographia en quelque sorte les nécropoles étrusques. Il inventa même une méthode pour connaître leur contenu sans les ouvrir. À l'aide de deux électrodes fichées en terre de part et d'autre d'un tumulus, sachant que la terre est plus conductrice que l'air, il pouvait détecter la présence d'objets. Ensuite, un petit trou permettait à une caméra miniature de détailler avec plus de précision l'intérieur des tombes.*

Essor de la chrétienté

Le 25 juillet de l'an 306, Constantin Ier fut proclamé premier empereur chrétien par ses légions de Germanie. Au même moment à Rome, Maxence, porté par sa garde prétorienne, devenait lui aussi empereur ! Le choc final se produisit le 28 octobre 312, à la bataille du Pont-Milvius. Durant la bataille, Constantin aurait vu une croix dans le ciel avec les mots *In hoc signo vinces* (« Par ce signe tu vaincras. »). C'est effectivement après cette bataille, dont il sortit vainqueur, que Constantin favorisa ouvertement la religion chrétienne par l'édit de Milan en 313. Il donna au monde le « dimanche férié », en ordonnant que le « jour vénérable du Soleil » soit un jour de repos obligatoire pour les juges, les fonctionnaires et les plébéiens urbains. Ce jour, célébré par les adeptes du culte solaire dont fit longuement partie Constantin lui-même, correspondait aussi au « jour du Seigneur » des pratiques chrétiennes. Par cette loi – qui fut comme un pont jeté entre deux religions – se trouvait aussi officialisée l'organisation du temps en semaines qu'ignorait le calendrier romain. Enfin, le 20 mai 325, pour la première fois de son histoire, l'Église chrétienne triomphante rassembla ouvertement et librement à Nicée tous les évêques de l'Empire romain en un concile œcuménique qui devait régler le délicat problème de la Sainte-Trinité. Peu de temps après avoir été baptisé, Constantin mourut en 337. Sa dépouille fut ensevelie dans l'église des Saints-Apôtres de Constantinople. À sa mort, Rome, qui n'était plus résidence impériale depuis 285, vit s'élever les premières basiliques chrétiennes grâce aux donations de l'empereur. Elles s'installèrent à la périphérie de la ville, sur les emplacements des cimetières chrétiens devenus lieux de pèlerinage.

Où l'Église prend goût au pouvoir

Débuts et expansion de l'Église romaine

De Jérusalem, le christianisme se répandit dans la diaspora juive et le monde gréco-romain un peu comme une traînée de poudre. Quand l'Église se développa dans le cadre de l'Empire romain grâce à Constantin Ier, elle reçut une position officielle qui marqua une étape fondamentale dans son histoire.

Théodose le Grand fut le dernier empereur (379-395) à régner sur l'ensemble du territoire de l'Empire. Il le partagea entre ses deux fils : Honorius pour l'Occident et Arcadius pour l'Orient. C'est sous le règne de Théodose que le christianisme devint religion d'État, mais cela ne l'empêcha pas de connaître quelques déboires avec l'Église : saint Ambroise l'excommunia pour avoir massacré 700 insurgés en l'an 390. Ainsi, pour la première fois, l'État romain se soumit-il à la puissance de l'Église.

Rome perd sa toute-puissance

Sous le règne d'Honorius, le 24 août 410, les Wisigoths, avec le roi Alaric à leur tête, pénétrèrent dans Rome. Honorius était alors dans sa résidence à Ravenne et refusa d'accorder à Alaric l'or et les dignités qu'il convoitait. En représailles, les Wisigoths pillèrent Rome. La chute de la ville, inviolée depuis plus de huit siècles, provoqua un énorme retentissement, faisant douter les païens de sa puissance. Huit ans plus tard, le roi Wallia obtint de l'Empire – ou plutôt de ce qu'il en restait ! – le droit d'installer ses Wisigoths en Aquitaine : c'était la première fois qu'un royaume barbare s'établissait sur le sol romain ! Décidément, la chute se précipitait...

Puis ce fut au tour des Vandales, cousins germains – ou plutôt germaniques – des Wisigoths, qui, après avoir pris Carthage en 439, pillèrent Rome pendant 15 jours en 455, sans toutefois massacrer la population ni incendier la ville selon un accord passé avec le pape Léon Ier ! Vinrent ensuite les Ostrogoths – les Goths de l'est du Dniepr – qui, eux, occupèrent carrément toute l'Italie, la France méridionale jusqu'à Arles et la Yougoslavie actuelle.

Théodoric, le roi des Ostrogoths, maintint une séparation très stricte entre les Romains et les Goths. La carrière militaire était réservée aux Goths et la carrière des fonctions civiles aux Romains. Quand Théodoric se rendit à Rome en l'an 500, il fut accueilli comme un empereur romain par le Sénat, le peuple et le 51e pape : Symmaque.

L'Église : un État dans l'État

À Quierzy, le 14 avril 754, au nord-ouest de Paris, le pape Étienne II rencontra Pépin le Bref, roi des Francs, pour signer un traité qui allait donner à l'Église un État placé sous la souveraineté des papes (il ne sera véritablement fondé qu'après une intervention militaire de Pépin en Italie contre le roi des Lombards).

En échange, le pape reconnaissait la légitimité royale de la dynastie des Carolingiens. Cette alliance permit d'une part à l'Église de se dégager définitivement de la tutelle politique de Byzance (Constantinople), d'autre part de renforcer les liens entre le royaume franc et la papauté, ce qui constituera l'un des facteurs politiques primordiaux de l'Occident. En effet, la défense de l'Église romaine sera l'un des devoirs de tous les souverains... mais aussi une source de nombreux conflits.

Charlemagne et son grand empire

L'an 771 voit l'avènement de Charlemagne, qui finit par écraser les Lombards et conquérir toute la moitié nord de l'Italie (774). Le 25 décembre de l'an 800, il est sacré empereur d'Occident par le pape Léon III. L'Empire carolingien s'étend désormais de la mer du Nord à l'Italie et de l'Atlantique (plus l'Èbre sous les Pyrénées) aux Carpates (Elbe et Danube). À la mort de Charlemagne, son fils Louis le Pieux hérite de l'empire. Miné par les querelles intestines et une incapacité à lutter contre les raids vikings, l'ensemble constitué par Charlemagne est divisé en 843 entre ses trois petits-fils. Une fois le royaume de Lothaire Ier disparu (Lotharingie), ce partage est à l'origine de deux pôles majeurs de l'Europe médiévale : le royaume de France et le Saint Empire. Bien plus tard, Frédéric Ier Barberousse entérine son héritage en prenant Naples en 1162, et en faisant reculer les hordes de Vikings qui avaient envahi la région. Cependant, sur la question politique se greffe un abcès religieux, celui de la querelle des Investitures. En 1059, le pape Nicolas II décide que l'élection du souverain pontife sera soustraite à l'influence de l'empereur. Il s'ensuit une longue lutte d'influence entre le Saint Empire romain germanique et le Saint-Siège. Elle n'aboutira qu'en 1122, avec le concile de Worms : le pouvoir spirituel est dévolu à la seule autorité religieuse. Le pouvoir temporel ne doit pas s'en mêler. Mais dans le détail, tout devient un vrai micmac. En Bavière, les ducs se font appeler les *Welfs* (d'où les « guelfes ») et défendent leur bout de gras, bec et ongles, pour pouvoir s'installer dans la Ville éternelle (Rome). Mais les seigneurs de Souabe (les *Waiblingen,* d'où les « gibelins ») ne l'entendent pas de cette oreille et veulent eux aussi pouvoir influer sur la nomination du vicaire de Jésus-Christ. Le débat se transpose en Italie, puisque Barberousse a un pied dans la péninsule et compte bien mettre la main sur les possessions du pape et des Angevins.

En Toscane, donc, les partisans du pape et de Charles d'Anjou, les guelfes, s'opposent aux partisans de Barberousse, les gibelins. Sur le cours de l'Arno et dans les environs de Sienne, les cités s'organisent en minirépubliques indépendantes, gouvernées par une aristocratie « locale » tantôt guelfe, tantôt gibeline. C'est dans cet état d'esprit de rivalité, ponctué de raids punitifs, que s'épanouit la Renaissance.

De l'âge d'or à l'obscurantisme

Philippe le Bel en avait peut-être gros sur le cœur avec les Italiens, mais il n'en demeure pas moins que l'ensemble des souverains européens étaient à leur solde... Les compagnies commerciales de Florence, de Pise ou de Lucques jouissaient dans l'Europe médiévale d'une place primordiale. La région était le cœur névralgique de l'économie. Ses satellites étaient les foires de Champagne et du Lyonnais, les villes hanséatiques du Nord de l'Europe, les comptoirs commerciaux de Londres et les îles de la Méditerranée. Ses ports : Gênes, Venise et Pise. Au XIIIe siècle, cette dernière connut un essor fantastique grâce aux industries drapières. Mais elle attira la jalousie de ses proches et, en 1284, sa flotte se fit littéralement damer le pion par les Génois. Du coup, Pise tomba dans la sphère d'influence de Florence qui concentra alors tous les pouvoirs. Le val d'Arno devint le Manhattan de l'Italie. La plupart des commerçants étaient des banquiers qui supportèrent l'industrie lainière naissante. L'une des plus grandes familles de l'époque, les Borromeo, provient de San Miniato, petite bourgade équidistante de Pise et de Florence. La victoire de Charles d'Anjou donna un coup de fouet au dynamisme naissant. Les hommes de Florence et de Sienne qui l'avaient soutenu eurent alors les coudées franches pour pouvoir s'imposer dans le domaine du commerce, de la banque, de la frappe de la monnaie, de l'assurance, de la poste, de l'information et du renseignement. Florence était désormais le siège où convergeaient les commandes, les lettres de change, les chèques (qu'ils furent les premiers à adopter) ; l'Arno était bordé d'entrepôts. Tout ce qui était vendable était acheté. Les denrées alimentaires locales, comme l'huile et les vins, partaient à destination de l'Aragon, des pays du Nord et des côtes tunisiennes ; la soie, les produits tinctoriaux, le poivre provenaient de Chine et du Moyen-Orient et étaient redistribués dans l'ensemble de la chrétienté ; les métaux et les armes achetés en Pologne, en Scandinavie et à Londres étaient écoulés en petite quantité sur le chemin du retour ; les laines (sous forme de toison) d'Angleterre, du Pays basque ou de Bourgogne passaient dans les « petites mains » pisanes puis étaient réexportées. Leur puissance commerciale était tellement tentaculaire qu'ils en arrivaient même à supplanter les juifs dans leur domaine de prédilection : la finance. Ainsi, pour armer les troupes d'Édouard Ier et d'Édouard II, les Italiens prêtèrent-ils aux souverains 122 000 livres sterling gagées sur les mines d'argent du Devon. Tout le monde y trouvait son compte, les Italiens étaient exempts d'impôts et de droits de douane, et les souverains pouvaient concrétiser leurs ambitions de puissance. Mais à la fin du XIVe et au début du XVe siècle, une conjonction de facteurs va amorcer leur déclin. La Peste noire, tout d'abord, puis le lourd passif des rois de France incapables de rembourser leurs dettes de la guerre de Cent Ans. Enfin, la fermeture des routes commerciales orientales, à cause de la prise de Constantinople par les Turcs en 1453, fit chanceler l'édifice. Henri VIII, pas franchement copain avec le pape, et Louis XI bannirent les Italiens. Mais les causes externes chapeautaient une situation intérieure instable. Florence fut acculée. Les Génois tentèrent tant bien que mal de résister en essayant de contourner l'Afrique pour trouver une route maritime directe et supplanter ainsi les routes de la soie, terrestres mais dangereuses. Parmi eux, le fils d'un tisserand, cabaretier à ses heures, s'embarqua sur un bâtiment en 1476 pour l'Angleterre. Peu après le détroit de Gibraltar, le navire sombra, attaqué par un corsaire à la solde du roi de France. Le jeune homme gagna à la nage (ou dériva ?) les côtes de la péninsule Ibérique. Il s'appelait Cristóbal Colón, mais ça, c'est le début d'une autre histoire...

La Renaissance

La nouvelle pensée

Dès le XIIIe siècle, Florence devint une ville de grande tradition festive, laquelle se développa au moment du règne de Laurent le Magnifique. Plusieurs fois par an, et à chaque événement un peu extraordinaire, la ville se transformait en une sorte d'immense carnaval pendant lequel se déployaient la fantaisie, l'exotisme, la richesse et les déguisements les plus extravagants. Aux XIVe, XVe et XVIe siècles, elle fut, avec Venise, la seule république d'Italie, mais une république gouvernée seulement par les familles riches et influentes ! La richesse était bien mieux acceptée que la noblesse à Florence à cette époque. C'est pourquoi les Médicis, bourgeois issus du peuple, purent-ils prendre le pouvoir et régner si longtemps. Ce fut aussi l'une des seules cités à accorder un rôle très important à la critique et à la discussion. On organisait même des concours publics où s'affrontaient les goûts, les styles et les idées ! Pas surprenant donc que ce soit à Florence que se manifestèrent les premiers signes révélateurs d'un changement d'état d'esprit dans tous les domaines.

En peinture, un des vecteurs majeurs de la nouvelle esthétique fut la mise au point des lois de la perspective. Les peintures de Pompéi (Ier siècle apr. J.-C.) – qui, de toute évidence, sont des copies de modèles grecs – comportaient déjà de véritables trompe-l'œil. La Renaissance remit à l'honneur l'idée de « profondeur de champ » et la développa selon des règles de perspective. En outre, par l'avènement d'une vision « naturaliste » du monde, les problèmes de volume et de relief aboutirent à une peinture « sculpturale ». Une véritable révolution, qui donna naissance dès 1390 au manuel de l'art de peindre de Cennino Cennini (d'où sortirent les admirables œuvres des Toscans Masaccio, Giotto – premier peintre naturaliste de l'histoire de l'art – Leonardo da Vinci, Botticelli, Fra Angelico, Piero della Francesca...). L'apparition de la peinture à l'huile en Italie aux alentours de 1460 – telle que Van Eyck l'avait mise au point dans les Flandres – allait sérieusement influencer l'orientation de toute une génération de peintres habitués à la seule pratique de la fresque et de la détrempe.

En architecture, le grand traité *De re aedificatoria* rédigé par Alberti influença les Donatello et Brunelleschi, auteurs du dôme de Florence.

En sculpture, Donatello et Ghiberti rompirent avec les conventions gothiques pour épouser un réalisme inspiré de l'Antique.

La littérature s'épanouit avec des poètes comme Pétrarque, le Pogge, Laurent de Médicis et des narrateurs comme Dante et Boccace. Tous abandonnent le latin pour le toscan, langue jugée plus vivante et alerte.

En politique, l'art de gouverner fut réinventé et décrit en 1513 par le Florentin Niccolò Machiavelli (1469-1527) dans son célèbre ouvrage à portée universelle, *Le Prince*. Homme politique et philosophe, il nous a donné une vision des mécanismes politiques qui reste tout à fait actuelle, en particulier dans des régimes politiques à parti unique où le pouvoir est absolu. Il est évident que ses écrits ont été à l'origine de nouveaux courants de pensée qui, liés aux récentes facilités de transmission du savoir et des idées, ont ouvert grand les portes à l'humanisme.

En commerce, les nouvelles données furent brillamment analysées dans *La Pratica della mercatura* du Florentin Pegolotti.

On a l'habitude d'appeler la Renaissance italienne du XVᵉ siècle le *Quattrocento,* et celle du XVIᵉ siècle le *Cinquecento.*

L'unification de l'Italie

Du rêve à la réalité

Quand Napoléon se lança dans sa campagne d'Italie, le 11 avril 1796, il ne pouvait se douter qu'il serait à l'origine de l'émergence du sentiment nationaliste. Cette nouvelle occupation française dura jusqu'en 1814. Entre le Vatican et Napoléon, les relations n'étaient pas au mieux : le pape Pie VII refusait d'accorder l'annulation du mariage de Jérôme Bonaparte et Mlle Paterson ; de son côté, Napoléon voulait contrôler l'Église tant en France qu'en Italie.

Le traité de Paris, en 1814, rendit l'Italie aux Autrichiens, mais le mouvement nationaliste devint de plus en plus actif et, dès 1821, eurent lieu les premières insurrections, notamment à Turin. En 1825, un Génois, Mazzini, créa le Mouvement de la jeune Italie ; la conscience de faire partie d'une même nation était désormais dans le cœur de tous les Italiens. Même le pape Pie IX, fervent lecteur des philosophes, adhéra aux théories de Vincenzo Gioberti, prêtre philosophe et homme politique qui prôna l'idée d'une fédération... sous la direction du pape. Mais il fut aussi un sympathisant des idées de Mazzini qui, lui, souhaitait une république. En 1848, toutes les villes italiennes connurent une certaine agitation et le roi de Piémont-Sardaigne, Charles-Albert Iᵉʳ – qui, par ailleurs, n'avait aucune sympathie pour ces mouvements – déclara la guerre à l'Autriche. La cause italienne fut rapidement écrasée, même si Venise résista jusqu'en août 1849. De ces événements allait sortir la leçon suivante : peu importe la forme que prendrait une Italie unifiée, royaume, fédération ou république, l'essentiel était d'expulser d'abord les Autrichiens, et ça ne pourrait se faire qu'avec une aide extérieure.

Les acteurs de l'Unité

Camillo Benso Cavour créa en 1847 le journal *Il Risorgimento,* modéré mais libéral. Appelé à jouer des rôles ministériels sous le roi Charles-Albert et son successeur et fils Victor-Emmanuel II, il devint le véritable maître de la politique piémontaise. Il fonda une société dans laquelle un autre jeune homme allait très vite se distinguer dans cette marche vers l'indépendance : Garibaldi. Né en 1807, Giuseppe Garibaldi fut contraint de s'exiler au Brésil en raison de ses sympathies pour Mazzini. Après ce séjour aux Amériques, où il prit part à une insurrection brésilienne et combattit pour l'Uruguay, il revint en Italie, d'abord en 1848, échouant militairement, puis en 1854 aux côtés de Cavour. Et petit à petit se dessina la force qui allait renvoyer les Autrichiens de l'autre côté des Alpes.

Le 14 janvier 1858 se produisit un autre événement : la tentative d'assassinat de Napoléon III par Orsini. Avant d'être exécuté, Orsini écrivit à Napoléon III pour le supplier d'intervenir en faveur de l'unité italienne. Impressionné par la teneur de la lettre, l'empereur conclut un accord avec Cavour : la France fournirait 200 000 hommes pour aider à la libération, mais, en échange, le Piémont céderait la Savoie et le comté de Nice. Un peu réticent au début, Cavour réalisa plus tard la nécessité de ce sacrifice. En 1859, Garibaldi leva une armée de 5 000 chasseurs et vainquit les Autrichiens à Varese et à Brescia. L'année suivante, il s'empara de la Sicile et de

Naples grâce aux Chemises rouges, une armée formée de volontaires internationaux. Élu député par la suite, Garibaldi – natif de Nice – ne tarda pas à entrer en conflit avec Cavour au sujet de la cession du comté de Nice aux Français, puis à propos du problème des États pontificaux.

Les premiers pas de l'Italie naissante

Victor-Emmanuel II fut proclamé roi d'Italie en mars 1861. Son royaume comprenait – outre le Piémont et la Lombardie – la Romagne, Parme, Modène, la Toscane, le royaume des Deux-Siciles, les Marches et l'Ombrie. Il restait le problème de la Vénétie et de Rome, laissé en suspens avec la mort de Cavour. Victor-Emmanuel II prit la tête de l'armée italienne pour tenter de récupérer Venise. Ce fut un échec cuisant mais, par un extraordinaire tour de passe-passe diplomatique (et la défaite des Autrichiens à Sadowa contre les Prussiens), Venise fut remise aux mains de Napoléon qui, à son tour, la céda aux représentants vénitiens ! Après un vote de 647 246 voix contre 69, Venise intégra l'union italienne, et le roi Victor-Emmanuel déclara : « C'est le plus beau jour de ma vie : l'Italie existe, même si elle n'est pas encore complète... » Il faisait allusion à Rome, que les Français, pas plus que le pape, n'avaient l'intention d'abandonner... Le 18 juillet 1870, le XXIe concile œcuménique proclama l'infaillibilité du pape. Bien que les forces armées françaises se fussent retirées du territoire dès le mois de décembre 1861, les forces pontificales se composaient largement de Français.

Le 16 juillet 1870, Napoléon III eut la malencontreuse idée de déclarer la guerre aux Prussiens et, le 3 septembre, la nouvelle de la chute de l'Empire français parvint en Italie. Les troupes pontificales baissèrent les armes devant les Italiens et Rome rejoignit la jeune nation.

SACRÉ PAPE !

Le gouvernement italien proposa le 15 mai 1871 un acte connu sous le nom de loi des Garanties papales, où l'Italie reconnaissait l'idée d'une Église libre dans un État libre, la personne du pape étant considérée comme sacrée. Il lui fut accordé annuellement une somme de 3 225 000 lires, les propriétés du Vatican et du palais du Latran, ainsi que la villa de Castel Gandolfo. Il put aussi entretenir une petite force pontificale : les fameux gardes suisses.

De 1870 à nos jours

L'entrée dans le XXe siècle

Tout d'abord, un régime parlementaire fut institué et le système des élections devint habituel. À peine 10 ans après la fin des luttes pour l'unité, la droite se retrouva en minorité et la gauche arriva au pouvoir. L'Italie connaissait alors de grosses difficultés : le fossé économique et culturel entre le Nord et le Sud continuait de se creuser, et 80 % de la population rurale étaient illettrés. Au début du XXe siècle, l'ouvrier italien était l'un des plus mal payés d'Europe et il travaillait plus qu'ailleurs, quand il pouvait travailler.

Avec l'unification, la croissance démographique connut son taux le plus haut. C'est aussi à ce moment que l'émigration fut la plus forte : entre 1876 et 1910, environ 11 millions de personnes émigrèrent, surtout vers les Amériques, enrichissant les pays d'accueil des particularismes italiens.

L'arrivée du fascisme

Au terme de la Grande Guerre, la paix rendit à l'Italie Trieste, le Trentin, le Haut-Adige et l'Istrie, mais l'après-guerre se vit accompagnée de grèves et d'une succession de gouvernements, ce qui créa le terrain favorable à la montée du fascisme. Mussolini et ses Chemises noires donnèrent un temps l'illusion d'une prospérité qui profita surtout à la petite bourgeoisie. Engagé dans la conquête éthiopienne et rejeté par les démocraties occidentales, Mussolini trouva en Hitler une âme sœur. Beaucoup plus faible que son allié allemand, le régime fasciste italien rencontra au sein du pays une résistance ouverte dès 1941-1942. Littéralement occupée par les Allemands, l'Italie fut la première des forces de l'Axe à subir l'assaut des Anglais et des Américains. Et Mussolini fut tué par des partisans italiens.

Après la Seconde Guerre mondiale, l'Italie était dans une situation dramatique : usines, réseau de chemin de fer, villes, tout n'était que ruines. Le cinéma italien de la seconde après-guerre se fit indirectement le témoin de la misère qui s'ensuivit et qui entraîna une nouvelle vague d'émigration, plus européenne cette fois-ci.

L'après-guerre

Devenue république par référendum en juin 1946, après l'abdication de Victor-Emmanuel III et la mise à l'écart de son fils Umberto II, l'Italie a connu une vie politique particulièrement agitée. Entre 1947 et 2004, ce sont 60 gouvernements différents qui se sont succédé !

La première république italienne, il est vrai, a rencontré toutes sortes de difficultés : extrémisme de gauche (les Brigades rouges) et de droite, de type néofasciste, corruption généralisée grippant les rouages de l'État et touchant les plus hauts responsables gouvernementaux, scandales divers (la loge secrète P2 et ses relations avec les banquiers du Vatican), et on en passe... Sans parler des remous sociaux, de la crise économique... L'Italie paraissait ingouvernable, livrée à la *combinazione*, aux jeux d'alliance (et surtout de retournements d'alliance).

Tout a semblé prendre une nouvelle tournure dans les années 1990 avec, enfin, des signes forts de l'État, apparemment décidé à se faire entendre : rigueur économique, opération « mains propres » conduisant à un grand nettoyage de la vie politique (1 500 personnes mises en examen dont des parlementaires). Le socialiste Bettino Craxi, ancien président du Conseil, prend alors la fuite pour échapper à la justice et se réfugie en Tunisie, où il reste jusqu'à sa mort. Giulio Andreotti, autre ancien président du Conseil, de couleur démocrate chrétienne, sent passer le vent du boulet très près : il est blanchi, faute de preuve, de l'accusation d'« association mafieuse ». Sa carrière politique est néanmoins terminée et sa formation politique balayée. Mais si l'on donne un grand coup de pied dans la fourmilière, ce qui permet à l'Italie de se débarrasser de politiciens corrompus, de nouveaux visages apparaissent. Surgit ainsi Umberto Bossi, qui cherche à fanatiser les Italiens du Nord pour leur vendre son concept de Padanie, « pays » aux frontières incertaines, incarné dans la *Lega Nord*. De nouvelles têtes donc... mais l'expérience ne dure pas et la gauche revient au pouvoir en 1996. L'Italie semble alors reprendre sa route vers l'Europe dans une relative sérénité, le gouvernement essayant de travailler dans la durée. Mais la coalition de gauche, « l'Olivier » (l'*Ulivo*), est minée par les divisions internes, affaiblie par le long exercice du pouvoir (ainsi que par l'accomplissement de la marche forcée vers l'Europe).

L'Italie de Berlusconi

Silvio Berlusconi, 51e fortune planétaire, n'a pas fait ses premières armes en politique. Ancien chanteur sur des bateaux de croisières, il commence dans les années 1970 une carrière dans l'immobilier, qui se poursuit avec la construction de l'empire médiatique qu'on lui connaît.

En 1993, il se dirige en politique, en créant son parti « Forza Italia » (le slogan des supporters de l'équipe nationale de football). Aidé en grande partie par ses chaînes de télévision, il gagne les élections et crée son premier gouvernement qui ne tiendra que 8 mois. Passé dans l'opposition, Berlusconi resserre petit à petit le contrôle des médias, écrase le débat politique qu'il remplace par des *reality-show*. Plus qu'aucun autre, le *Cavaliere* incarne le populisme médiatique. Face à l'émiettement des forces politiques (174 partis et mouvements enregistrés en 2001 !), les Italiens sont tentés par la solution de l'homme providentiel. On apprécie la *success story* de cet homme à l'allure de jeune séducteur (il est né en 1936), parti de rien et aujourd'hui à la tête d'un empire financier, la Fininvest, qui a la mainmise à la fois dans le secteur de l'immobilier, mais aussi dans celui de l'édition, du cinéma, de la télévision, d'Internet et, bien entendu, du sport (avec le Milan AC). C'est ainsi qu'en 2001 il accède de nouveau au poste de président du Conseil. Au programme : une politique ultralibérale (notamment dans le domaine de la fiscalité), des privatisations et de grands travaux. En fait, il excelle essentiellement dans l'art d'élaborer des lois qui l'avantagent lui et ses proches (suppression des impôts sur la succession, dépénalisation des faux en bilan...). L'aire berlusconienne se résume à un « régime personnalisé où tout a convergé pour soigner les intérêts d'une seule personne », selon les propos du politologue Giovanni Sartori.

Malgré l'échec de sa politique (économie en crise, discrédit sur le plan international, société fragmentée), les nombreuses controverses et dérapages verbaux, il reste à la tête du conseil des ministres jusqu'aux élections législatives d'avril 2006, qui mettent fin à 5 années de pouvoir.

Changement de cap en 2006

Après un coude-à-coude difficile à démêler, c'est finalement Romano Prodi, le leader de l'*Unione* (coalition de centre-gauche créée en février 2005) qui est sorti vainqueur des dernières élections. Victoire amère pour la gauche, car même si Berlusconi n'a pas été réélu, les Italiens sont loin de l'avoir rejeté. Malgré sa défaite, au demeurant très courte, son parti est toujours le premier parti politique du pays par son poids électoral. De quoi peser sur la majorité – plutôt précaire – de Prodi, à qui il ne reste qu'une marge de manœuvre étroite. D'autant plus que cette coalition hétéroclite, qui place des catholiques progressistes au côté de l'extrême gauche, doit désormais trouver une ligne d'action commune, vu que leur objectif premier, qui était de chasser Berlusconi, a été atteint. Affaire à suivre...

Petite chronologie

Avant J.-C.

– **900 :** installation dans la région (en plus de l'Ombrie et du Latium) des Étrusques. Ils donnent le nom de Tusci à cette région.
– **753 :** fondation de Rome.
– **650 :** les Étrusques sont à Carthage.
– **616 :** les Étrusques règnent à Rome.
– **509 :** Brutus chasse les Étrusques et fonde la république.
– **500 (environ) :** installation des Étrusques dans la plaine du Pô.
– **396 :** prise de Véies par Rome.
– **390 :** conquête des Gaulois à Rome et dévastation des villes étrusques.
– **295 :** Rome bat les Étrusques à Sentinum.
– **254 :** chute de Volsinies (Orveto), dernière cité étrusque libre.
– **205 :** les cités étrusques aident Scipion contre Carthage.
– **183 :** les Romains sont à Saturnia.
– **88 :** Volterra et les villes avoisinantes deviennent romaines.
– **59 :** fondation de Florentina (Florence).
– **42 :** Octave détruit Pérouse.
– **27 :** fondation de l'Empire romain par Auguste qui crée l'Étrurie.
– **20 :** fondation de Sienne.

Après J.-C.

– **250 :** introduction du christianisme par des marchands orientaux.
– **313 :** statut officiel accordé au christianisme.
– **405 :** les Ostrogoths assiègent Florence.
– **552 :** arrivée des Goths.
– **570 :** arrivée des Lombards.
– **774 :** arrivée des Carolingiens.
– **800 :** Charlemagne est sacré empereur.
– **1065 :** Pise conquiert la Sicile et devient le premier port de la Méditerranée.

– *1115 :* fin des Carolingiens avec le décès de la comtesse Mathilde.

– *1115-1200 :* lutte des empereurs allemands contre la papauté. Les cités toscanes se rangent sous la bannière des premiers (gibelins) ou des seconds (guelfes). Elles acquièrent leur indépendance.

– *1224 :* développement du christianisme par saint François d'Assise.

– *1250 :* développement du système bancaire et des prêts aux papes et aux rois.

– *1265 :* Charles d'Anjou, frère de Saint Louis, est couronné roi de Sicile.

– *1284 :* Gênes bat Pise et prend sa place en Méditerranée. Florence prend alors le dessus et met les villes de Toscane sous sa coupe, à l'exception de Lucques et de Sienne.

– *1294 :* décret public en vue de la construction du *Duomo* de Florence. Début des travaux en 1296.

– *1350 :* construction de la tour de Pise.

– *1400-1500 :* apothéose de la Toscane. Époque dorée de la Renaissance et de l'humanisme.

– *1494-1498 :* les Français de Charles VIII entrent à Florence ; les Médicis sont chassés et Savonarole prend le pouvoir.

– *1499 :* la République est réinstaurée.

– *1512 :* les Médicis reviennent au pouvoir.

– *1513 :* Jean de Médicis devient Léon X.

– *1523 :* Jules de Médicis devient pape sous le nom de Clément VII.

– *1530 :* Alexandre de Médicis devient premier duc de Toscane.

– *1532 :* publication du *Prince* de Machiavel.

– *1537 :* Cosme Ier est élu duc de Florence et réunit les différentes cités de la région.

– *1569 :* création du grand duché de Toscane.

– *1737 :* fin des Médicis, remplacés par la maison de Lorraine.

– *1801 :* traité de Lunéville : Napoléon récupère les territoires italiens des Habsbourg. Création du royaume d'Étrurie au profit de Louis de Bourbon-Parme, gendre du roi d'Espagne.

– *1802 :* la France hérite de l'île d'Elbe.

– *1806 :* occupation par les troupes de Napoléon et création de trois départements rattachés à l'Empire.

– *1809-1814 :* résurrection du grand duché de Toscane pour Élisa Bacciochi, sœur aînée de Napoléon.

– *1814-1848 :* le grand duché est dirigé par les Habsbourg, et s'agrandit en 1847 du duché de Lucques.

– *1848-1849 :* interlude de la République.

– *1849-1859 :* rétablissement du grand duché par les Habsbourg.

– *1859 :* Napoléon III conduit avec Victor-Emmanuel II les armées franco-piémontaises. Après la victoire de Solferino, Cavour intègre la Lombardie au Piémont, puis les duchés d'Italie centrale. Nice et la Savoie seront rattachées à la France après plébiscite.

– *1860 :* c'est la montée du *Risorgimento*. L'expédition des Mille, ou Chemises rouges, conduite par Garibaldi, achève le mouvement de l'unité italienne.

– *1861 :* proclamation de l'unité italienne.

– *1866 :* guerre austro-prussienne. La Vénétie devient italienne par l'échec autrichien contre la Prusse.

– *1870 :* avec la défaite de la France face à l'Allemagne, tombe le dernier obstacle pour faire de Rome la capitale du royaume d'Italie.

– *1918 :* la paix donne à l'Italie Trieste, le Trentin, le Haut-Adige et l'Istrie.

– *1922 :* la « marche sur Rome » d'un certain Mussolini ouvre l'ère fasciste.

– *1924 :* dictature fasciste de Mussolini.

– *1929 :* l'État italien et les États du Vatican trouvent un terrain d'entente ; la papauté recouvre sa souveraineté sur le Vatican et l'État italien, un bel allié.

– *1945 :* exécution de Mussolini et de ses ministres.

– *1946 :* plébiscite pour la République italienne, caractérisée par une forte instabilité ministérielle.

– *1962-1965 :* concile de Vatican II convoqué par Jean XXIII. Concile œcuménique en vue d'adapter l'Église catholique au monde moderne.

– *1970 :* fondation des Brigades rouges par Renato Curcio.

– *1978 :* Aldo Moro, enlevé par les Brigades rouges, est assassiné. Lois sur le divorce et l'avortement. Élection du pape Jean-Paul I, qui décède 2 mois après son intronisation. Karol Wojtyla, cardinal de Cracovie, entre en scène.

– *1980 :* attentat néofasciste à la gare de Bologne, faisant plus de 85 morts. Le cabinet de Francesco Cossiga tombe.

– *1981 :* tentative d'assassinat de Jean-Paul II, le 13 mai. Début des arrestations des chefs historiques des Brigades rouges.

– *1987 :* aux élections législatives, le parti socialiste de Bettino Craxi obtient 15 % des voix, son meilleur score depuis 15 ans. La démocratie chrétienne reste largement le premier parti italien (34 %), tandis que le PCI recule (26,6 %). Les Verts entrent au parlement avec 13 députés.

– *1989 :* historique ! Le PCI annonce le début de sa transformation en parti démocratique de la gauche sans la mention du mot « communiste ». Rappelons que le PCI fut le parti communiste le plus puissant d'Europe occidentale (33 % des suffrages en 1978).

– *1992 :* élections législatives avec une émergence de la Ligue lombarde. Démission du président Francesco Cossiga qui laisse le pays sans chef pendant plusieurs mois. Assassinat des juges Falcone et Borsellino, à Palerme.

– *1993 :* l'enquête « mains propres » sur la corruption liée aux partis politiques met en cause Bettino Craxi, secrétaire général du parti socialiste, et plus de 150 politiciens. Elle provoque aussi la démission de plusieurs ministres. Levée de l'immunité parlementaire de Giulio Andreotti, ancien président du Conseil et démocrate-chrétien, accusé de collusion avec la mafia. Arrestation en janvier du n° 1 de la mafia, Salvatore Riina, recherché depuis 23 ans, suivie en mai de celle du n° 2, Nitto Santapaola.

Attentat à la voiture piégée, en mai à Florence, provoquant la mort de 5 personnes et des dégâts importants à la galerie des Offices. Attentats à Rome contre deux monuments du patrimoine national : Saint-Jean-de-Latran et San Giorgio al Velabro.

– *1994 :* retour de la droite au pouvoir. Démission de Berlusconi en décembre suite à une manifestation géante dans les rues de Rome.

– *1995 :* une « nouvelle » droite fascisante et pour le moins inquiétante (Ligue du Nord et son leader, Umberto Bossi) continue son ascension.

– *Avril 1996 :* véritable alternative depuis 1946. Victoire de la coalition de gauche au nom prometteur de « l'Olivier », conduite par Romano Prodi.

– *1998 :* l'Italie entre le 1er mai dans le club très fermé de l'euro à la suite des restrictions budgétaires menées par Prodi, ancien professeur d'économie.

– *2000 :* élections régionales remportées par la droite, autour de Silvio Berlusconi ; démission de Massimo d'Alema. Giuliano Amato lui succède.

– *2001 :* en mai, les élections législatives et sénatoriales donnent une majorité confortable à la Maison des Libertés, la coalition menée par Berlusconi. Ce dernier est nommé président du Conseil.

– *2002 :* grèves et manifestations en mars et avril par opposition à la politique libérale de Berlusconi.

– *2003 :* soutien de Berlusconi à l'intervention militaire des États-Unis en Irak, malgré la vive opposition de l'opinion publique italienne.

– *2004 :* fin du mandat de président de la Commission de la Communauté de Romano Prodi, remplacé en juillet par le Portugais José Manuel Durão Barroso.

– *2005 :* défaite de la droite lors des élections régionales. Mort de Jean-Paul II. Son successeur, Benoît XVI, n'est autre que son bras droit, le cardinal allemand Ratzinger.

– **Avril 2006 :** élections législatives et sénatoriales des plus rocambolesques ! À l'issue d'une campagne agressive, l'équipe de Romano Prodi l'emporte de justesse au Sénat et à la Chambre des députés. Contraint d'accepter la courte défaite, le *Cavaliere* s'est empressé d'ajouter qu'il s'appuiera sur *Forza Italia* et son empire audiovisuel pour orchestrer « une opposition sanglante », si bien que Prodi « ne pourra pas gouverner ». Car, selon l'ancien président du Conseil, ce « gouvernement ne sera qu'une parenthèse ».

– **Mai 2006 :** élection du sénateur centre gauche, Giorgio Napolitano, au poste de président de la République. Il est le premier président issu du parti communiste italien (PCI).

– **2007 :** retrait définitif des troupes italiennes en Irak. Le *Dico,* projet de loi sur le concubinage (homosexuels compris) a été rejeté en mars, créant ainsi des manifestations dans la capitale italienne. Un nouveau projet est à l'étude, le *CUS, (contratti di unione solidale).* Affaire à suivre...

MÉDIAS

Programmes en français sur TV5MONDE

TV5MONDE est reçue dans le pays par câble, satellite et sur Internet. Retrouvez sur votre télévision : films, fictions, divertissements, documentaires – qui témoignent de la diversité de la production audiovisuelle en langue française – et informations internationales.

Le site • tv5.org • propose de nombreux services pratiques aux voyageurs (• tv5.org/voyageurs •) et vous permet de partager vos souvenirs de voyage sur • tv5.org/blogosphere •

Pensez à demander dans votre hôtel sur quel canal vous pouvez recevoir TV5MONDE et n'hésitez pas à faire vos remarques sur le site • tv5.org/contact •

Journaux

Deux grands quotidiens nationaux se partagent le gâteau : *Il Corriere della Sera* et *La Repùbblica.* Vous les trouverez posés sur les tables des cafés dès le petit déjeuner pour que les clients puissent les feuilleter. Il existe également une myriade de journaux locaux, parfois pour toute une région mais aussi simplement pour une ville (*La Nazione* à Florence ou *Il Tirreno* à Livourne). La presse spécialisée talonne de près les journaux généralistes, puisque *La Gazetta dello Sport* arrive en troisième position des ventes (sur près de 90 titres qui oscille entre 5 et 6 millions) avec plus de 450 000 exemplaires. De même, le quotidien économique *Il Sole 24 Ore* diffuse à près de 400 000 exemplaires.

Dans les grandes villes, certaines librairies ont un rayon d'ouvrages français et de presse française, ainsi qu'un choix de livres de poche. Les librairies et les centres culturels français proposent des expositions, des conférences, des projections de films et des bibliothèques de prêt.

Radio

Il existe plus de 1 300 stations de radio, pour la plupart locales, réparties sur tout le territoire. La radio d'État, la *RAI (Radio Audizione Italia),* est toute-puissante mais on compte aussi des dizaines de radios libres dont *Radio Kiss Kiss* et *Radio Marte,* la préférée de la jeune génération. De plus, sur les grandes ondes, selon l'endroit où l'on se trouve, on peut parfois capter certains postes français tels que *Radio Monte-Carlo, Europe 1, France Inter,* etc. La réception n'est pas toujours fabuleuse cependant. *Radio Vaticana* diffuse des informations en français, plusieurs fois par jour.

Télévision

Difficile de parler de la télévision italienne sans évoquer le groupe Fininvest de « Monsieur Télévision », Silvio Berlusconi. Le monopole d'État ayant été levé en 1975, les chaînes privées ont envahi le petit écran. C'est en 1970 que Silvio Berlusconi a pris le contrôle de *Canale 5,* puis, au début des années 1980, s'est porté acquéreur de *Italia 1* et de *Rete-Quattro,* regroupés sous Mediaset. Pour l'info, depuis la loi Maccanico de 1997, *Rete 4* ne devrait plus émettre sur les ondes hertziennes nationales. En effet, cette loi stipule qu'une entreprise privée ne peut détenir plus de deux chaînes nationales. L'État avait ensuite adjugé les droits à *Europe 7* ; cette station est, depuis 1999, autorisée à émettre mais ne dispose pas de fréquence. En 2004, la Cour constitutionnelle a décrété que *Rete 4* devait cesser toute émission et se transférer sur le câble. En 2007, *Rete 4* émet toujours en toute illégalité et *Europe 7* n'a toujours pas son espace.

Liberté de la presse

La liberté de la presse a souffert pendant de nombreuses années de la mainmise de Silvio Berlusconi sur les médias, à la fois comme chef de l'exécutif et patron de presse. Si aujourd'hui il n'est plus président du Conseil, il reste directeur du groupe Mediaset, qui regroupe trois chaînes de télévision privées nationales, et propriétaire de Mondadori, le plus grand éditeur du pays.

Silvio Berlusconi a monopolisé le petit écran pendant la campagne législative et a été condamné à trois reprises par le Conseil supérieur de l'audiovisuel italien pour dépassement de temps de parole. Ses apparitions avaient provoqué un tollé parmi les journalistes de la chaîne publique *RAI*.

Romano Prodi a promis, lors de son élection, de modifier la loi sur le conflit d'intérêts, dite Gasparri, votée en 2004. Celle-ci avait donné le droit à Silvio Berlusconi de gouverner sans être contraint de vendre ses trois chaînes commerciales. Cette loi, faite sur mesure pour le « Monsieur Télévision », reste en vigueur et peut toujours s'appliquer aux dirigeants italiens.

Ce texte a été réalisé en collaboration avec *Reporters sans frontières.* Pour plus d'informations sur les atteintes aux libertés de la presse, n'hésitez pas à contacter :

■ *Reporters sans frontières :* 5, rue Geoffroy-Marie, 75009 Paris. ☎ 01-44-83-84-84. Fax : 01-45-23-11-51.

● *rsf@rsf.org* ● *rsf.org* ● Ⓜ *Grands-Boulevards.*

MÉDICIS

La famille Médicis est indissociable de Florence, dont elle est originaire. Cette grande lignée a, durant quatre siècles, régné sur la ville et contribué à l'épanouissement économique et (surtout) culturel de la capitale toscane.

Florence, aux XIVᵉ et XVᵉ siècles, était régie par une constitution oligarchique : le pouvoir était dans les mains de la famille la plus influente de la cité. Quand l'occasion se présenta, Cosme l'Ancien (1389-1469) ne la laissa pas passer : profitant du fait que la famille en place était déstabilisée, il prit le pouvoir à la mort de son père en 1429, qu'il ne céda qu'à sa propre mort (et encore, à son fils Pierre...). Il n'exerça pas lui-même les magistratures, il les confia à ses partisans dévoués. Mais il n'empêche qu'il fut le personnage politique le plus important de Florence. Homme d'État d'une grande habileté, il fut également un mécène remarquable (Brunelleschi, Fra Filippo Lippi, Donatello firent partie des artistes qu'il favorisa) et surtout un excellent homme d'affaires. Il amplifia l'héritage déjà considérable que lui avait légué son père, en particulier une compagnie bancaire et commerciale qui prêtait de l'argent aux rois et aux princes et qui n'avait pas moins de 10 filiales dans la péninsule et à l'étranger. Sans jamais quitter son image de marchand, par sa modestie et sa simplicité il sut conquérir le cœur des Florentins. À sa mort, ils lui donnèrent le titre de « Père de la Patrie ».

Son fils, Pierre le Goutteux, eut moins de prestige et ne resta au gouvernement que 5 ans. À sa mort, son fils aîné, Laurent le Magnifique (1449-1492), prit la relève. Son surnom de Magnifique ne lui vint pas de sa beauté (il était même plutôt laid !), mais de sa générosité (surtout financière...) envers les Florentins (*magnifico* : « généreux »). Lui et son frère Julien étaient tellement aimés dans la cité que, lors de l'attentat qui coûta la vie à Julien, en 1478, le peuple sortit spontanément

> **" DITES 33 "**
>
> *Les Médicis étaient, des médecins apothicaires depuis le XIIᵉ siècle. Le succès et la fortune rapides les transformèrent en hommes d'affaires, puis en banquiers. Leurs armoiries, formées de cinq boules rouges (ou tourteaux) sur un fond d'or, représentent cinq comprimés, ou pilules, surmontés d'un tourteau azur avec trois fleurs de lys (représentant la monarchie française). Elles furent ajoutées lorsque le roi de France les anoblit. Certains pensent qu'il s'agit de pièces de monnaie, vu la forme arrondie des tourteaux. D'autres pensent à des poids pour peser l'or. La première hypothèse est la plus cohérente et la plus répandue en Toscane.*

dans les rues en criant le nom des Médicis, ce qui contribua grandement à sauver la vie de Laurent.

Dur et cynique, Laurent le Magnifique sut pourtant charmer son monde et exerça un véritable ascendant sur ceux qui l'entouraient. Mais, moins avisé que son grand-père, il laissa s'affaiblir la compagnie familiale, et des filiales firent faillite. Son mécénat manqua d'ampleur ; les grands artistes de sa génération (Alberti et Botticelli, par exemple) furent soutenus par d'autres que lui. En revanche, son œuvre d'écrivain est d'une indéniable qualité. Très à l'aise avec les princes, il fut traité par eux comme un des leurs ; il faut dire que sa cour était des plus brillantes. Son fils Pierre prit la succession, mais fut chassé en 1494, lors de la venue en Italie du roi de France, Charles VIII.

Exilés, les Médicis gardèrent cependant des partisans dans Florence et, si leur fortune était touchée, elle ne fut pas anéantie. Ils furent toujours traités en égaux par les grands et, au début du XVIᵉ siècle, deux Médicis devinrent papes sous les noms de Léon X et de Clément VII. En 1512, ils se réinstallèrent au pouvoir pour 15 ans. Trois ans de république, puis ils revinrent aux affaires grâce aux armées pontificale et impériale. À partir de 1530 et pendant 207 ans, Florence fut gouvernée par les Médicis, qui portèrent désormais le titre prestigieux de duc, puis de grand-duc de Toscane. Le premier duc, Alexandre, fut assassiné en 1537 par son cousin Lorenzino, plus connu sous le nom de Lorenzaccio (le mauvais Laurent), qui subira le même sort.

En dehors de ces querelles de famille, les Médicis se débrouillèrent plutôt bien. Des alliances consolidèrent leur pouvoir, les heureuses épouses étant choisies parmi les plus grandes familles européennes. Les mariages du reste de la famille ne furent pas moins prestigieux. N'oublions pas les reines de France, Catherine et Marie de Médicis, respectivement femmes d'Henri II et d'Henri IV.

Le règne des Médicis s'arrêta à la mort sans descendance du dernier d'entre eux en 1737 ; mais ses prédécesseurs, qui ne gouvernaient plus réellement, régnaient-ils encore ?

PASTA (LES PÂTES)

Premiers producteurs au monde de pâtes sèches, les Italiens en sont aussi les premiers consommateurs avec pas moins de 28 kg par personne et par an.

Petite histoire de la *pasta* ou la fin du mythe de Marco Polo « introducteur des pâtes en Italie »

Marco Polo, introducteur des pâtes en Italie. Combien de fois avons-nous entendu ou lu pareille ineptie ? Les pâtes se consommaient, en effet, depuis belle lurette. Comble de l'ironie, un document notarial de 1279 mentionne à Gênes la fabrication de pâtes vingt ans avant la publication du *Livre des merveilles du monde*.

L'Antiquité nous fournit ainsi bon nombre de preuves, comme le bas-relief de Cerveteri (célèbre nécropole étrusque au nord de Rome) représentant différents instruments nécessaires à la transformation de la *sfoglia* en tagliatelles. Ou bien, le livre de cuisine d'Apicius où nous retrouvons l'ancêtre de la lasagne, la *patina*.

Au travers de ces témoignages étrusques et romains, les Italiens pourraient revendiquer la paternité de la *pasta*. Mais cet italianisme n'est pas si incontestable que cela. La Sicile arabe (IXe-XIe siècle) n'est pas pour rien, en effet, dans l'introduction de la *pasta secca* en Italie, les Arabes semblant avoir inventé la technique de séchage pour se garantir des provisions lors de leurs déplacements dans le désert. Le savoir-faire aurait ensuite rayonné à travers l'Italie.

Avalant les siècles goulûment, nous voici, à la fin du XIXe siècle, à Naples, qui peut être considérée par bien des côtés comme étant la patrie de la *pasta secca*. C'est ici qu'une véritable industrie se mit en place favorisant la diffusion à travers toute l'Italie des pâtes sèches... qui voyagent mieux, il va sans dire, que la *pasta fresca*.

Pâtes et sauce tomate : une grande histoire d'amour

Pendant des siècles, les pâtes furent l'apanage des tables royales et aristocratiques. Il fallut attendre l'invention des pâtes sèches pour qu'elles se démocratisent et passent au rang d'aliment populaire. Sain, simple et nourrissant, le plat de pâtes mit néanmoins du temps à conquérir son public. C'est seulement à la fin du XVIIIe siècle, quand on eut l'idée d'associer pâtes et tomates, que les pâtes connurent le succès. Il faut dire que l'alchimie est parfaite. La « pomme d'or » (*pomodoro*), pourtant rapportée des Amériques depuis le XVIe siècle, fit du même coup une entrée fracassante dans la cuisine italienne (le clergé européen l'avait, jusque-là, taxée de tous les maux. Trop bon, trop rouge, ce ne pouvait être que le fruit du diable ! pire, du poison...). La magie de la sauce tomate, c'est qu'elle est la seule à s'accorder à toutes les pâtes, longues ou courtes, lisses ou striées, plates ou tarabiscotées. Ce qui n'est pas le cas des autres sauces car, en Italie, il est une affirmation qui pourrait passer au rang de proverbe ou de dicton : « À chaque sauce, sa pâte ! »

Les macaronis *(maccheroni)*

Par ce mot d'origine grec (*macarios* signifiant « heureux »), on désigne l'ancêtre de toutes les pâtes, un peu comme le mot « nouille » chez nous. D'ailleurs le sens figuré de *maccherone* (« nigauds à la tête vide ») n'est guère plus gentil et ne manquera pas de nourrir l'humeur caustique de nos compatriotes. Car, pour les Français, il a longtemps désigné l'ensemble des Italiens. C'est du même tonneau que « rosbif » ou « grenouilles ». En Italie du Sud, *maccheroni* désignait aussi l'ensemble des pâtes sèches, d'où la fréquente confusion entre *maccheroni* et macaronis, ces derniers étant à ranger définitivement dans la famille des pâtes courtes.

Les pâtes courtes

Il en existe une grande variété, surtout depuis l'invention des pâtes sèches industrielles, les machines permettant toutes sortes de fantaisies.

Ainsi les *fusilli* (originaires de Campanie) sont le résultat d'évolutions techniques considérables. Au début, les *fusilli* étaient des cordons de pâte de blé dur enroulés en spirale autour d'une aiguille de fer. L'aiguille était retirée une fois la pâte sèche. On pourrait également citer les *farfalle* (ou papillons), ces derniers étant originaires de la région de Bologne.

Plus traditionnelles : *penne, maccheroni, tortiglioni, giganti, bombardoni...* (à noter que les *penne rigate* représentent à elles seules près du quart du marché de la pâte sèche, juste derrière les *spaghetti*).

Les pâtes courtes et grosses, comme les *orecchiette* ou les *trofie,* aiment les sauces à base d'huile (par exemple le *pesto*) ou de légumes, tandis que les courtes et creuses comme les *rigatoni* ou les *conchite* aiment les sauces plus épaisses à la viande.

Les *spaghetti,* ou les pâtes longues

Cette forme de pâtes se mange depuis belle lurette dans toute l'Italie. Garibaldi et sa fameuse expédition des Mille en 1860 n'y seraient pas pour rien. Remontant du Sud vers le Nord, il aurait en effet fortement contribué à la généralisation des pâtes sèches et des *spaghetti* en particulier. *Unità per la pasta !*

Pourtant, certaines, faciles à faire à la main, à la maison, remontent aux origines même des pâtes... Encore faut-il savoir ce que l'on entend par pâtes longues. On les classe en fonction de leur largeur.

– Les larges et plates : comme les *lasagnette,* les *fettucine,* les *tagliatelle...* À utiliser de préférence avec des sauces au beurre, à la crème, au coulis de courgettes, de poivrons, de tomates...

– Plus larges encore : les *parpadelle* (très populaires à Florence) jusqu'aux *lasagne* (que l'on fait cuire au four).

– Les longues et fines : comme les *linguine,* les *linguinette* les *fettucelle* et bien sûr les *spaghetti...* Elles raffolent des sauces à base d'huile, mais sont finalement assez polyvalentes...

– Les ultrafines : les *vermicelli, capelletti* (dites également *capellini,* c'est-à-dire « fins cheveux »), *capelli d'angelo* (cheveux d'ange), que l'on utilise principalement en soupe et en bouillon.

– Les *bigoli* ou les *bucatini* sont des pâtes bâtardes, à la fois spaghettis creux et macaronis longs. On les réserve volontiers aux sauces à la viande. Les plus gros sont les *ziti.*

En Ombrie, les *spaghettoni* rustiques portent des noms différents selon les villes. À Terni, ce sont des *ciriole,* à Gubbio, des *bigoli,* à Pérouse et Orvieto, des *umbricelli,* à Spolète, des *strozza preti.* Quand ils sont plus minces, on les appelle des *strengozzi* ou *strangozzi.*

Petit lexique

Pâtes sans œufs

– *Spaghetti :* longs et ronds.
– *Bucatini :* spaghettis géants avec un tout petit trou.
– *Ziti :* spaghettis géants avec un grand trou.
– *Rigatoni :* courts, en forme de polochon.
– *Penne :* sorte de tuyaux biseautés, en forme de plume.
– *Conchiglie :* en forme de coquillage.
– *Puntine :* petits points.
– *Farfalle :* papillons.
– *Maccheroni :* macaronis.
– *Fusilli :* pâtes en forme de spirale.

Pâtes aux œufs

– *Fettuccine :* longues et plates.
– *Tagliatelle :* comme les *fettuccine.*
– *Tonnarelli :* spaghettis carrés, blancs ou verts.

– *Lasagne :* larges, longues et plates et en pile, blanches ou vertes.
– *Cannelloni :* en forme de polochon, fourrés.
– *Ravioli :* en forme de coussin, fourrés.
– *Tortellini :* en forme d'anneau, fourrés.
– *Tortelloni :* la taille au-dessus, fourrés.
– *Quadrucci :* comme les *fettuccine*.
– *Capellini :* petits cheveux.

PATRIMOINE CULTUREL

Petit B.A.-BA à l'usage des visiteurs « muséivores »

Horaires

– *Chiuso* est un petit mot italien signifiant « fermé » et qui décore parfois la porte d'un musée qui devrait être ouvert. La fantaisie, qui fait partie des charmes de l'Italie, n'est pas exclue. En principe donc, les musées sont ouverts de 9h ou 10h à 18h ou 19h (souvent un peu plus tôt le vendredi) et fermés le lundi, mais parfois le mardi ou le mercredi.
– De nombreux sites à ciel ouvert sont accessibles de 9h à l'heure précédant le coucher du soleil. Le mieux est, dès votre arrivée, de vous renseigner à l'office de tourisme, qui publie une liste des sites et musées remise à jour très régulièrement.

Tarifs

– Les prix des sites et musées demeurent élevés. Les étudiants en histoire de l'art ou en architecture peuvent entrer gratuitement dans les musées. Le mieux est de demander un laissez-passer à l'office de tourisme.
– Quant aux jeunes de moins de 18 ans (et parfois de moins de 25 ans) et aux personnes de plus de 65 ans faisant partie de l'Union européenne (UE), ils bénéficient de réduction ou de gratuité dans bon nombre de musées et sites nationaux. Pour les enseignants de l'UE, 50 % de réduction leur sont accordés sur présentation d'une pièce justificative. Munissez-vous donc de votre carte d'identité.

Infos pratiques

– Vous avez également la **possibilité de réserver vos places.** Pour la galerie des Offices ou l'*Accademia,* c'est très pratique et cela vous évite de faire une queue de 2h au minimum ! Voir dans « Florence », les « Informations utiles » de la rubrique « À voir ».
– Petit conseil : des **audioguides** sont disponibles la plupart du temps à l'accueil des musées (moyennant finance : en général autour de 4 €). Si vous avez les moyens, profitez-en, car ils s'avèrent bien utiles pour comprendre toute la complexité de l'art italien.

Les musées et sites incontournables à Florence

– La galerie des Offices, la galerie de l'Académie, le palais Pitti avec la galerie Palatine et les jardins de Boboli, le ponte Vecchio, le musée Bargello, le Palazzo Vecchio.
– Après le *Duomo* et son baptistère, Santa Croce, San Lorenzo et Santa Maria Novella sont les trois églises à ne pas rater à Florence.

PEINTURE TOSCANE

La Toscane : berceau de la Renaissance ?

La révolution artistique apparue en Toscane entre la fin du XIIᵉ siècle et le XVIᵉ siècle tient presque du miracle. La situation politique, géographique, démographique, économique, religieuse et intellectuelle a permis une véritable révolution artistique (peintres, sculpteurs, architectes...) avec, en tout premier lieu, une montée en puissance de l'humanisme. Cette évolution a été paradoxalement, et en partie, à l'initiative de l'Église qui fit la promotion des artistes en les finançant et parfois en les censurant.

L'extraordinaire variété des terroirs italiens et le développement des cités-États ont, par ailleurs, entraîné une concurrence féroce, chaque souverain désirant, au même titre que le Vatican, construire une image « marketing » idéale de lui-même et de son royaume. Les artistes de la Renaissance italienne furent en quelque sorte les premiers grands publicitaires de l'Histoire...

En ce qui concerne Florence, la cité des Médicis apparaît aujourd'hui à la fois initiatrice et dépositaire de la Renaissance italienne dans l'imaginaire occidental. Si une telle affirmation est en partie vraie, et ce notamment grâce au succès du fameux ouvrage du XVIe siècle sur la vie des grands peintres italiens écrit par Giorgio Vasari, peintre Florentin maniériste au service des Médicis – et donc d'un parti pris pro-Florentin sans égal –, elle mérite toutefois d'être quelque peu nuancée.

En effet, au cours des Xe, XIe et XIIe siècles, la culture gothique francilienne a largement essaimé dans l'Europe entière. C'est à la fin du XIIe siècle que la sculpture italienne s'émancipe, redécouvrant un certain naturalisme issu de l'Antiquité romaine, incarnée par exemple par le célèbre sculpteur pisan Nicola Pisano.

Peu à peu, les peintres suivront les sculpteurs, s'affranchissant quant à eux de la rigidité et du formalisme byzantin.

C'est à Assise, à la fin du XIIIe et au début du XIVe siècle, au sein de la basilique franciscaine, que le célèbre peintre florentin Cimabue et son élève Giotto vont révolutionner la peinture occidentale. Le chantier d'Assise fut une aventure extraordinaire car les plus grands peintres italiens de l'époque (siennois, romains, florentins...) s'y retrouvèrent pour partager leurs expérimentations au service de la toute nouvelle idéologie franciscaine dédiée à une foi sincère, faite d'humilité et de proximité, sentiments parfaitement incarnés par le naturalisme « giottesque ». Les personnages semblent être des portraits d'époque, développés au sein d'un cadre architectural et d'une nature environnante bien plus proches de la réalité qu'auparavant.

Cependant, le XIVe siècle n'est pas le triomphe de la peinture « giottesque ». Si, à Florence, les suiveurs de Giotto sont nombreux, le courant artistique dominant est siennois, mené par Simone Martini et les frères Lorenzetti qui couvrent de fresques les palais siennois et influencent tout l'art occidental via Avignon où se réfugient un temps la papauté et certains peintres siennois. Or, l'art siennois est très ornemental, gothique. On apprécie encore les décors dorés en stuc, l'émotion prime sur le réalisme, d'où un certain expressionnisme, aux antipodes du naturalisme idéalisé florentin. Par ce passage en Avignon des Siennois, un courant de peinture, élégant, précieux et décoratif, appelé gothique international, va alors dominer l'Occident de Prague à Rome. Ses représentants sont Pisanello, Masolino ou Gentile Da Fabriano. Toujours pas de Florentins à l'horizon.

Entre-temps, la Grande Peste de 1348 a, en partie, dévasté la grande génération siennoise et orienté les représentations picturales vers plus de pessimisme. Mais les survivants veulent croquer la vie à pleines dents, l'économie redémarre.

C'est seulement au début du XVe siècle, que l'assistant de Masolino, le Florentin Masaccio, va reprendre à son compte l'ancienne leçon de Giotto (soit près d'un siècle après !). C'est dans la chapelle Brancacci de Florence qu'on peut admirer ces deux grands artistes et apprécier la modernité sculpturale et réaliste de Masaccio. De là découle toute la première génération florentine (plus toscane que florentine, en fait) de la première moitié du *Quattrocento* (Fra Angelico, Filippo Lippi, Andrea del Castagno, Piero della Francesca, Paolo Uccello, Donatello, Ghiberti, Brunelleschi...), pleine d'équilibre, d'harmonie, de majesté et de puissance. Les couleurs sont froides et le dessin ciselé. À cette époque, le nombre d'artistes majeurs se formant ou travaillant à Florence est impressionnant. Viendront ensuite Ghirlandaio, Verrocchio, Botticelli... Bref, le *Quattrocento* florentin constitue une véritable explosion picturale, architecturale et sculpturale.

Cependant, cette situation hors norme ne doit pas faire oublier l'influence majeure, à cette même époque, des peintres flamands par leur souci du réalisme, leur découverte de la peinture à l'huile et leur perspective naturelle (Van Eyck, Van der Weyden, Van der Goes).

Peintres toscans : la bande des trois de la Renaissance

Le *Quattrocento* est en réalité la période la plus féconde de l'art florentin. Mais, alors même que Rome, dès le début du XVIe siècle, reprend la main en faisant travailler les plus grands artistes, l'année 1504 vit séjourner ensemble à Florence pour quelques mois les trois figures artistiques centrales de ce siècle : Léonard de Vinci (le plus vieux), Michel-Ange (le seul Florentin) et Raphaël (originaire des Marches à Urbino). La conscience de la Renaissance était accompagnée chez chacun d'eux d'une vocation universaliste. Tous trois apportèrent la preuve de l'accession de l'artiste à une dignité nouvelle. Léonard mit fin aux rapports d'humilité en traitant d'égal à égal avec les « grands » de ce monde.

IMPERFECTIONS AU PLUS QUE PARFAIT

Michel-Ange eut l'audace de rompre, en sculpture, avec la tradition du retour aux sources romaines (les Romains avaient copié les Grecs !). Jusqu'à lui, on cherchait à restituer fidèlement le modèle. Michel-Ange n'hésite pas à faire une grosse main pour qu'en comparaison un buste ait l'air élancé. Chaque fois qu'il veut nous donner l'idée d'une qualité physique (associée à une qualité morale, d'ailleurs), il l'impose en proportionnant une partie du corps par rapport à une autre. S'il a toujours réussi à faire que la statue conserve des traits humains, aucune n'est anatomiquement valable, affirment les médecins ! L'important est de comprendre les sentiments qui animent le sujet, répondent les artistes.

De ces trois génies, Raphaël est certainement celui qui incarne le mieux l'idéal de la Renaissance. Son œuvre est le triomphe du beau à la fois idéalisé et réaliste. Cet équilibre ne se retrouve ni chez Léonard de Vinci ni chez Michel-Ange. Son amour de l'expérimentation et son génie scientifique conduisirent Vinci à un certain « inachèvement ». Pour ce qui est de Michel-Ange, il privilégia le dessin, au détriment de la couleur, apportant un sens tragique aux destinées humaines, ouvrant ainsi la voie au baroque. Le pape en personne, Jules II, ne s'était pas trompé et ira jusqu'à bouleverser l'ordonnance des travaux au Vatican pour lui confier les fresques du plafond de la chapelle Sixtine !

Le XVIe siècle et le maniérisme

Derrière ces trois monstres, la génération suivante se devait d'innover afin d'éviter une certaine répétition, fadeur ou froideur. On savait représenter la réalité, pas de problème. D'où un retour aux sentiments, à l'émotion, le cadre architectural devient alors secondaire et anecdotique : on utilise des couleurs froides auparavant jamais associées, comme le fait Michel-Ange à la chapelle Sixtine. Comme lui également, on s'affranchit du réel, l'anatomie et les mouvements deviennent subjectifs, au service de l'émotion qui prime. Finalement, ces maniéristes sont très proches de notre modernité artistique ! Là encore, Florence prédomine avec Pontormo et Rosso Fiorentino (qui acceptera l'invitation de François Ier à Fontainebleau où il sera à l'origine du maniérisme français, dit « bellifontain »), les élèves d'Andrea del Sarto, immense artiste lui aussi. Parmi les maniéristes, citons Beccafumi, Parmesan... Venise prend aussi à son tour une place fondamentale dans l'histoire de l'art avec le trio Tintoret, Véronèse et bien sûr Titien. L'école vénitienne privilégie les couleurs chaudes et les sujets intimistes, la lumière est dorée et scintillante. Leur maniérisme est plus décoratif et classique que le maniérisme florentin.

Le Caravagisme et le baroque au XVIIᵉ siècle

Cette période consacre définitivement la fin de la prééminence florentine sur l'art italien au profit de Rome, où travaille un OVNI de la peinture, à l'origine d'une révolution réaliste : Le Caravage. Par ailleurs, les frères bolonais Carrache inventent la peinture baroque, financée par l'Église toute-puissante du concile de Trente, désireuse de faire rêver les foules et de concurrencer le protestantisme. Le baroque en peinture est un art protéiforme, mélange de classicisme dans les couleurs (un retour à l'art de Raphaël en quelque sorte), de réalisme et d'explosion des repères picturaux (la peinture déborde du cadre, les stucs sont foisonnants).

Quelques peintres toscans

– **Giotto ou Giotto di Bondone** *(1266-1337) :* né à Colle di Vespignano dans une famille paysanne. Son talent aurait été décelé alors qu'il était encore berger et s'amusait à faire des croquis de ses brebis. Peintre et architecte, il apporta des nouveautés dans l'art de la fresque en se démarquant des peintres du Moyen Âge et en assurant une meilleure conservation. Giotto représente l'homme et cherche à introduire des décors. Il décore la chapelle de la Madeleine de la basilique inférieure de San Francesco d'Assise et travaille dans d'autres chapelles, à Florence par exemple. À partir de 1320-1325, son œuvre se rapproche du gothique. De 1328 à 1333, il est au service de Robert d'Anjou à Naples. Rénovateur de l'art pictural, son atelier a rayonné dans toute l'Italie. Son œuvre n'a eu une influence en Europe qu'à partir de la deuxième moitié du XIVᵉ siècle.

– **Donatello ou Donato di Niccolò di Betto Bardi** *(1386-1466) :* né à Florence, il suit une formation artistique sous la direction du peintre Bicci di Lorenzo. Il fait preuve d'un talent précoce : à seize ans seulement on lui demande son avis sur les projets présentés pour la porte du baptistère ! En 1404, il entre dans l'atelier de Ghiberti, côtoie Uccello et acquiert une belle réputation qui s'étend au-delà de Florence. Il a réalisé, notamment pour la seigneurie de Florence, un bronze de Judith et Holopherne.

– **Botticelli ou Sandro di Mariano Filipepi** *(1445-1510) :* né à Florence. Son surnom vient de *botticello* qui signifie « petit tonneau », attribué à son frère aîné ou à l'orfèvre chez qui Sandro a été mis en apprentissage. Vers 1460, il entre dans l'atelier de Fra Filippo Lippi, peintre florentin de renom. Il y apprend la peinture, l'orfèvrerie, la gravure, la ciselure et les émaux jusqu'en 1467, date à laquelle Lippi quitte Florence. Botticelli ouvre son propre atelier à Florence (via della Porcellana). En 1468, il peint *L'Adoration des Rois mages*. Le tableau représentant *La Force* en 1470 lui apporte une certaine reconnaissance. En 1481 et 1482, l'artiste travaille à Rome à la réalisation de fresques pour la chapelle Sixtine. Il reçoit des commandes de toutes les grandes familles de Toscane. Botticelli utilise la technique de la détrempe, alors que la peinture à l'huile est couramment utilisée à Florence depuis 1475. En 1482, il peint la fresque *Le Printemps* pour la famille Médicis. En 1483, il réalise *Vénus et Mars* et, en 1485, *La Naissance de Vénus* qui représente pour la première fois une femme non biblique, nue. En 1487, il peint la *Madone à la grenade*. Dans la dernière période de sa vie, son art se consacre exclusivement aux thèmes religieux. En 1501, il crée notamment la *Nativité mystique*. Il est considéré comme le plus grand peintre de son époque.

– **Michel-Ange ou Michelangelo Buonarroti** *(1475-1564) :* né à Caprese près d'Arezzo, il a été à la fois sculpteur, peintre, architecte et poète. Lié aux Médicis par son père, il a fait montre de son talent dès son jeune âge. Entre 1501 et 1504, il sculpta un *David* géant en marbre pour la seigneurie de Florence. Son premier tableau est le *Tondo Doni* (galerie des Offices) dans lequel il a essayé d'appliquer à la peinture la matière de la sculpture.

Repères artistiques

– **1296 :** construction du *Duomo* à Florence.

– *1320 :* début de la construction de la cathédrale Santa Maria del Fiore à Florence avec Giotto comme maître d'œuvre.

– *1401 :* Ghiberti remporte par concours la porte nord du baptistère à Florence, puis la porte est en 1425 (surnommée la « porte du Paradis » par Michel-Ange).

– *1420 :* construction de la coupole de Santa Maria del Fiore par Brunelleschi (terminée en 1468).

– *1425-1428 :* fresques de la chapelle Brancacci dans l'église de Carmine à Florence par Masalino et Masaccio.

– *1438 :* fresque du couvent San Marco par Fra Angelico.

– *1452 :* achèvement des portes du baptistère de Florence par Ghiberti.

– *1485 :* *La Naissance de Vénus* par Botticelli.

– *1501 :* Michel-Ange débute la sculpture de son *David* qui est exposé en 1504 sur la place de la Seigneurie.

– *1500-1506 :* retour de Léonard de Vinci à Florence, où il peint *La Joconde.*

PERSONNAGES CÉLÈBRES

La capitale florentine n'a pas été avare de personnages hauts en couleur. Il n'y eut pas que les Médicis et les artistes de la Renaissance qui naquirent sur cette terre bénie des dieux et des muses.

– *Dante Alighieri (1265-1321) :* originaire de Florence et grand poète devant l'Éternel. Son inspiration lui est venue d'une femme, Béatrice, dont il était follement amoureux. Sa mort prématurée donna le jour à la *Vita nuova,* mélange de lettres intimes et de poèmes. Mêlé à la vie politique, comme Machiavel bien plus tard, il devint successivement membre du conseil des Cents, ambassadeur et prieur. Puis il fut banni, tout comme Machiavel. Mais au lieu de se fixer comme celui-ci, il entama une vie d'errance entre plusieurs villes italiennes. Il rédigea alors *Le Banquet,* et surtout de nombreuses épîtres exhortant les Italiens à mettre fin à leurs querelles permanentes. Condamné à l'exil, il eut tout le loisir de peaufiner son chef-d'œuvre poétique, *La Divine Comédie.* Poème épique en trois volets (l'*Enfer,* le *Purgatoire* et le *Paradis*), il est la consécration parfaite et aboutie de l'humanisme chrétien au XIIIe siècle.

– *Pétrarque ou Francesco Petrarca (1304-1374) :* il représente à merveille la Renaissance franco-italienne, humaniste et esthétique. Originaire d'Arezzo, il va faire ses études à Montpellier, puis voyage et écrit beaucoup entre la France du Midi, où résident les papes (Avignon), et sa Toscane natale. Son *Canzoniere,* recueil de poésie lyrique en italien, devient le modèle de la poésie courtoise en Italie et en France (Ronsard s'en inspire de très près pour composer ses *Sonnets pour Hélène,* par exemple). Il reçoit la couronne de lauriers offerte aux grands poètes. Paris et Rome se le disputent. Il opte pour Rome. À la mort de sa muse française, Laure, il arrête de voyager et s'établit à Lucques avec sa fille. Son influence est telle qu'elle a donné naissance au « pétrarquisme », forme littéraire et vision particulière de l'amour.

– *Boccace ou Giovanni Boccaccio (1313-1375) :* né à Certaldo Alto au centre de la Toscane, d'une riche famille de négociants. Il fait des études de commerce et de droit, mais il semble plus doué pour la *dolce vita* de la cour de Robert d'Anjou. Son père le rappelle pour l'aider à Florence. Adieu les jolies filles. Son expérience va lui servir de cadre pour son chef-d'œuvre, le *Décaméron,* qu'il mettra 7 ans à écrire (1348-1355). L'ouvrage est présenté sous forme de nouvelles que se racontent dix jeunes gens *(la onesta brigata)* ayant fui la peste, réfugiés dans une enceinte protégée. Chaque nouvelle (il y en a près de cent), parfois à l'allure d'un conte, met en place dans une nature bien présente toutes sortes de personnages, souvent ecclésiastiques, dans des positions tant physiques que morales assez délicates, ou peu conformes aux règles de la société. Proche de la licence, il commencera à désavouer son œuvre lors d'une crise mystique (c'était la mode dans la région à cette époque). Son ami Pétrarque l'en dissuadera. Boccace deviendra commentateur de la *Divine Comédie* de Dante. Pasolini a superbement transposé à l'écran quelques contes du *Décaméron*.

– **Le Pogge** *(1380-1459)* : né à Gian Francesco, près de Florence, l'humaniste Bracciolini Poggio nous laissa une *Histoire de Florence* en latin et les *Facéties et contes d'Arlotto de Florence*. Il est le symbole de l'homme nouveau sécrété par la Renaissance. Ses tendances d'ouverture vers une cosmogonie libérée de toute contrainte religieuse et sa liberté d'esprit ne l'ont pas empêché de servir de secrétaire à sept papes. Son savoir le rendait indispensable.

– **Savonarole** *(1452-1498)* : originaire de Ferrare, il entre jeune dans les ordres et devient dominicain. Écœuré par la corruption ambiante, il passe son temps à prêcher. Bologne le chasse. Il se réfugie à Florence, où ses prêches attirent les foules. Lorsque les Français entrent dans la ville en 1494 et que Pierre le Malchanceux (un Médicis) s'enfuit, il profite de la vacance du pouvoir pour installer sa théocratie. Dieu devient la source de toute loi. Il est nommé roi de Florence, et les écrits et tableaux licencieux sont brûlés sur des « bûchers des vanités » (qui feront des émules durant plusieurs siècles). Naturellement, une fois confronté au pape Borgia, il est excommunié. Mais il continue de plus belle ses critiques sur la curie. Sa vie se termine sombrement : arrêté, puis jugé pour hérésie, il est ensuite pendu et brûlé sur la place publique.

– **Pic de la Mirandole** *(1463-1494)* : l'homme universel de cette époque est bien Giovanni Pico della Mirandola. Doué pour les études et doté d'une mémoire phénoménale, il aborda avec succès tous les sujets : philosophie, sciences, littérature, mathématiques et arts. Ses connaissances lui donnèrent une vision globale du monde, où toutes les sciences et les philosophies connues convergeaient vers le christianisme. Son ouvrage de base, les *900 Thèses* (pas moins que ça), fut condamné par la curie, comme les œuvres de Galilée... Trop avant-gardiste. Il écrivit également des poèmes en toscan. Laurent le Magnifique le protégea de l'Inquisition. Il mourut empoisonné par son secrétaire. Il reste toujours le symbole de la connaissance encyclopédique. Le mouvement philosophico-métaphysique d'origine américaine, le *New Age*, le cite comme un des auteurs de référence.

– **Machiavel** *(1469-1527)* : son père était médecin à Florence. C'est là qu'est né le petit Nicolas (Niccolo). Il fut le témoin du règne glorieux de Laurent, de l'arrivée des Français et de la théocratie de Savonarole. Après de sérieuses études de droit, il devient chef de la Chancellerie de la ville à la mort de Savonarole ; à ce titre, il fréquente toutes les cours d'Italie et de France. Mis en disgrâce en 1512, lors du renversement de la République par les Médicis, il se réfugie avec sa famille dans la propriété de son père. Il met à profit son temps libre et ses connaissances pour rédiger le best-seller planétaire des hommes de pouvoir, *Le Prince* (1513). La plupart des hommes d'État occidentaux s'en sont servis, retenant surtout la notion de raison d'État... qui les arrangeait bien. Sans le vouloir, Machiavel est devenu le théoricien de l'absolutisme alors que sa philosophie est loin de se résumer à une pensée aussi simpliste.

– **Carlo Collodi** *(1826-1890)* : né à Florence, il débute une carrière de journalisme, crée deux journaux satiriques, *El Lampione* et *Scaramicia,* et s'engage dans la lutte pour l'indépendance italienne. En 1875, il s'intéresse à un tout autre domaine : le monde des enfants ; il écrit quelques histoires et adapte des contes traditionnels. De 1881 à 1883, il rédige pour le *Journal des enfants* un récit à épisodes : *Pinocchio* ! Lorsque son personnage a atteint une dimension universelle, il meurt à Florence en laissant planer sur la ville l'âme coquine de son Pinocchio.

– **Andrea Bocelli** : le ténor de Florence naît en 1958 à Lajatico près de Florence. Il suit des études de droit à l'université de Florence tout en se produisant dans des petits bars de Toscane. C'est en 1993 que Bocelli connaît un grand succès en chantant *Miserere* aux côtés de Zucchero. Mais c'est grâce à l'émouvante chanson *Con te partiro* qu'il sort complètement de l'ombre. La voix d'or florentine a été désignée par Pavarotti comme son successeur, il a également chanté deux fois pour le pape Jean-Paul II...

RESTAURANTS

Où manger ?

Le routard risque d'être désorienté les premiers jours devant la variété des enseignes : *ristorante, trattoria, tavola calda, osteria, rosticceria, pizzeria,* etc.
– En général, le *caffè* vend des gâteaux et des sandwichs. La *rosticceria* (qui correspond au traiteur français) vend des plats à emporter, théoriquement, mais ils ont aussi des tables où l'on peut se restaurer sur place. À noter que l'on peut acheter des parts de pizzas dans certaines boulangeries *(panetterie)*.
– On trouve aussi quelques rares *botteghe,* sortes de bars à vins et épiceries locales, qui proposent de bons produits régionaux et des *panini* de qualité à emporter ou à déguster sur place. Le cadre est souvent soigné et les prix se révèlent très raisonnables, car on paye son assiette de charcuterie ou de fromage au poids.
– La *trattoria* est un restaurant pas cher à gestion (souvent) familiale où l'on cuisine de façon simple. Attention : la carte n'offre pas un grand choix de plats, mais ceux-ci peuvent se révéler très goûteux.
Tout comme l'*osteria,* qui, à l'origine, était un endroit modeste où l'on allait pour boire et qui proposait un ou deux plats pour accompagner la boisson... Cependant l'appellation a été récupérée par des restaurateurs pour donner un goût d'antan tout en appliquant des tarifs pas si modestes que ça...
– La *tavola calda* (sorte de cantine) est une restauration rapide, offrant des plats déjà cuisinés (souvent depuis plusieurs jours, surtout dans les grandes villes) à un prix très abordable. Possibilité de déjeuner sur place.
– Enfin dans une *pizzeria,* vous pourrez manger... des pizzas, voyons ! Les vraies *pizzerie* ne possèdent que le four à pizzas et il n'est guère possible de consommer autre chose, mis à part quelques petites fritures en entrée. Mais souvent, les restaurants font aussi pizzeria (parfois le soir uniquement), de manière à assurer plusieurs sortes de plats.

Cafés et bars

– Les Italiens consomment plutôt debout au comptoir après avoir acquitté le montant (bien moins cher qu'en France) de leur boisson à la caisse à l'entrée. On économise ainsi le service. Si vous êtes servi à une table, le prix de la consommation peut être majoré de 50 % (de plus en plus rare toutefois).
– Quant aux terrasses, elles fleurissent aux beaux jours (surtout à Florence où un décret a enfin autorisé les terrasses en centre-ville). Souvent prises d'assaut, il faudra vous armer de patience.

Enoteca

On y mange et on y boit. Les œnothèques s'enorgueillissent d'une riche sélection de vins, servis au verre ou à la bouteille, mais leur choix de fromages et de charcuteries est tout aussi rigoureux. Certaines se révèlent être de véritables restos. D'autres accueillent les œnophiles à l'heure de l'apéro, pour grignoter au comptoir, un verre à la main. On a repéré pour vous quelques bonnes adresses (voir plus loin la rubrique « Où manger ? »).

SITES INSCRITS AU PATRIMOINE MONDIAL DE L'UNESCO

Organisation
des Nations Unies
pour l'éducation,
la science et la culture

En coopération avec
le centre du patrimoine mondial de l'UNESCO

Pour figurer sur la Liste du patrimoine mondial, les sites doivent avoir une valeur universelle exceptionnelle et satisfaire à au moins un des dix critères de sélection.

HOMMES, CULTURE ET ENVIRONNEMENT

La protection, la gestion, l'authenticité et l'intégrité des biens sont également des considérations importantes.

Le patrimoine est l'héritage du passé dont nous profitons aujourd'hui et que nous transmettons aux générations à venir. Nos patrimoines culturel et naturel sont deux sources irremplaçables de vie et d'inspiration. Ces sites appartiennent à tous les peuples du monde, sans tenir compte du territoire sur lequel ils sont situés. Pour plus d'informations ● http://whc.unesco.org ●

Le centre historique de Florence est classé depuis 1982.

SYNDROME DE STENDHAL

Le 22 janvier 1817, Stendhal visite Florence « dans une sorte d'extase ». Dans l'église de Santa Croce, un moine lui ouvre les portes de la chapelle Niccolini abritant les fresques du Volterrano. « Absorbé dans la contemplation de la beauté sublime », il atteint un degré extrême d'émotion « où se rencontrent les sensations célestes données par les beaux-arts et les sentiments passionnés ». En sortant de l'église Santa Croce, son cœur bat fort et il se sent épuisé. Il marche avec la crainte de tomber. Assis sur un banc, il sort de sa poche des vers du poète Foscolo et les relit avec délice pour se rassurer. « J'avais besoin de la voix d'un ami partageant mon émotion. » Cet épisode personnel relaté très sommairement dans *Rome, Naples et Florence* a donné naissance à un phénomène universellement reconnu aujourd'hui sous le nom de « syndrome de Stendhal ». L'expression a été inventée par la psychiatre florentine Graziella Magherini. Il ne s'agit pas d'une maladie comme les autres, mais d'une crise psychique violente constatée auprès d'un certain nombre de touristes à Florence.

Comme leur illustre prédécesseur, ces voyageurs manifestent des réactions d'hypersensibilité et de souffrance psychique face aux œuvres d'art : crise de panique (peur de mourir ou de devenir fou), sensation de dépersonnalisation (dépression totale ou euphorie). Comme Stendhal, ils sont victimes de troubles somatiques (perception troublée de la réalité, amnésie, vertiges). La majorité des victimes ne sont pas mariées, et le pourcentage de femmes célibataires entre 26 et 40 ans est élevé. Il y aurait en gros trois raisons pour expliquer le « syndrome de Stendhal ». D'abord, la crise touche des personnalités très sensibles (et créatives). Elle ne peut se produire que dans des villes d'art, face à une œuvre d'art, mais d'autres lieux chargés d'histoire peuvent provoquer ces réactions (il existe aussi un « syndrome de Jérusalem »). Ensuite, le voyage est déstabilisant, souvent épuisant pour ces touristes qui veulent tout voir d'une ville, tout faire en très peu de temps. Enfin, le troisième facteur, c'est l'œuvre d'art en elle-même. Cette dernière a un tel pouvoir qu'elle peut toucher l'inconscient de la personne. La crise ne dure pas longtemps, et les victimes du « syndrome » retrouvent vite leur état normal. Inspiré, le cinéaste Dario Argento en a tiré un film d'horreur intitulé *Le Syndrome de Stendhal*, sorti en 1996.

UNITAID

« L'aide publique au développement est aujourd'hui insuffisante » selon les Nations unies. Les objectifs principaux sont de diviser par deux l'extrême pauvreté dans le monde (1 milliard d'êtres humains vivent avec moins de 1 dollar par jour), de soigner tous les êtres humains atteints du sida, du paludisme et de la tuberculose et de mettre à l'école primaire tous les enfants du monde d'ici à 2020. Les États ne fourniront que la moitié des besoins nécessaires (80 milliards de dollars).

C'est dans cette perspective qu'a été créée, en 2006, UNITAID, qui permet l'achat de médicaments contre le sida, la tuberculose et le paludisme.

Aujourd'hui, plus de 30 pays se sont engagés à mettre en œuvre une contribution de solidarité sur les billets d'avion, essentiellement consacrée au financement d'UNITAID. Ils ont ainsi ouvert une démarche citoyenne mondiale, une première mondiale, une fiscalité internationale pour réguler la « mondialisation » : en prenant son billet, chacun contribue à réduire les déséquilibres engendrés par la mondialisation.

Le fonctionnement d'UNITAID est simple et transparent : aucune bureaucratie n'a été créée, puisqu'UNITAID est hébergée par l'OMS et sa gestion contrôlée par les pays bénéficiaires et les ONG partenaires.

Grâce aux 300 millions de dollars récoltés en 2007, UNITAID a déjà engagé des actions en faveur de 100 000 enfants séropositifs en Afrique et en Asie, de 65 000 malades du sida, de 150 000 enfants touchés par la tuberculose, et fournira 12 millions de traitements contre le paludisme.

Le *Guide du routard* soutient, bien entendu, la réalisation des objectifs du millénaire et tous les outils qui permettront de les atteindre ! Pour en savoir plus : ● unitaid.eu ●

HOMMES, CULTURE ET ENVIRONNEMENT

FLORENCE

Pour se repérer, voir le plan général de la ville, le zoom
et le plan du réseau de bus en fin de guide.

INFORMATIONS ET ADRESSES UTILES

L'arrivée à Florence

En avion

✈ *Aéroport Amerigo-Vespucci* (hors plan général par B1) : via del Termine, 11
(Peretola). Petit aéroport régional situé à 5 km au nord-ouest du centre de Florence.
☎ 055-30-615 (infos 8h-23h30). Rens sur les vols ☎ 055-30-61-700 ou 702 (24h/
24). ● aeroporto.firenze.it ●

■ *Compagnies aériennes :* elles sont
toutes installées à l'aéroport de Florence : *Alitalia,* ☎ 06-2222 (24h/24) ou
(00-33) 820-315-315 (en appelant en
France), ● alitalia.com ● ; *Meridiana,*
☎ 199-111-333 (appel de l'Italie seulement), ● meridiana.it ● ; Air France,
☎ 848-884-466, ● airfrance.com ● En
ville : Alitalia, vicolo dell'Oro, 1 : ☎ 055-
27-88-232 ou 234 (lun-ven 9h-16h30).
■ Possibilité de retirer de l'argent au
guichet de la *Banca Toscana* (lun-ven
8h20-13h30, 14h25-15h45) ou au distributeur *Bancomat* juste à côté (un autre
est situé dans le hall des départs à
l'extrémité droite en entrant dans le
bâtiment).

🛈 On trouve un petit comptoir de
l'*office de tourisme* de Florence (au
terminal des arrivées) ouv tlj 8h30-
20h30, ☎ 055-31-58-74, ● infoaeropor
to@aeroportofirenze.it ●
■ Également des *loueurs de voitures*
(pour le moment situés dans le bâtiment
de gauche en sortant du terminal des
arrivées) : *Avis,* ☎ 055-31-55-88 (tlj
8h-23h30) ; *Hertz,* ☎ 055-30-73-70
(lun-ven 8h30-22h30 et sam-dim 9h30-
22h30) ; *Europcar,* ☎ 055-31-86-09 (tlj
9h-23h) ; *Maggiore/National,* ☎ 55-31-
12-56 (tlj 8h30-22h40).
– *Assistance bagages :* ☎ 055-30-61-
302 (tlj 8h-14h, 16h-23h).

Pour aller de l'aéroport Amerigo-Vespucci au centre-ville

➤ *En bus :* la navette *Vola,* à droite en sortant du terminal des arrivées, vous mène
en 15-20 mn env en plein centre-ville, au terminus situé à côté de la gare ferroviaire
Santa Maria Novella *(plan général C2-3).* Départ ttes les 30 mn 6h-20h30, puis à
21h30, 22h30 et 23h30. Dans l'autre sens, 1er départ de Santa Maria Novella à
5h30, ttes les 30mn jusqu'à 20h, puis à 21h, 22h et 23h. Le billet (4,50 €) est à
acheter dans le bus. *Rens auprès de* Ataf-Sita « Vola in bus » service, *Sita :* ☎ 800-
37-37-60 (lun-ven 8h-19h, w-e 8h-13h) ou ● sita-on-line.it ● Ataf : ☎ 800-42-45-00
(mêmes horaires) ou ● ataf.net ●
➤ *En taxi :* compter 20 à 25 € pour une course jusqu'au centre de Florence avec
un supplément de 1 €/bagage. Résas : ☎ 055-42-42 ou 44-99 ou 43-90 ou encore
47-98.

Autre aéroport

✈ *Aéroport Galileo-Galilei :* à Pise (à env 80 km de Florence). ☎ 050-84-91-11
(standard) ou 050-84-93-00 (infos sur les vols). ● pisa-airport.com ●

➢ 7 liaisons quotidiennes entre l'aéroport de Pise et la gare Santa Maria Novella de Florence assurés par Trenitalia (prévoir env 1h15 de trajet). Premier train à 6h41 ; dernier à 22h20.

➢ Liaisons également par bus avec les sociétés **Terravision** et **3MT**. Compter 8 € *l'aller. Ticket à acheter à l'aéroport de Pise et également dans le bus.* Une quinzaine de liaisons/j.

En train

🚂 **Stazione centrale Santa Maria Novella** *(plan général B-C2) :* la gare principale de Florence, en plein centre-ville. *Il existe un seul et unique numéro pour toute l'Italie :* ☎ 89-20-21 *(prix d'un appel local, 7h-21h pour les infos ; 9h-13h et 15h-18h pour les résas). Depuis l'étranger :* ☎ 848-888-088. *Pour les horaires et les résas :* ● trenitalia.it ● fs.on-line.com ●

■ *Consigne à bagages : gare centrale, à côté du quai n° 16.* ☎ 055-23-52-190. *Ouv tlj 6h-minuit. Compter 3,80 € pour 5h puis 0,60 € de la 6ᵉ heure à la 11ᵉ ; à partir de la 12ᵉ : 0,20 €.* En italien, se dit *Deposito* bagagli a mano.
■ *Objets trouvés à la gare et dans les trains : gare centrale.* Même endroit (et mêmes horaires) que la consigne à bagages manuelle. En italien : *oggetti rinvenuti.*

🚂 **Stazione Campo di Marte** *(plan général G2) : via Mannelli 12.* Deuxième gare de Florence situé à l'est à quelques kilomètres du centre historique. *Accueil et renseignements 7h-21h.*
Cette gare est importante pour ceux qui arrivent de France. En effet, liaison quotidienne Paris-Florence en train de nuit Artésia. Départ de Paris-Bercy à 19h06, arrivée à 7h16 à Florence Campo di Marte.
➢ De la gare, vous pouvez rejoindre le centre avec les bus nᵒˢ 12 et 33, ou en train pour la gare Santa Maria Novella en 5 mn.

En bus

■ **ATAF Bus :** *piazza della Stazione (à droite de la gare quand on lui fait face). Infos au* ☎ 800-42-45-00, ● ataf.net ● Compagnie chargée du **transport par bus dans Florence** (voir la rubrique « Transports » dans « Florence utile »). Site internet très complet, vivement conseillé afin d'éviter une attente trop longue au centre de renseignements de la gare.
■ **Pour le transport dans la province et au-delà, plusieurs compagnies :**

– *SITA (plan général B3) : via S. Caterina da Siena, 15.* ☎ 800-37-37-60. ● sita-on-line.it ●
– *LAZZI : piazza della Stazione, 3 r (à l'angle avec la piazza Adua).* ☎ 055-36-30-41. ● lazzi.it ● *Ouv lun-sam 6h10-20h, dim et j. fériés 7h-19h20.*
– *Eurolines (pour l'étranger) : juste à côté de Lazzi, Ticket Point* ☎ 055-21-51-55). *Ouv lun-sam 9h-19h.* Pour des destinations dans toute l'Europe, via Milan.

Services d'accueil et informations touristiques

L'adresse internet de la ville de Florence donne des idées pratiques en anglais et en italien : ● comune.firenze.it ● *ou le* call center *:* ☎ 055-055.

🅱 **Office de tourisme - APT** *(plan général D2-3) : via Cavour, 1 r.* ☎ 055-29-08-32 *ou* 33. *Fax :* 055-276-03-83. ● firenzeturismo.it ● *Ouv tlj 8h30-18h30* (dim et j. fériés jusqu'à 13h30). Une partie du personnel parle très bien le français. Fournit un plan de la ville, un plan des lignes de bus, une brochure avec

tous les hôtels (pour les retardataires !), ainsi qu'une liste régulièrement mise à jour des heures d'ouverture et des tarifs des musées et des sites. Quasiment indispensable. Renseignements sur les manifestations culturelles et festives de la province. Enfin, si vous estimez que vous avez été victime d'une arnaque ou tout simplement de mauvaises prestations (hôtelières ou autres), vous pouvez lui adresser une plainte, il la fera suivre. Sympathique et efficace.
– Sinon, il existe 2 autres offices de tourisme à Florence (qui dépendent de la *Commune de Florence*, ● comune.fi. it ●) : *piazza della Stazione, 4 (plan géné-ral C2-3)*, ☎ *055-21-22-45, tlj 8h30-19h (14h dim et j. fériés). Et borgo S. Croce, 29 r (plan général E4)*, ☎ *055-234-04-44, ouv tlj 8h30-19 (17h oct-fin fév) et dim 9h-14h.*
■ *CAF (plan général C2-3) : via Sant' Antonino, 6 r.* ☎ *055-21-06-12 ou 28-32-00.* ● *tours@caftours.com* ● *caf tours.com* ● *Ouv tlj 8h-19h (15h dim et j. fériés).* Organisme privé depuis 1954 qui propose des visites guidées de la Toscane (jusqu'à Pise) et de Florence à pied et en bus. Également des excursions à Pérouse, Assise et Venise. Celles-ci peuvent se faire en français, selon la demande.

Représentations diplomatiques

■ *Consulat de France (plan géné-ral B3, 1) : piazza Ognissanti, 2.* ☎ *055-230-25-56.* ● *consul.honoraire-floren ce@diplomatie.gouv.fr* ● *Ouv lun-ven 9h-13h, 14h-17h (ap-m sur rendez-vous slt).*
■ *Consulat de Belgique (plan géné-ral E3) : via dei Servi, 28.* ☎ *055-28-20-94 ou 97.* ● *consubel.firenze@tisca li.it* ● *Ouv lun-ven 9h-12h.*
■ *Consulat de Suisse (plan géné-ral B1) : piazzale Galileo, 5.* ☎ *055-22-24-34.* ● *cons.suisse.firenze@fol.it* ● *Ouv mar et ven 16h-17h.* Sinon, il délivre tous les jours, en semaine, toutes les informations utiles par téléphone.

Argent, banques, change

– Le *change* est possible dans la plupart des banques, en semaine. Sinon, nombreux bureaux de change un peu partout dans le centre.
– On peut bien sûr retirer de l'argent liquide aux nombreux distributeurs automatiques disséminés dans toute la ville.

Poste, téléphone et accès Internet

✉ *Poste centrale (zoom D4) : via Pel-licceria, 3, juste à côté de la piazza della Repùbblica.* ☎ *055-273-64-81. Ouv lun-sam 8h15-19h.* D'autres bureaux de poste un peu partout dans la ville dont voici les principaux :
– *Via Pietrapiana, 53 (plan général E3).* ☎ *055-26-74-21. Ouv lun-ven 8h15-19h, sam 8h15-12h30.*
– *Via Cavour, 71/a (plan général E1).* ☎ *055-46-35-01. Ouv lun-ven 8h15-19h, sam 8h15-12h30.*
– *Galerie des Offices : ouv mar-dim 8h15-18h45.*
– D'autres bureaux : *via Barbadori, 37 r ; piazza Brunelleschi, via Alamanni, 18 r ; piazza Libertà, 40 r ; via Magena, 13 r.*

■ *Téléphone :* vous trouverez des téléphones publics à carte ou à pièces (plus rares) un peu partout et des *locutorio* (boutiques avec cabines téléphoniques et parfois avec postes Internet) où vous payez au préposé à la fin de votre communication.
◉ *Internet :* les centres Internet ont littéralement poussé comme des champignons ces dernières années à Florence. On en trouve partout. Différents forfaits intéressants pour les insatiables. On vous signale juste la chaîne *Internet Train* pour ses horaires étendues, mais vous n'aurez aucun mal à en trouver partout dans le centre et ailleurs ; autour de 1,50-2 €/h.

– *Internet Train :* • *internettrain.it* • *Une dizaine d'antennes, dont une à la gare de S. M. Novella (plan général B-C2 ; lun-ven 8h30-20h30, sam 9h-20h30, dim 11h-20h), une au 36 r de la via dei Benci (zoom E4 ; lun-ven 9h-1h, w-e 10h-1h), une autre au 33 r du borgo la Croce (plan général F3 ; lun-sam 10h-* minuit, dim 11h-minuit), ou encore au 30 r du borgo San Jacopo (zoom C4 ; tlj 11h-23h).
– *Internet Pitti* (plan général C5) : piazza Pitti, 7-8 r. ☎ 055-272-88-36. Face au palazzo Pitti. Tlj 11h-23h. Beaucoup de postes et connexion rapide.

Transports intramuros

Les pieds !

C'est vraiment à pied que l'on découvre le mieux la ville. Évidemment, on peut se perdre dans les ruelles et aller au gré de ses envies d'un musée à un glacier, sinon, possibilité de balades accompagnées :

■ *Walking Tours of Florence* (zoom C4, **2**) : via Sassetti, 1. ☎ 055-264-50-33. • staff@artviva.com • italy.artviva.com • Ouv lun-sam 8h30-18h. Visites guidées à thèmes et tours d'une demi-journée dans les environs de la ville, à la découverte du pays toscan. Visites bien conduites et intéressantes... Si votre anglais ne vous permet pas de les suivre, pas de panique, une sélection de ces visites est proposée en français.

Location de vélos et scooters

■ *Florence By Bike* (plan général D1, **3**) : via San Zanobi, 120-122 r (parallèle à la piazza dell' Indipendenza). ☎ 055-48-89-92. • florencebybike.it • Ouv tlj 9h-19h30. Loc de bicyclettes, de VTT et de scooters. Compter 14 € pour un vélo de ville et 65 € pour un scooter. Propose des tours accompagnés dans Florence (3h) et dans le Chianti (une jour- née), pique-nique et découverte des vignobles inclus.
■ *Alinari* (plan général D2, **4**) : via S. Zanobi, 38 r. ☎ 055-28-05-00. • alinari rental.com • Ouv lun-sam 9h30-13h, 14h30-19h, et dim mat. Compter 55 €/j. pour un scooter et 12 € pour un vélo. Balades en vélo à travers la ville merven : départ à 10h de l'agence.

Location de voitures

■ *Program* (plan général B3, **5**) : borgo Ognissanti, 135 r. ☎ 055-238-27-24. Ouv lun-ven 8h-18h, sam 8h-13h. Tarifs avantageux.
■ *Avis* (plan général B3, **6**) : borgo Ognissanti, 128 r. ☎ 055-21-36-29. Ouv 8h-19h (13h dim et j. fériés). Autre bureau à l'aéroport : ☎ 055-31-55-88 (8h 23h30).
■ *Europcar* (plan général B3, **7**) : borgo Ognissanti, 53-55 r. ☎ 055-29-04-38. Ouv lun-ven 8h-19h, sam 8h-15h30, dim 8h30-12h30. Bureau à l'aéroport : ☎ 055-31-86-09 (9h-23h).
■ *Hertz* (plan général B3, **8**) : via Maso Finiguerra, 33 r. ☎ 055-23-98-205. Ouv lun-ven 8h-20h, sam 8h-19h, dim 8h-13h. Bureau à l'aéroport : ☎ 055-30-73-70, ouv lun-ven 8h30-22h30, sam-dim 9h30-22h30.

Parkings publics

Il existe 9 parkings à Florence dont les principaux sont :

🅿 *Parcheggio del Parterre* (plan général E1) : piazza della Libertà (entrée via Madonna della Tosse). Ouv 24h/24. Compter 1,50 €/h ; forfait journalier de 24h à 18 € ; pour la semaine, compter 65 €. Capacité : 650 places.
🅿 *Parcheggio Oltrarno* (plan général B6) : porta Romana (entrée piazza

della Calza). Ouv 24h/24. Prévoir 1,50 €/h ; forfait journalier de 24 h à 15 € ; pour la semaine, compter 52 €. Capacité : 220 places.
▣ *Parcheggio Stazione Santa Novella*

(plan général C2-3) : piazza della Stazione. Ouv 24h/24. Compter 2 €/h, puis 3 €/h à partir de la 3e heure ; pour 5 j. : 140 €. Capacité : 620 places.

– *Pour tout renseignement complémentaire, appeler le :* ☎ 055-50-30-21 *ou voir le site* ● firenzeparcheggi.it ●
– Petite astuce : pour éviter les parkings payants, la piazzale Michelangelo *(plan général E-F5)* dispose d'un nombre considérable d'emplacements gratuits, sans limitation dans le temps. Évitez simplement certaines dates en été, lorsque la place accueille différents concerts.

Institut, livres et journaux français

■ *Institut français de Florence* (Palazzo Lenzi ; plan général B3, **1**) : piazza Ognissanti, 2. ☎ 055-271-88-01. ● istitutofrancese.it ● *Ouv lun 14h30-18h30 et mar-ven 10h-18h30.* En plus des cours de français qui y sont donnés, l'institut dispose d'une bibliothèque (accessible aux membres) et organise des conférences, des rencontres, des concerts ainsi que la projection de films français.
■ *Librairie française de Florence* (plan général B3, **1**) : piazza Ognissanti, 1 r. ☎ 055-21-26-59. ● libfranflorence@iol.it ● *En été, ouv lun-ven 10h-13h, 16h-19h30, sam 10h-13h ; en hiver ouv lun 15h30-19h30, mar-sam 10h-13h, 15h30-19h30.*
■ *Librairies Feltrinelli :* deux adresses à Florence. Via dei Cerretani, 30-32 r (zoom D3, **11**), ☎ 055-238-26-52. ● lafeltrinelli.it ● *Ouv lun-ven 9h30-20h, sam*

10h-20h, dim 10h30-13h30, 15h30-19h30. Via Cavour, 12 (plan général D3, **11**), ouv lun-sam 9h-19h30. Un rayon de livres en français. Également une section tourisme conséquente avec cartes et plans (en français toujours).
■ *Librairie Martelli* (zoom D3, **12**) : via dei Martelli, 22 r. Ouv lun-sam 9h-20h, dim 10h-20h. Grande librairie sur 2 étages. Un grand choix de livres sur la Toscane et Florence en italien bien sûr, mais également en anglais et en français ainsi qu'un petit rayon de romans français. Terrasse au 1er étage sous une grande verrière où l'on peut boire un café, agréable aux beaux jours. Connexion à Internet possible.
■ *Melbookstore* (zoom D3, **13**) : via de Cerretani, 16 r. ☎ 055-28-73-39. Ouv tlj 9h-20h (jusqu'à minuit jeu-sam). Grand choix de livres avec un rayon en français correctement fourni.

Culture, spectacles, concerts

– *Firenze Spettacolo.* À vous procurer dès votre arrivée à Florence, le magazine mensuel le plus complet pour connaître les programmes des spectacles, concerts (classiques, variétés, pop, rock, jazz), expos, ainsi que les nouveaux restos branchés de la capitale toscane... *En vente à 1,60 € dans tous les kiosques. Sinon, il est également possible de consulter le site* ● firenzespettacolo.it ●
– *Florence concierge Information.* Magazine mensuel au petit format (pratique de surcroît), distribué gratuitement à l'aéroport et à l'office de tourisme de la gare Santa Maria Novella. C'est une mine d'info pour les spectacles, les expos mais aussi pour les horaires des trains et des avions ou encore pour trouver la pharmacie de garde ouverte 24h/24h. *Pour en savoir plus :* ● florence-concierge.it ●

■ *Box Office* (plan général B2, **14**) : via Alamanni, 39. ☎ 055-21-08-04. ● firenze@boxoffice.it ● boxol.it ● *Ouv mar-sam 10h-19h30, lun 15h30-19h30 (de fin juin à mi-sept, fermé sam ap-m mais*

ouv lun mat). Pas de résa ni de vente par téléphone. Comme son nom l'indique, l'endroit où se procurer des billets pour les spectacles en général (théâtre, concerts, etc.).

Urgences

Voir aussi la rubrique « Urgences » dans « Florence utile » en début de guide.

■ Pour toute plainte ou déclaration à faire à la police, adressez-vous à l'un des **commissariats** suivants :
– Police d'État, *via Pietrapiana, 50 r* (plan général E3). ☎ 055-20-39-11 (standard) ou ☎ 055-203-912-27 et ☎ 055-203-912-21 (agent franco-phone). *Ouv lun-ven 8h30-19h30, jusqu'à 13h30 sam.*
– Carabinieri, *borgo Ognissanti, 48 (plan général B3).* ☎ 055-248-11. *Ouv 24h/24.*
■ **Pharmacies :** pour connaître l'adresse des pharmacies de garde, jetez un coup d'œil sur la vitrine de n'importe quelle pharmacie.
– Il existe 3 pharmacies *ouv 24h/24 : la Comunale n° 13, à la gare centrale (plan général C2), entre le* McDo *et la sortie*

de droite quand on fait face aux quais, ☎ *055-28-94-35 ou 055-21-67-61 ;* Molteni, *via dei Calzaiuoli, 7 r (zoom D4),* ☎ *055-28-94-90 ;* All'Insegna del Moro, *piazza di San Giovanni, 20 r (zoom D3,* **15***), face au baptistère,* ☎ *055-21-13-43.*
– *Deux pharmacies ouv 20h-9h :* Paglicci, *via della Sacla, 61,* ☎ *055-21-56-12, et* Di Rifredi, *piazza Dalmazia, 24 r,* ☎ *055-422-04-22.*
■ **Ambulances :** ☎ *055-21-22-22 ou 055-21-55-55.*
■ **Hôpitaux :**
– S. Maria Nuova, *piazza S. Maria Nuova, 1.* ☎ *055-275-81.*
– Hôpital pédiatrique Meyer, *via L. Giordano, 13.* ☎ *055-566-21.*

OÙ DORMIR ?

Inflation touristique oblige, les prix dans le centre-ville ont grimpé en flèche sans amélioration notable du confort. En haute saison, il faut s'attendre à une pénurie du logement (réservez impérativement !) et à un sérieux coup de bambou budgétaire ! Quelques conseils :
 – Comme ailleurs, les solitaires sont désavantagés : le prix des chambres simples est peu inférieur à celui des doubles.
– Grande différence de prix entre la haute et la basse saison (qui va grosso modo de novembre à mars).
– *Et puis, on vous le répète : réservez votre chambre d'hôtel le plus tôt possible.* Méfiez-vous toutefois des réservations faites par téléphone car l'hôtelier les « oublie » parfois. Faites-vous confirmer ces réservations par fax, par courrier ou par mail. C'est plus sûr.

AGENCES DE LOCATION D'APPARTEMENTS DEPUIS LA FRANCE

C'est un très bon moyen de faire des économies (surtout pour les familles) à condition de rester plusieurs jours sur place.
Voir la rubrique « Hébergement » dans le chapitre « Florence utile ».

CAMPINGS

⅄ **Ostello della gioventù Villa Camerata** *(hors plan général par G1) :* pas connu et par conséquent pas très fréquenté, un camping convivial tout simple dans un environnement calme et arboré à faible distance du centre-ville.

Voir ci-dessous la rubrique « Auberges de jeunesse et maisons d'étudiants » pour les coordonnées.
⅄ **Camping Michelangelo** *(plan général F5-6,* **20***) : viale Michelangelo, 80.* ☎ *055-681-19-77.* ● *michelangelo@ec*

vacanze.it ● ecvacanze.it ● Pour s'y rendre, prendre le bus n° 12 (à la gare centrale). Compter 30 à 35 € pour 2 avec tente et voiture. Également tente à louer équipée pour deux (sommier et matelas) autour de 35 €. Difficile de faire plus central ! Malheureusement, cette situation de monopole n'incite pas toujours la direction à faire du zèle. En haute saison, les campeurs sont contraints de s'entasser les uns sur les autres, dans une atmosphère certes communautaire, mais très bruyante. Cela dit, il faut reconnaître que la vue sur la ville est superbe depuis les emplacements en escalier ou la terrasse du bar. Bien équipé : laverie, bar-resto, magasins, accès à Internet, aire de jeux pour les enfants et l'ombre des oliviers.

Camping Internazionale : *via San Cristofano, 2, 50029 Bottai-Impruneta. ☎ 055-237-47-04. ● internazionale@florencecamping.com ● florencecamping.com ● À 6 km au sud de la ville. De l'autoroute A1, sortir à « Autosole Firenze-Certosa ». De la ville, emprunter la route de Sienne et de la Certosa del Galluzzo ; bien indiqué. Sinon, bus n° 37 (le jour) et n° 68 (21h-minuit). Ouv tte l'année. Env 35 € pour 2 pers, la tente et la voiture. Douches et électricité gratuites (ouf !).* Vaste camping dont les emplacements ombragés tapissent une petite colline d'où l'on perçoit toutefois le ronronnement de l'*autostrada* voisine. Propre et bien équipé (épicerie, resto, piscine...), mais surpeuplé en saison. Et comme les emplacements ne sont pas délimités, il y a comme par hasard toujours de la place...

COUVENTS

Francescane Missionarie di Maria Casa Santo Nome di Gesù *(plan général B4,* ***21****) : piazza del Carmine, 21. ☎ 055-21-38-56. ● info@fnmfirenze.it ● fmmfirenze.it ● Fermé 3 sem en janv. Résa conseillée. Chambres doubles avec salle de bains commune ou privée de 70 à 95 €, petit déj inclus. Chambres familiales également.* Vieux palais florentin du XVe siècle à la façade ocre, tenu à la perfection par des sœurs francophones accueillantes. Atmosphère feutrée propice au repos. Chambres plaisantes pourvues d'un mobilier ancien, sans AC mais avec ventilos. À noter que celles qui ne donnent pas sur le beau jardin du palais (accessible aux résidents) donnent sur la rue et peuvent être un peu bruyantes. Si vous êtes quatre, demandez la chambre n° 8, particulièrement agréable avec ses colonnes et sa fresque au plafond. Hébergement non-fumeur. Dommage qu'il y ait un couvre-feu à 23h30 (23h l'hiver !)...

Istituto oblate dell'Assunzione *(plan général E3,* ***22****) : borgo Pinti, 15. ☎ 055-248-05-82 ou 83. ● stroblatborgpinti@virgilio.it ● Compter 40 € pour une chambre avec douche, petit déj en plus. Chambres 1-4 pers. Parking privé (10 €/j.), résa indispensable car minuscule. CB refusées.* Derrière une entrée discrète, un couvent tout à fait recommandable : belles chambres (malgré une literie « d'époque »), très propres (salle d'eau impeccable) et équipées du téléphone. Certaines donnent sur un grand jardin intérieur accessible aux résidents. Évidemment atmosphère très tranquille, à l'inverse de la rue souvent bruyante... Couvre-feu à minuit.

AUBERGES DE JEUNESSE ET MAISONS D'ÉTUDIANTS

Mise en garde à l'intention des fêtards et des couples : les auberges de jeunesse imposent un couvre-feu... et la séparation des sexes pour la plupart.

L'Ospitale delle Rifiorenze *(plan général B4,* ***23****) : piazza Piattellina. ☎ 055-21-67-98. ● info@firenzeospitale.it ● firenzeospitale.it ● De début avr à fin oct slt. Vingt chambres de 4 lits maxi. Compter 15 €/pers pour 4 ; 23 €/pers pour 2 ; 30 € pour 1 pers. Ajouter l'adhésion à l'association de 4 €/pers.* Géré par une association humanitaire, qui accueille durant l'hiver les SDF, cette auberge de jeunesse est tenue uniquement par des bénévoles. Chambres avec lits superposés plus que basiques mais hyper propres et l'ambiance est des plus conviviales. Les jeunes qui viennent ici cherchent à profiter de Florence tout en étant des touristes responsables. Produits de commerce équitable, cours de yoga, caipoeira, danse du ventre, percussion, etc. à 5 €/cours d'1h30. Tous les lundis, séance ciné à 21h30 (gratuit une fois qu'on a adhéré), spectacles fréquents, concerts, etc. Propose également des balades thématiques dans la ville et les environs. Bref, un vrai lieu de vie, simple, propice aux rencontres, bien situé et, en plus, on fait une bonne action !

≜ *Foresteria Istituto Gould* (plan général B4, **24**) : via dei Serragli, 49. ☎ 055-21-25-76. • foresteriafirenze@diaconiavaldese.org • istitutogould.it • ♿ Réception ouv en sem 8h45-13h, 15h-19h30, sam 9h-13h, 14h30-18h. Fermé dim et j. fériés. Ici, pas de souci pour le soir, car la maison remet les clés. Résa conseillée. Compter 23 €/pers en dortoir ; double avec salle de bains commune ou privée 50-60 €. Un bel établissement protestant tenu avec sérieux : chambres sobres (on s'en serait douté !), très propres, confortables et bien finies. Préférez celles qui donnent sur le paisible jardin intérieur. Une excellente adresse ! Pour info, il s'agit d'un organisme caritatif qui consacre ses bénéfices au soutien éducatif d'enfants en difficulté.

≜ *Ostello Gallo d'Oro* (plan général E1, **25**) : via Cavour, 104. ☎ 055-552-29-64. • info@ostellogallodoro.com • ostellogallodoro.com • Au 1er étage. Voir « Dans les quartiers de Santa Maria Novella, San Lorenzo et San Marco. Bon marché ».

≜ *Ostello Archi Rossi* (plan général C2, **26**) : via Faenza, 94 r. À 200 m de la gare ferroviaire. ☎ 055-29-08-04. • info@hostelarchirossi.com • hostelarchirossi.com • 23-28 € la nuit en dortoir de 3-11 lits, petit déj léger compris. Deux chambres doubles pour 80 €, ce qui est peu valable. Une AJ hyperactive, envahie de groupes de jeunes occupés à débattre ou à jouer aux cartes dans une ambiance fraternelle. Déco kitsch marrante, avec des fresques peintes par les étudiants des Beaux-Arts et une cour intérieure vaguement à l'antique. Dortoirs basiques mais nickel. Et puis, pas mal de

petits « plus », comme l'Internet gratuit (30 mn par jour), des machines à laver, une énorme télé-vidéo dans le réfectoire et une consigne. Possibilité aussi d'y dîner pour trois fois rien (frigo et micro-ondes à disposition) et de boire un verre au bar pour faire connaissance. Bref, que du bon...

≜ *Ostello Santa Monaca* (plan général B4, **27**) : via Santa Monaca, 6. ☎ 055-26-83-38 ou 055-239-67-04. • in fo@ostello.it • ostello.it • Couvre-feu à 2h. Résa par fax ou par e-mail slt ; sinon, se présenter le matin, le plus tôt possible (ouverture à 6h), et laisser son nom sur une liste d'attente. L'attribution se fait dès 9h30, lorsque les lits ont été libérés. Dortoir de 4 à 20 lits pour 17-19 € (draps fournis). Vaste AJ privée, située à deux pas de la piazza del Carmine. La déco n'est pas son fort, mais globalement les équipements et l'entretien sont satisfaisants. Dortoirs fonctionnels non mixtes équipés de casiers et de ventilos, blocs sanitaires corrects. Côté services : cuisine basique à dispo (mais apporter son matériel), machines à laver, TV, dépôt de bagages et Internet (payant). Vaste salle commune aussi, avec quelques distributeurs. Établissement non-fumeur.

≜ *Pensionato Pio X - Istituto Artigianelli* (plan général B5, **28**) : via dei Serragli, 104-106. ☎ : 055-22-50-44. • in fo@hostelpiox.it • hostelpiox.it • Entrée au fond d'une cour intérieure défraîchie. Fermeture des portes à 1h. Prévoir 17 €/pers en chambre de 3-5 lits avec douche commune, ou 19 € avec douche et w.-c. privés. L'été, séjour min de 2 nuits demandé. Pas de résa. CB refusées. Le vitrail d'une Vierge à l'Enfant dans l'escalier ferait penser à un internat pour jeunes filles, mais cette pension n'est autre qu'une auberge de jeunesse ! Salon TV, salle à manger avec distributeurs de boissons et friandises, coin Internet et chambres basiques correctes. Blocs sanitaires en bon état et bien tenus. En revanche, les projets de déco sont restés au fond des cartons et le lieu n'est pas vraiment propice aux folles soirées. Des travaux sont prévus fin 2007...

⚒ ≜ *Ostello della gioventù Villa Camerata* (hors plan général par G1) : viale Augusto Righi, 4. ☎ 055-60-14-

51. ● ostellionline.it ● Bus n° 17 (direction Coverciano) depuis la gare de S. M. Novella ou la place du Duomo (l'auberge est à 5 km de là). Ouv 7h-minuit (couvre-feu négociable pour les petits groupes). Compter env 17 € en dortoir de 4 à 10 lits ; 46 € pour une double, petit déj compris. Résa indispensable et carte des AJ requise (ou prévoir un petit supplément). Également un terrain de camping tout simple (équipements minimums), mais très agréable et reposant. Prévoir moins de 20 € pour deux, avec tente et voiture. Douches chaudes gratuites. CB refusées. La plus grande auberge de jeunesse de la ville, avec près de 350 places. Excentrée, mais située dans un immense parc arboré planté de quelques vignes. Le bâtiment lui-même ne manque pas de charme : façade ocre du XVe siècle, petit jardin romantique où coule une fontaine, entrée sous un vaste portique... Beaucoup de cachet, même si les dortoirs se révèlent sans surprise d'une simplicité toute fonctionnelle. Sanitaires communs propres. Laverie, cafétéria et projection quotidienne de films... en anglais.

🛏 **Antico Spedale del Bigallo :** via Bigallo e Apparita, 14, 50012 Bagno a Ripoli (suivre les panneaux marron indiquant ce monument historique). ☎ 055-63-09-07. ● info@bigallo.it ● bigallo.it ● À 5 km au sud-est de Florence, compter 25 mn avec le bus n° 33 depuis la gare centrale (ou n° 71 21h-0h30), arrêt : La Fonte, puis 15 mn à pied. Compter env 23 € par lit, ou 66 € pour une chambre double, petit déj compris. Depuis le XIIIe siècle, cette vieille hostellerie a pour vocation d'accueillir les pèlerins. Rien n'a vraiment changé, les messes en moins ! Dans la cuisine, la cheminée est assez grande pour rôtir des sangliers, la vaisselle est faite dans des éviers de pierre, et les grosses tables communes entretiennent la camaraderie. On dort dans différents dortoirs aux lits juchés sur des estrades, ou bien répartis dans des petits boxes aux allures monacales. Un dépouillement digne du Nom de la rose, qui ne manque pas de charme ! Et puis la campagne toscane est si belle...

HÔTELS ET PENSIONS

Dans les quartiers de Santa Maria Novella, San Lorenzo et San Marco (plan général C-D-E-1-2-3 et zoom C-D3)

Ici, vous trouverez des ribambelles d'adresses, à commencer par les moins chères de la ville. Ces dernières sont, en réalité, des pensions tout à fait correctes mais n'offrant – évidemment – qu'un confort relatif et une déco virtuelle.

Bon marché

🛏 **Ostello Gallo d'Oro** (plan général E1, **25**) : via Cavour, 104. ☎ 055-552-29-64. ● info@ostellogallodoro.com ● ostellogallodoro.com ● Au 1er étage. Fermé à Noël et le Jour de l'an. Lit env 30 € en chambre commune, ou double avec douche et w-c à partir de 65 €, petit déj compris. À voir cet immeuble moderne partagé entre médecins et avocats, on ne s'attend pas à dénicher ici une petite structure conviviale parfaitement tenue. Des chambres récentes avec moquette et sanitaires propres, une salle à manger où l'on peut se préparer quelques petits plats et Internet à disposition pour les résidents. L'esprit d'une auberge de jeunesse, mais le confort d'un petit hôtel ! Sans doute l'un des meilleurs rapports qualité-prix du centre-ville, à une vingtaine de minutes à pied du Duomo.

🛏 **Albergo Paola** (plan général C2, **31**) : via Faenza, 56. ☎ 055-21-36-82. ● albergopaola.com ● Au 3e étage. Doubles avec douche autour de 65 €. Petit déj offert sur présentation de ce guide. Tout récent, tout beau, il aligne une poignée de chambres rutilantes au dernier étage d'un immeuble très central. Les toilettes sont en commun, mais le niveau de confort est honnête et la vue sur les toits fait oublier la déco standardisée de la maison. Bref, une bonne option à prix

Prix moyens

🛏 *Hotel Abaco* (zoom C3, *32*) : via dei Banchi, 1. ☎ 055-238-19-19. • abaco hotel@tin.it • abacohotel.it • Compter 65-90 € pour une chambre double avec ou sans douche ou salle de bains. Chambre quadruple à 135 € avec bains. Petit déj à 5 €. Si vous payez comptant, petit déj et AC dans la chambre offerts sur présentation de ce guide et, de nov-mars, réduc supplémentaire de 10-15 % accordée (sauf période de fêtes). Parking à 24 €/j. Au 3e étage sans ascenseur, voilà un tout petit établissement qui plaît dès qu'on y entre : outre l'accueil charmant de Bruno, on découvre des chambres pleines de personnalité, arrangées avec goût et étonnamment confortables pour le prix (TV, téléphone, excellent double vitrage et AC pour quelques euros de plus). Également un petit bar et un coin petit déj en vieux bois très convivial. Plus qu'un hôtel, un lieu de séjour. Le meilleur rapport qualité-prix du quartier.

🛏 *Il Ghiro* (plan général C2, *33*) : via Faenza, 63. ☎ 055-28-20-86. • info@il ghiro.it • ilghiro.it • Compter de 50-65 € (douche et w-c communs), à 80 € avec douche et w-c (moins intéressant). Avec sa poubelle anti-*McDo* et ses affiches pour le forum international, cette petite adresse dégage un je-ne-sais-quoi de vaguement rebelle et anticonformiste. Rien de révolutionnaire toutefois, mais une *guesthouse* fraternelle tenue par des jeunes, avec une cuisine équipée pour partager ses spécialités et Internet pour consulter les programmes des concerts ! Chambres très fréquentables et propres (elles ne sont que deux à se partager une salle d'eau commune).

🛏 *Hotel Nella* (plan général C2, *33*) : via Faenza, 69. ☎ 055-265-43-46. • welco me@hotelnella.net • hotelnella.net • Compter 65-85 € pour une chambre double avec ou sans salle de bains. La déco de cette pension brille par son absence, mais la propreté des cham-

doux. Internet à disposition ainsi qu'une laverie. Si c'est complet, l'immeuble regorge de pensions à tous les étages mais à des prix plus élevés.

bres et l'accueil sympathique de Mohamed achèvent de convaincre les indécis. Les plus récentes, au second étage, disposent même de l'AC.

🛏 *Locanda Giovanna* (plan général C2, *33*) : via Faenza, 69. ☎ 055-238-13-53. • info@albergogiovanna.it • alber gogiovanna.it • Au 3e étage sans ascenseur. Chambres doubles 50-75 € ; sanitaires privés ou dans le couloir. CB refusées. Sur présentation du Guide du routard, 10 % de réduc oct-fin mars. Petite structure familiale un peu austère dans la déco, mais proposant des chambres très convenables et parfaitement entretenues.

🛏 *Albergo Merlini* (plan général C2, *31*) : via Faenza, 56. ☎ 055-21-28-48. • info@hotelmerlini.it • hotelmerlini.it • Au 3e étage sans ascenseur. Fermeture des portes à 1h. Congés annuels en août. Compter 55-110 € la double avec lavabo ou bains. Petit déj en supplément (5 €). Également des simples et des triples. Sur présentation de ce guide, 10 % de réduc en hte saison. Pension à l'ancienne mode, à l'image de la cuisine où ronronne la TV faisant office de réception. Le tout est propre et bien tenu, avec un brin de caractère pour certaines chambres très calmes, surtout lorsqu'elles profitent de la vue sur le *Duomo*, le campanile et la chapelle médicéenne. Belle salle à manger.

🛏 *Hotel Lorena* (plan général C3, *34*) : via Faenza, 1 (angle de la piazza Madonna). ☎ 055-28-27-85 ou 86. • in fo@hotellorena.com • hotellorena. com • Fermeture 2h-6h du mat (fêtards, passez votre chemin !). Compter 60 € pour 2, avec salle de bains privée, suivant affluence et saison. Petit déj en sus à 5 €. Sur présentation de ce guide, 10 % de réduc sur le prix de la chambre. Possibilité de parking (24 €/j.) à côté de l'école. Très bien situé, ce petit hôtel familial dispose de chambres confortables (TV, double vitrage...) mais inégales. Si certaines portent les traces d'une rénovation assez récente, les autres conservent une apparence un peu datée. Quelques privilégiées (les n°s 42 et 43) bénéficient d'une belle vue sur la place Madonna.

🛏 *Hotel San Lorenzo (plan général D2, 35) : via Rosina, 4.* ☎ *055-28-49-25.* • *in fo@sanlorenzo.it* • *sanlorenzohotel.it* • *Doubles 70-100 € selon saison, avec ou sans salle de bains. Pour les familles, triples et quadruples 80-140 € avec bains.*

Petit déj inclus. Sur présentation de ce guide, 10 % de réduc (en insistant un peu) sur le prix de la chambre (excepté à Pâques et en fin d'année). Rapport qualité-prix très discutable en haute saison, mais le reste de l'année, les chambres convenables de cette gentille petite pension s'avèrent encore une bonne option. Ceci d'autant qu'elle est très bien située. Accueil souriant.

Plus chic

🛏 *Residenza Johlea (plan général E1, 36) : via San Gallo, 76. Pas très loin de la piazza della Libertà.* ☎ *055-463-32-92 (précisez le nom de l'hôtel, car 5 autres hôtels font partie de cette mini « chaîne »).* • *johlea@johanna.it* • *johan na.it* • *Chambres 95-105 €, petit déj compris, et thé et gâteaux à disposition tte la journée.* Cette adresse intime a tout de la chambre d'hôtes : intérieurs cossus, déco raffinée et atmosphère chaleureuse. Un des meilleurs rapport qualité-prix et un accueil des plus charmants complètent ce tableau déjà assez idyllique.

🛏 *Antica Dimora Johlea (plan général E1, 36) : via San Gallo, 80.* ☎ *055-463-32-92.* • *johlea@johanna.it* • *johan na.it* • *Superbes doubles autour de 150 €.* Gérée par le même propriétaire que la précédente adresse, mais avec des chambres de la gamme au-dessus, cette belle demeure vient d'être entièrement rénovée. Les chambres en ont également profité : beaux espaces, certains lits avec baldaquin et surtout... très jolie terrasse sur le toit où l'on peut prendre le petit déjeuner en profitant de la vue sur le *Duomo*. Une ambiance cosy qui incite à y revenir d'autant plus que l'accueil est sympathique. Tout est fait pour rendre votre séjour agréable. Excellent rapport qualité-prix.

🛏 *Antica Dimora Firenze (plan général D-E1-2, 37) : via San Gallo, 72.* ☎ *055-462-72-96.* • *info@anticadimora firenze.it* • *anticadimorafirenze.it* • *Même proprio que les deux précédentes adresses et autant de charme. Chambres 120-150 €, petit déj compris.* Avec ses lits à baldaquin et ses meubles de style, cette adresse discrète promet à ses hôtes un séjour de

charme à la florentine. Rien n'est laissé au hasard, à l'image du thé servi dans le petit salon au retour d'une promenade.

🛏 *Residenza Castiglioni (zoom C3, 38) : via del Giglio, 8.* ☎ *055-239-60-13.* • *info@residenzacastiglioni.com* • *re sidenzacastiglioni.com* • *Au 2e étage (ascenseur). Chambres 130-150 €.* La différence de prix se justifie par la présence ou l'absence de fresques peintes dans la chambre. À l'étage de la réception, chambre supérieure avec déco florentine plutôt réussie. Au 3e étage, chambres plus modernes mais toutes avec un très bon confort. Coin salon-bar pour papoter avec les autres résidents ou avec l'intarissable patron. Une bonne adresse idéalement située.

🛏 *Hotel Mia Cara (plan général C2, 39) : via Faenza, 90 r.* ☎ *055-21-60-53.* • *info@hotelmiacara.it* • *hotelmiacara. it* • *Chambres doubles avec salle de bains env 120 € , petit déj compris.* Même si elles manquent de personnalité, les chambres sont impeccables et livrées avec douche, w-c, TV et AC. Celles donnant sur la cour, claire et verdoyante, profitent d'un calme absolu. Internet à disposition dans le salon commun.

🛏 *Hotel Varsavia (zoom C3, 40) : via dei Panzani, 5.* ☎ *055-21-56-15.* • *info@ho telvarsavia.it* • *hotelvarsavia.it* • *Chambres doubles avec douche et w-c ou bains à 150 €, petit déj compris. Souvent moins cher lun-jeu, et jusqu'à 40 % de rabais en basse et moyenne saison. Pour nos lecteurs, 10 % de réduc tte l'année.* Complètement surestimé en haute saison, cet hôtel agréable et rutilant comme un sou neuf devient une bonne affaire lorsque les chambres se négocient entre 70 et 100 €. Bon niveau de confort (TV, téléphone, AC) et un petit effort louable dans la déco. Et puis, si la rue Panzani est très bruyante, le triple vitrage a globalement raison de la « rumeur », comme on dit en italien.

≜ **Hotel Azzi** (plan général C2, **31**) : via Faenza, 56/58 r. ☎ 055-21-38-06. ● in fo@hotelazzi.it ● Chambres 120 € env, avec petit déj. Possibilité de parking. Cette « pension d'artistes » possède un cachet certain avec ses chambres meublées à l'ancienne, vue sur les toits, son atmosphère animée. Matériaux écolos, belle bibliothèque, salon avec cheminée, une terrasse et un petit sauna. En un mot : tranquillité. Également quelques chambres modernes à l'hôtel Marine, appartenant au même propriétaire, au 2ᵉ étage du même immeuble. Prix identiques.

≜ **Domus Florentiae** (zoom C3, **42**) : via degli Avelli (sur la piazza di Santa Maria Novella). ☎ 055-265-46-45. ● in fo@domusflorentiaehotel.com ● domus florentiaehotel.com ● Compter 130-160 € selon saison et vue, à l'arrière ou, le must, sur la place. Dans un palais du XVIᵉ siècle, un hôtel tout confort (TV, AC, accès Internet, frigo...), avec un mobilier choisi avec soin. Une adresse de haut standing à prix acceptable.

≜ **Hotel Giada** (plan général D3, **43**) : via del Canto dei Nelli, 2. ☎ 055-21-53-17 ou 79-80. ● info@hotelgiada.com ● hotelgiada.com ● Chambres doubles avec salle de bains 85-130 €, petit déjeuner inclus. Également des triples et des quadruples. Au cœur du marché au cuir, un hôtel sans surprise, qui propose des chambres soignées (boiseries sombres, couvre-lits bariolés) et confortables (TV, téléphone, coffre, minibar, double vitrage et AC).

≜ **Hotel Burchianti** (zoom C3, **38**) : via del Giglio, 8. ☎ 055-21-27-96. ● hotel burchianti@virgilio.it ● hotelburchianti. com ● Doubles avec douche et w-c, 140-170 € selon saison, petit déj compris. Romantiques ou historiens en herbe, cette adresse est pour vous ! Cette pension de charme, de petite taille pour préserver l'intimité des hôtes,

occupe l'une de ces vieilles demeures qui fleure bon le Florence d'antan, à peine la lourde porte entrouverte. Des meubles de style agrémentent les vastes chambres, toutes couvertes de fresques du XVIIᵉ siècle. De quoi faire de beaux rêves ! En revanche, le confort est bien du XXIᵉ siècle, avec AC et TV pour tout le monde. Accueil en français.

≜ **Hotel Cosimo de Medici** (ex-Le Cascine ; plan général C2, **45**) : largo Fratelli Alinari, 15. ☎ 055-21-10-66. ● info@ hotellecascine.com ● hotellecascine. com ● Au rez-de-chaussée à gauche dans le hall d'entrée de l'immeuble. Chambres doubles avec salle de bains 90-150 €, petit déj inclus. Accueil professionnel (et francophone), chambres bien décorées (belles tentures, jolies couleurs...) et tout confort (évitez la chambre n° 36 excessivement sombre), ambiance décontractée. Petite cour intérieure l'été pour le petit déj. Également un parking privé, mis à la disposition des clients moyennant un supplément. En guise de dépannage, si cet hôtel est complet, l'**Hotel Alinari** (☎ 055-28-42-89 ; ● info@hotelalinari. com ● hotelalinari.com ●), prendre l'ascenseur à droite jusqu'au 4ᵉ étage du même immeuble, propose de nombreuses doubles autour de 125 €, petit déj compris. Réduc de 10 % accordée toute l'année sur présentation de ce guide.

≜ **Hotel Accademia** (plan général C3, **46**) : via Faenza, 7. ☎ 055-29-34-51. ● in fo@hotelaccademiafirenze.com ● hotel accademiafirenze.com ● Chambres doubles avec salle de bains 65-150 €, petit déj-buffet inclus. Réduc de 10 % en nov-fév sur présentation de ce guide. Si l'entrée est un bon présage, avec son escalier tout de velours rouge revêtu, coiffé d'une verrière conduisant à une porte ornée de vitraux, les chambres confortables (TV, AC...) reliées par un dédale de couloirs confirment cette bonne impression. Petite cour intérieure, jolie salle pour le petit déj et espaces communs conviviaux (avec Internet, jeux de dames et d'échecs).

Beaucoup plus chic

≜ **J.K. Place** (plan général C3, **47**) : piazza di Santa Maria Novella, 7. ☎ 055-264-51-81. ● jkplace@jkplace.com ● jk place.com ● Chambres à partir de 290 €

et jusqu'à... 900 € en hte saison pour une (superbe) suite. Magnifique hôtel design qui a su marier son patrimoine de palais florentin avec une déco résolument moderne, très réussie. Les chambres, toutes différentes, toutes charmantes, offrent un confort irréprochable. Chaque meuble a été choisi avec soin, les pièces communes dégagent beaucoup de chaleur et le personnel est aux petits soins. Au dernier étage, somptueuse terrasse. Bien sûr, tout ceci se paie (cher) ! Resto-lounge encore en travaux lors de notre passage.

≜ *Grand Hotel Minerva (plan général C3, 48) : piazza di Santa Maria Novella, 16.* ☎ *055-272-30.* ● *info@gran dhotelminerva.com* ● *grandhotelminer va.com* ● *Chambres doubles 220-250 €, petit déj-buffet inclus. Rabais en fonction du remplissage.* Qu'il soit idéalement situé, à deux pas du cœur historique, on s'en doute, qu'il aligne des chambres élégantes et sobres dans les tons crème, pourquoi pas, qu'il propose la panoplie complète des services, ce n'est pas surprenant... Mais ce qui le différencie de ses homologues, c'est la piscine sur le toit avec un panorama sur le Duomo et le campanile. Les portes des chambres ornées de photographies en taille réelle de vieilles portes florentines apportent une touche originale. Très bien pour un petit week-end en amoureux !

≜ *Hotel Santa Maria Novella (plan général C3, 49) : sur la place du même nom, au n°1.* ☎ *055-27-18-40.* ● *info@ hotelsantamarianovella.it* ● *hotelsanta marianovella.it* ● *Compter 200-280 € pour 2 pers, petit déj inclus.* Belles chambres joliment classiques et décorées dans un style florentin sans être empesé. Salles de bains en marbre, beaucoup de classe et de douilleterie. Belle terrasse panoramique pour voir les toits rouges de la ville et les plus beaux monuments. Accueil très pro.

Entre Santa Maria Novella et l'Arno

Prix moyens

≜ *Tourist House (plan général C3, 50) : via della Scala, 1.* ☎ *055-26-86-75.* ● *tou rist-house@tiscali.it* ● *touristhouse. com* ● *Doubles avec douche et w-c pour 85 €, petit déj compris.* Petite structure bien située, qui a le gros avantage de concentrer ses chambres sur l'arrière du bâtiment ou autour d'une petite cour intérieure. Les durs de la feuille pourront toujours choisir une chambre côté rue pour profiter à plein de l'animation de la piazza di Santa Maria Novella ! Pour le reste : propre, sobre et ventilo ou AC pour tout le monde.

≜ *Hotel Scoti (zoom C4, 51) : via dei Tornabuoni, 7.* ☎ *055-29-21-28.* ● *ho telscoti@hotmail.com* ● *hotelscoti. com* ● *Doubles avec bains 105-115 €, petit déj en sus (5 €). Familiales 130-155 €.* Sur l'une des avenues les plus prestigieuses de Florence, et niché dans un vaste palais du XVIe siècle, le *Scoti* se divise en deux structures d'à peine une dizaine de chambres. D'une part, l'*albergo,* avec des chambres parfaitement calmes, adaptées et avanta-geuses pour les familles. D'autre part, des chambres classées « *Residenza d'Epoca* » côté avenue, à la déco assez sobre, impeccables, spacieuses, parfaitement équipées et indépendantes. L'ensemble a beaucoup de caractère avec ses appartements meublés à l'ancienne et ornés de fresques originelles dans les parties communes et sa vue sur les toits. En prime, accueil absolument charmant.

≜ *Bellevue House (plan général C3, 52) : via della Scala, 21.* ☎ *055-260-89-32.* ● *info@bellevuehouse.it* ● *bellevue house.it* ● *Chambres doubles avec douche et w-c à 75-95 €, petit déj compris (à prendre dans le bistrot voisin). Réduc de 10 % sur présentation de ce guide.* B & B intime situé au 3e et dernier étage (mais sonnez d'abord au 1er où Antonio, le propriétaire, passe le plus clair de son temps) d'un ancien palais, comme en témoigne la fresque tapissant la voûte de la cage d'escalier. Déco soignée, claire et accueillante pour une poignée de chambres confortables (AC et TV). Accueil sympathique en français.

🛏 *Hotel Bretagna (zoom C4, 53) :* lungarno Corsini, 6. ☎ 055-28-96-18. ● *in fo@hotelbretagna.net* ● *hotelbretagna. net* ● *Compter 75-150 € pour une chambre double avec ou sans salle de bains, petit déj compris.* Un hôtel de taille moyenne, situé dans un ancien palais sur les bords de l'Arno. Les parties communes ont le cachet de l'ancien, et les chambres confortables (AC, TV) sont dotées de meubles chinés. La plupart donnent sur l'arrière, mais de nouvelles chambres avec jacuzzi et vue sur le fleuve viennent d'être entièrement refaites.

🛏 *Hotel Montreal (plan général B3, 54) :* via della Scala, 43. ☎ 055-238-23-31. ● *info@hotelmontreal.com* ● *hotel montreal.com* ● *Prévoir 120 € pour une chambre double avec salle de bains, ou 80 € sans, petit déj compris. Quasiment moitié moins cher en basse saison !* Avec une réception rutilante et un ascenseur moderne, l'ancien petit hôtel familial est passé dans la cour des grands. Ses chambres demeurent toutefois une bonne option dans le quartier : parfaitement entretenues et d'un bon niveau de confort, à l'image de la TV ou de l'AC si utile l'été ! Il ne lui manque que la petite note d'originalité dans la déco, un peu trop standardisée à notre goût.

🛏 *Hotel Pensione Elite (plan général C3, 55) :* via della Scala, 12. ☎ 055-21-53-95. ● *hotelelitefi@libero.it* ● *Au 2e étage. Compter 75 € pour une chambre double avec douche (w-c sur le palier) et 90 € avec salle de bains privée. Pour nos lecteurs, 10 % de réduc en nov et fév.* Sur deux étages, une pension de taille moyenne sans prétention (qui porte donc assez mal son nom), mais qui propose des chambres tout à fait convenables et très bien tenues. Un petit peu de fantaisie dans la déco ne serait pas superflu. À mettre en avant quand même, l'accueil exceptionnellement souriant et l'humour (communicatif) de la patronne.

Plus chic

🛏 *Hotel Albion (plan général B3, 56) :* via Il Prato, 22 r. ☎ 055-21-41-71. ● *in fo@hotelalbion.it* ● *hotelalbion.it* ● *Doubles autour de 140 € (petit déj-buffet inclus) en hte saison, mais réduc fréquentes (jusqu'à 30 % en période creuse !). Petit parking couvert privé à 15 €/j. Sur présentation de ce guide, réduc de 10 % sur le prix des chambres* tte l'année et, bien pratique, prêt gratuit de bicyclettes. Un petit hôtel familial, qui dissimule derrière sa très jolie façade de palais florentin une vingtaine de chambres décorées avec goût. Un mobilier bien choisi, des papiers peints aux tonalités chaudes et un bon niveau de confort en font une adresse de charme dans un quartier peu touristique.

Très chic

🛏 *Casa Howard Guest House (plan général C3, 57) :* via della Scala, 18. ☎ 06-69924-555 (à Rome). ● *info@casa howard.com* ● *casahoward.com* ● *Doubles 160-200 € selon la taille (chambres familiales) quelle que soit la saison, mais 10 % offerts à nos lecteurs en août, de mi-nov à mi-déc et de mi-janv à mi-mars.* Halte-là : maison de charme ! Et quel charme... Massimiliano, le patron, a aménagé, avec l'aide de son épouse, dans cette somptueuse demeure appartenant autrefois à sa tante, une maison d'hôtes de 14 chambres à la déco certes, de très bon goût, mais pour le moins (d)étonnante. Subtil et audacieux mélange d'ancien et d'ultramodernisme : lavabos en inox design côtoient rideaux en toiles de Jouy ou autres tissus baroques. Les chambres, et même certaines salles de bains, sont équipées d'écrans plats et de sonos dernier cri ! Toutes sont différentes et ont leur spécificité. On a eu un faible pour celle dotée d'une terrasse privative et d'un bain turc ! Parties communes (salon et terrasse intérieure) très agréables. Une adresse hors du commun où l'on résiderait volontiers plusieurs nuits...

Autour de la place du Duomo *(plan général et zoom C-D-E2-3)*

Prix moyens

â **Hotel Canada** *(zoom D3, **58**) : borgo S. Lorenzo, 14.* ☎ *et fax : 055-21-00-74.* ● *info@pensionecanada.com* ● *pensionecanada.com* ● *Au 2ᵉ étage sans ascenseur. Doubles 85-100 €, avec ou sans salle de bains et w-c privés.* Idéalement situé, à 50 m du baptistère, ce petit hôtel tenu par un couple très motivé dispose d'une poignée de chambres simples, mais spacieuses et confortables. Un petit coin salon TV vient même compléter le tout ! Propreté irréprochable et accueil dynamique.

â **Hotel Locanda Orchidea** *(zoom E3, **59**) : borgo degli Albizi, 11.* ☎ *055-248-03-46.* ● *hotelorchidea@yahoo.it* ● *hotelorchideaflorence.it* ● *Aux 1ᵉʳ et 2ᵉ étages (ascenseur). Chambres doubles avec salles de bains communes 55-75 €. Un petit appart' confortable qui conviendra aux familles ou groupes de 4-5 pers. Pas de petit déj. Nov-fév, 10 % de réduc sur présentation de ce guide (sf fêtes de fin d'année).* Pension chaleureuse installée dans un petit palais du XIIᵉ siècle où naquit et vécut la femme de Dante (voir la statue dans le hall de l'immeuble). Tenue par des anglophones souriantes. Une petite dizaine de chambres en tout, simples mais très convenables. Côté rue, elles peuvent être un rien bruyantes. Préférez donc les autres, d'autant qu'elles donnent sur un petit jardin orné d'une statue de style Liberty.

â **Tourist House Liberty** *(plan général D2, **60**) : via XXVII Aprile, 9.* ☎ *055-47-17-59.* ● *libertyhouse@iol.it* ● *touristhouseliberty.it* ● *Chambres doubles avec ou sans sanitaires privés 75-120 € (pour les plus grandes). En hte saison, un séjour de 2 nuits min est exigé.* Allons droit au but : cet endroit douillet propose des chambres vraiment agréables, lumineuses, bien arrangées (mobilier de style, tons chauds et harmonieux, jolies tentures, parquet...) et impeccablement propres. Une bonne adresse, confortable et accueillante.

â **Hotel Europa** *(plan général D2, **61**) : via Cavour, 14.* ☎ *055-239-67-15.* ● *firenze@webhoteleuropa.com* ● *En face de l'office de tourisme. Doubles 80-160 € selon confort et saison, petit déj inclus. Pour tout paiement en espèces, 10 € de moins sur le prix des chambres.* Comme d'autres hôtels de notre sélection, l'*Hotel Europa* cumule le deux en un ! Au 2ᵉ étage des chambres récentes joliment décorées et donnant, pour la plupart, sur des petits jardins verdoyants à l'arrière. Certaines sont pourvues de terrasse privative avec vue sur le Duomo. Au 1ᵉʳ étage, les suites (100-150 € selon période, petit déj également inclus à partager avec les pensionnaires du 2ᵉ étage), de style florentin : hauts plafonds, tentures, portes épaisses, meubles peints, peintures à fresque du XVIIIᵉ siècle... le tout donnant sur un jardin intérieur et le Duomo. Une bien belle adresse, calme et centrale...

â **Sani House** *(zoom D3, **62**) : piazza dei Ginochi, 1.* 📱 *347-864-25-73.* ● *info@sanibnb.it* ● *sanibnb.it* ● *Fermé en janv et 1ʳᵉ quinzaine de fév. Chambres 60-120 € selon saison, avec tt le confort.* Idéalement situé sur une minuscule place du centre historique, à côté de la *Casa di Dante.* Au 3ᵉ étage d'un palais du XVIIIᵉ siècle, cette maison d'hôtes renferme une poignée de chambres agréables, profitant d'une jolie vue sur les toits de la vieille ville. Tout est fait pour vous mettre à l'aise : une petite cuisine est disponible ainsi qu'un coin salon avec TV et Internet. Accueil sympathique de Remo, le propriétaire, qui n'hésite pas à vous donner quelques tuyaux sur la ville.

â **Hotel Dali** *(zoom E3, **63**) : via dell'Oriuolo, 17.* ☎ *055-234-07-06.* ● *hoteldali@tin.it* ● *hoteldali.com* ● *Fermé en janv. Doubles 65-80 € avec ou sans salle d'eau privée.* Petite pension sans histoire, alignant une dizaine de chambres agréables bien tenues dans l'ensemble. Mais ce qui la met au-dessus du lot, c'est le parking privé gratuit dans la cour de l'immeuble *(attention, fermé sam ap-m et dim).* Une aubaine à Florence ! Accueil souriant.

🏠 **Albergo Firenze** (zoom D3, **64**) : piazza de Donati, 4 (via del Corso). ☎ 055-21-42-03 ou 055-26-83-01. ● in fo@albergofirenze.org ● albergofirenze. org ● Très bien situé, dans une impasse à 150 m du Duomo. Compter selon période 75-105 € pour 2, petit déj inclus, avec salle de bains privée. Et ce n'est pas le seul attrait de cet hôtel : les chambres sont fonctionnelles, globalement confortables (TV, téléphone) et très propres. Double vitrage côté rue. La déco mériterait toutefois un brin de fantaisie ! Bref, rien d'inoubliable, mais une bonne option vu sa situation.

🏠 **Hotel Pensione Ferretti** (zoom C3, **65**) : via delle Belle Donne, 17. ☎ 055-238-13-28. ● info@hotelferretti.com ● ho telferretti.com ● Chambres doubles avec bains communs ou privés 85-100 €, petit déj-buffet compris. Pour nos lecteurs, 10 % de réduc selon période, et petit déj offert à ceux qui arriveraient le premier jour à une heure matinale. Une adresse idéalement située, au calme, et à deux pas du centre historique. Pension familiale appréciée des voyageurs pour son atmosphère conviviale : salle de petit déjeuner sympathique, Internet à disposition et le journal Le Monde tous les matins, clientèle francophone oblige. Chambres au confort et à la déco très simples, mais bien tenues. Certaines plus petites et bien moins chères peuvent loger 1 personne. Accueil polyglotte et souriant : le patron parle bien le français, et la maîtresse des lieux l'anglais. En prime, l'entrée de l'hôtel donne sur une placette avec une miniterrasse aux chaises colorées, idéale pour prendre l'apéro à la fraîche !

🏠 **Hotel Maxim** (zoom D3, **66**) : via dei Calzaiuoli, 11. ☎ 055-21-74-74. ● hotel maxim@tin.it ● hotelmaximfirenze.it ●

Chambres doubles avec sanitaires privés autour de 100 €, petit déj inclus. Possibilité de parking payant (21 €/j.). Bien situé, dans une artère piétonne à quelques pas de la place du Duomo. Hôtel coquet aux poutres apparentes à l'accueil personnalisé et chaleureux. Les chambres se répartissent sur deux étages : toutes sont propres, bien finies et confortables (AC, TV), et disposent à chaque étage d'une salle de petit déjeuner et d'un veilleur de nuit. Accès gratuit à Internet, avis aux amateurs...

🏠 **Albergo Chiazza** (plan général E3, **67**) : borgo Pinti, 5. ☎ 055-248-03-63. ● hotel.chiazza@tin.it ● chiazzahotel. com ● Au 2e étage sans ascenseur. Chambres doubles sans ou avec salle de bains 80-95 €, petit déj inclus. Parking payant au fond de la cour (10 €/j.). Selon saison et sur présentation de ce guide, réduc de 10-20 % sur le prix de la chambre double. Accueil en français. Ce n'est pas le charme qui l'étouffe, mais cet établissement bien tenu propose des chambres fonctionnelles et confortables (TV, téléphone et AC), celles avec salle de bains (un peu petites) donnant sur une cour intérieure tranquille.

🏠 **Hotel Bavaria** (zoom E3, **68**) : borgo degli Albizi, 26. ☎ 055-234-03-13. ● in fo@hotelbavariafirenze.it ● hotelbavaria firenze.it ● Doubles avec ou sans salle d'eau privée 72-95 €, petit déj compris. Les impressionnantes hauteurs sous plafond, les traces de fresques émergeant ici ou là du crépi et la taille atypique des chambres entretiennent l'atmosphère Renaissance de ce beau palais du XVIe siècle. Beaucoup de caractère, mais si l'établissement est dans l'ensemble bien tenu, les équipements vieillots auraient besoin d'être remis à niveau (pas d'AC et tuyauteries vétustes).

Plus chic

🏠 **Residenza d'Epoca Verdi** (plan général E4, **69**) : via Verdi, 5. ☎ 055-23-47-962. ● info@residenzaepocaverdi.it ● residenzaepocaverdi.it ● Interphone sur rue, escalier en pierre puis, au 1er étage, ascenseur jusqu'au 3e. Vu le peu de chambres, résa indispensable en hte saison. Chambres doubles 100-

120 € avec douche et w-c ou bains, petit déj inclus. Huit chambres seulement, à la déco chaleureuse (mobilier peint, épais rideaux, tissus de choix sur les lits) et jolies salles de bains modernes. Préférez celles donnant sur l'arrière du théâtre, plus calmes et à la déco plus typique. L'accueil, s'il est discret, est

éminemment gentil. On aime se sentir ici, comme dans une maison d'hôtes. Une adresse vraiment charmante.

🛏 **Hotel Casci** (plan général D2, 70) : via Cavour, 13. ☎ 055-21-16-86. ● info@ hotelcasci.com ● hotelcasci.com ● ♿ Au 2e étage (ascenseur). Fermé la 2nde quinzaine de janv. Chambres doubles avec sanitaires privés 100-150 € selon saison, petit déj-buffet compris.

Réduc 10 % à nos lecteurs. Hôtel familial situé dans un palais du XVe siècle où vécut le compositeur Rossini. Accueil courtois (et en français) et chambres confortables, avec TV, téléphone, AC, coffre et minibar. Deux d'entre elles donnent sur un jardin et sont destinées en priorité aux jeunes couples en voyage de noces ! Possibilité de parking (payant). Et puis, Internet gratuit, accès wi-fi.

Très chic

🛏 **Hotel delle Arti** (plan général E2-3, 71) : via dei Servi, 38A. ☎ 055-29-01-40. ● info@hoteldellearti.it ● hoteldellear ti.it ● Chambres doubles avec douche ou bains à 180 € en hte saison. Idéalement situé, à deux encablures de l'Accademia, cet hôtel cosy en diable affiche un charme résolument... britannique ! Chambres parquetées, dotées de mobilier en bois blond ou peint, toutes élégamment et différemment meublées, aux teintes douces et coordonnées. Certaines même avec lit à baldaquin. Salles de bains impeccables et modernes. Jolie salle de petits déjeuners à l'atmosphère feutrée. Accueil en français, tout aussi élégant et cordial. Bref, une très belle adresse en centre-ville.

🛏 **Hotel California** (plan général D3, 72) : via Ricasoli, 30. ☎ 055-28-27-53 ou 055-28-34-99. ● info@californiafloren ce.it ● californiaflorence.it ● ♿ Compter 170 € pour une chambre double avec salle de bains, petit déj-buffet inclus. 40-50 % moins cher en basse saison. Sur présentation de ce guide, réduc 10 % de mi-juil à début sept et de mi-janv à fin fév (non cumulable avec d'autres promos). Un hôtel avenant pourvu de chambres coquettes et tout confort (TV, téléphone, coffre...). Une bonne dizaine d'entre elles disposent même d'un jacuzzi ! Certaines sont ornées d'une fresque au plafond ou d'un bas-relief, d'autres possèdent un balcon avec vue sur le dôme du Duomo (les nos 122 et 123). Également une chambre accessible aux handicapés. Mais la cerise sur le gâteau, c'est sans conteste sa terrasse très calme dissimulée parmi les toits, impeccable pour le petit déj. Parking tout proche.

🛏 **Palazzo Galletti** (plan général E3, 73) : via Sant'Egidio, 12. ☎ 055-39-05-

750 ou 751. ● info@palazzogalleti.it ● pa lazzogalleti.it ● Doubles 120-140 €. Dans un ancien palais restauré (entrée au 1er étage), deux hôtels en un : un B & B aux chambres sans salle de bains (autour de 60 €) et un bel hôtel portant le label Residenza d'Epoca, avec 9 chambres spacieuses. Magnifiquement aménagées, elles mêlent judicieusement le moderne et l'ancien, dans un décor de fresques classiques (surtout celles de la suite...), de peintures contemporaines et de sols en terra cotta. Toutes bénéficient de la clim' et d'un petit balcon donnant sur une cour intérieure paisible. Petit déj (inclus) servi dans une salle du XVIe siècle ! Accueil délicat. Difficile de trouver mieux, à ce prix, si près du Duomo.

🛏 **Hotel Il Guelfo Bianco** (plan général D2, 74) : via Cavour, 29. ☎ 055-28-83-30. ● ilguelfobianco.it ● Chambres doubles 140-260 € selon taille et saison, prima colazione comprise. Offres parfois plus intéressantes en réservant sur Internet. Pour nos lecteurs, 10 % de réduc accordés tte l'année à partir de 3 nuits. Un lieu de bon goût, qui tente de restituer l'atmosphère de la Florence des Médicis. Assez réussi pour les chambres supérieures, coiffées de plafonds à caissons ou voûtes rustiques et pourvues de beaux tapis et de mobilier de style. Évidemment équipées comme il se doit (coffre, minibar, salles de bains irréprochables...). En revanche, les chambres premiers prix, bien que cossues et joliment décorées, ne se démarquent pas du classicisme bon teint des hôtels de standing. Pour les insomniaques, les chambres situées à l'arrière profitent d'une jolie vue sur les toits et échappent à toute nuisance sonore. Un mariage réussi de luxe et de charme...

Dans les quartiers du ponte Vecchio et de l'Oltrarno (plan général B-C4-5 et zoom C-D4)

Bon marché

🛏 **Aily Home** (zoom D4, **75**) : piazza Santo Stefano, 1. ☎ 055-239-65-05 (téléphonez impérativement avant). Juste en face de l'église Santo Stefano, où se donnent parfois des concerts (auxquels on peut assister librement lors des répétitions). Au 4e étage (ascenseur). Chambres doubles sans salle de bains pour env 50 €. Ajouter 2 € pour la douche. Une pension de poche à l'ancienne tenue par une vieille dame pas toujours affable. Bon, la déco n'a pas évolué depuis quelques décennies et cela reste assez basique, mais c'est convenable et idéalement situé à 50 m du ponte Vecchio.

Prix moyens

🛏 **Residenza Il Carmine** (plan général B4, **76**) : via d'Ardiglione, 28. ☎ 055-238-20-60. ● info@residenzailcarmine. com ● residenzailcarmine.com ● Résa conseillée. Compter 80-99 €/j. pour 2 et 495-650 €/sem. Réduc de 10 % sur présentation de ce guide (sf à Pâques et en fin d'année). Avec 6 appartements entièrement équipés (notre préférence allant à Masolino), la Residenza Il Carmine, nichée dans une ruelle exceptionnellement calme, constitue une alternative originale aux hôtels. Meublés à l'ancienne et décorés avec goût, 3 appartements donnent sur un jardin intérieur privatif génial à l'heure de l'apéro. Les autres occupent la partie principale du palais, où les plafonds voûtés ou à caissons ajoutent au charme et à l'intimité du lieu. Pour un peu, on se sentirait plus florentin qu'un Florentin ! Accueil chaleureux d'Emilio et de Myriam. On le dit haut et fort, on ADORE !

🛏 **Florence old Bridge** (plan général C4, **77**) : via Guicciardini, 22 n. ☎ 055-265-42-62. ● info@florenceoldbridge. com ● florenceoldbridge.com ● Chambres doubles 70-85 €. Petit déj à 6 €, à prendre à la pâtisserie Maioli, en face. Même propriétaire que La Scaletta, situé de l'autre côté de la rue (voir ci-dessous). C'est d'ailleurs lui qui vous accueillera, cet hôtel n'ayant pas sa propre réception. Un coup de sonnette et le voilà ! Les chambres, réparties aux 2e et 3e étages, sont sobres et classiques, meublées d'armoires anciennes, mini TV et AC. Un très bon rapport qualité-prix à mi-chemin entre le Ponte Vecchio et le Palazzo Pitti.

Chic

🛏 **Hotel La Scaletta** (plan général C4, **78**) : via Guicciardini, 13 n. ☎ 055-28-30-28. ● info@hotellascalleta.it ● hotel lascaletta.it ● Chambres doubles 110-140 €, petit déj inclus. Possibilité de parking payant. Verre de vin maison offert à nos lecteurs. Hôtel convivial situé dans une vénérable demeure du XVe siècle, ce qui garantit aux hôtes une petite touche d'authenticité des plus agréables. Une vingtaine de chambres en tout, de style toscan et très propres, toutes équipées du double vitrage. Trois d'entre elles offrent même une jolie vue sur les jardins de Boboli (les nos 20 à 22). Mais le must, ce sont ses trois extraordinaires terrasses fleuries sur les toits, avec une vue formidable sur la ville et les contreforts de la campagne toscane.

🛏 **Residenza S. Spirito** (plan général C4, **79**) : Piazza di Santo Spirito, 9. ☎ 055-265-83-76. ● info@residenzasspi rito.com ● residenzasspirito.com ● Appartement 100 € sans petit déj, chambres à partir de 130 € selon saison et avec petit déj. Un petit hôtel (slt 4 chambres), mais quel hôtel ! Situées au 1er étage de l'antique et somptueux palais Guadagni (début XVIe siècle), les chambres sont très spacieuses, confortables, joliment meublées à l'ancienne et d'une propreté irréprochable. Les deux plus belles sont ornées de plafonds peints (d'époque) : l'une à dominante or et l'autre argent. Et toutes deux disposent d'un petit balcon donnant sur la place. L'appartement, au rez-de-chaussée, est un poil moins chic mais dispose d'un coin cuisine. Travaux d'agrandissement prévus en 2008.

🛏 *Hotel Hermitage* (*zoom D4, 80*) : piazza del Pesce, vicolo Marzio, 1.

☎ *055-28-72-16.* • *florence@hermitage hotel.com* • *hermitagehotel.com* • *Env 220 €/nuit.* À deux pas du ponte Vecchio, bel hôtel de charme à la déco à l'ancienne pour se retrouver, le temps d'une pause florentine, à l'époque des Médicis. Dans ce décor cosy, on est comme un coq en pâte. Certaines chambres possèdent une petite vue sur l'Arno. Et le petit déj sur la terrasse donnant sur l'Arno est un moment tout simplement... magique.

Dans le quartier de San Niccolò (plan général E-F-5)

Chic

🛏 *Silla Hotel* (*plan général E5, 81*) : via de' Renai, 5. ☎ 055-234-28-88. • *hotel silla@hotelsilla.it* • *hotelsilla.it* • *Chambres doubles à partir de 100 €.* Un des rares hôtels dans ce quartier, mais qu'importe : il est parfait ! Chambres au papier peint fleuri équipées avec tout le confort, TV, minibar, Internet en wi-fi,

etc. Certaines ont vue sur l'Arno, mais il faut s'y prendre tôt. À n'importe quel moment de la journée, vous pouvez profiter de l'immense terrasse arborée donnant sur le fleuve. Grandiose. Pour ne rien gâter, accueil adorable et personnel très prévenant.

Dans le quartier de Sant'Ambrogio (plan général E-F3-4)

Très chic

🛏 *The J and J Historic House Hotel* (*plan général F3, 82*) : via di Mezzo, 20. ☎ 055-26-312. • *jandj@cavalierehotels. com* • *cavalierehotels.com* • *Doubles 210-280 €, voire plus pour les suites (à partir de 160 € en basse saison), petit déj inclus, bien sûr. Possibilité de parking sur demande.* Historique, cet hôtel l'est bien, puisqu'il est installé dans un couvent construit au XVIe siècle. Mais si l'architecture d'ensemble, les quelques fresques d'origine et le cloître intérieur laissent clairement entrevoir ce riche

passé, les chambres, elles, n'ont rien de monacal. Plus ou moins vastes (tout est question de prix !) et richement meublées, dans des teintes de rouge et de jaune chaleureux, aux éclairages étudiés, elles sont dotées de tout le confort moderne. Certaines bénéficient même d'une terrasse privative et d'un mobilier en fer forgé. Une chose est sûre en tout cas : ici règne un calme parfait. Accueil en français digne des grandes maisons. Une adresse idéale pour convoler...

OÙ MANGER ?

La vague touristique qui déferle sur Florence en toute saison a fait jaillir des dizaines de restos typiques avec bougies sur les tables et peintures aux murs. Gare cependant au coup de bambou, et ce, pour une nourriture quelconque. Ici plus qu'ailleurs, un routard averti en vaut deux. Notre sélection très élargie, si l'on y inclut les bars à vin et ceux qui pratiquent l'*aperitivo*, vous permettra toutefois de découvrir la cuisine florentine mais aussi des quartiers moins touristiques où les bonnes adresses ne manquent pas (quartiers de San Niccolò, San Frediano, Santo Spirito dans l'Oltrarno, et de Santa Croce).

À part ça, sachez que quelques restaurants n'acceptent toujours pas les cartes de paiement (les *osterie* notamment). Dans les établissements qui marchent bien et en haute saison, pensez également à réserver le soir (si vous ne voulez pas faire le pied de grue sur le trottoir...).

MARCHÉS

Pour les routards fauchés, l'idéal est de faire le plein de cochonnailles, de fromages et de légumes, et d'aller ensuite pique-niquer dans les jardins de Florence ou sur les marches d'une église. C'est sympa et pas meurtrier pour le porte-monnaie ! Et si les disciples de Bacchus souhaitent y ajouter une bonne bouteille, grand bien leur fasse !

– **Mercato centrale di San Lorenzo** (plan général C-D2) : via dell'Ariento. Ouv lun-sam 7h-14h. Halles du XIXe siècle abritées par une charpente métallique. Un marché qu'on recommande en guise d'introduction à la gastronomie locale. Au premier niveau, charcuterie, boucherie, triperie, crémerie et autres épiceries ; à l'étage, profusion de fruits et de légumes. Chaque stand est numéroté (on en dénombre pas moins de mille). Très touristique (l'avantage c'est que de nombreux stands vous permettent de goûter) et assez cher, mais la qualité des produits n'a pas baissé et le choix est immense.

– **Mercato Sant'Ambrogio** (plan général F4) : piazza Sant'Ambrogio. Ouv lun-sam 7h-14h. Au nord-est de Santa Croce, un quartier animé et plein de charme. Marché populaire très complet, dont les étals débordent largement la petite halle du XIXe siècle. *Alimentari, frutta, verdura, fiori...* et *tutti quanti* ! Plus intime et nettement plus florentin que son grand rival de San Lorenzo. À la sortie, pause *espresso* recommandée à la terrasse du *Cibreo Caffè*.

– **Mercato delle Cascine** (hors plan général par A2) : viale Lincoln. Accès : bus n° 17 c. Ouv mar 8h-14h. Le long de l'Arno, une profusion de stands proposant, entre autres, de l'alimentation.

– En quête d'une *bouteille* à la sortie du marché ? Laissez le *Guide du routard* guider vos pas (attention, ttes sont fermées dim) : **Casa del Vino** (plan général D2, **143**), via dell'Ariento, 16 r, ☎ 055-21-56-09. **Le Volpi e l'Uva** (plan général D4, **146**), piazza dei Rossi, 1, ☎ 055-239-81-32. **Enoteca-bar Fuori Porta** (plan général E5, **147**), via del Monte alle Croci, 10 r, ☎ 055-234-24-83. **Fratelli Zanobini** (plan général C-D2, **141**), via Sant'Antonino, 47 r, ☎ 055-239-68-50. Pour toutes ces adresses, voir plus bas la rubrique « Bars à vin (vinai, enoteche) ».

– Pour les amateurs, *les tripiers ambulants* (trippai ambulanti) : autrefois, ils étaient légion. Désormais, ils ne courent plus les rues, pas même dans le quartier de San Frediano pourtant réputé pour les abats. En dehors de la **Trattoria da Nerbone** (voir ci-dessous dans « Restaurants. Dans les quartiers de Santa Maria Novella... ») installée dans le marché central depuis 1872, vous en trouverez piazza dei Cimatori (zoom D3-4), piazza di Porta Romana (plan général B6), ainsi que dans d'autres endroits mais beaucoup plus éloignés du centre. Il s'agit le plus souvent de petits stands proposant de bons sandwichs garnis de tripes cuites à la commande.

SUPERMARCHÉS

🏵 **Standa** (plan général E3) : via Pietrapiana. En face de la poste principale (angle avec la via dei Martiri del Popolo). Ouv lun-sam 8h-21h, dim 9h-21h. L'un des plus grands supermarchés du centre de Florence. Pour ne pas trop se ruiner, le rayon traiteur propose un large choix de jambons toscans et de sala-

OÙ MANGER ?

des. Également une bonne sélection de fromages et d'*antipasti*. Qualité des produits moyenne, mais peut s'avérer bien pratique pour préparer un pique-nique

improvisé. Vous pouvez leur demander de vous les emballer sous-vide, ce qui les rend plus facilement transportables.

SUR LE POUCE

≫ **Leopoldo Procacci** *(zoom C3, 85) : via dei Tornabuoni, 64 r.* ☎ 055-21-16-56. *Ouv 10h30-20h sf dim et en août.* Très vieille boutique créée en 1885, un bail... Mais rien ne semble avoir changé, les étagères cirées alignant toujours la meilleure sélection de produits fins de la ville (dont le fameux thé *Fortnum and Mason*). Adresse idéale pour caler un p'tit creux entre deux courses (attention au porte-monnaie !). On y consomme des *mini-panini (tartufati, salmone con salsa di rucola...)* avec un verre de vin. Résolument chic, comme les boutiques du quartier.

≫ **La Latteria-Caffelatte** *(plan général E3, 86) : via degli Alfani, 39 r.* ☎ 055-247-88-78. *Ouv lun-sam 8h-minuit (lun 21h).* Petit salon de thé reposant avec un vieux carrelage, un comptoir en marbre, et quelques tables en bois pour papoter entre filles. À l'origine (il y a longtemps), c'était une boucherie. Puis la boucherie devint *latteria* (crémerie), qui se transforma par la suite en *mescita di latte e caffè*, c'est-à-dire en un débit de lait et de café. Aujourd'hui, on peut y venir à tout moment pour y consommer

une cuisine légère et végétarienne mais surtout biscuits, gâteaux, yaourts... non seulement faits maison, mais élaborés à base de produits bio. Également des cafés et des thés « sur mesure ».

≫ **Caffè degli Artigiani** *(plan général C4, 87) : via dello Sprone, 16 r (angle de la piazza della Passera).* ☎ 055-29-18-82. *Fermé dim et lun soir.* En-cas et salades autour de 5-8 €. Endroit charmant situé dans un coin calme à deux pas du Palazzo Pitti. Agréable petite salle aux murs tapissés de grimaces, où l'on s'enfile un sandwich frais ou une *piadina calda*, sorte de crêpe salée fort nourrissante. Quelques tables dans la ruelle ou un comptoir pour avaler d'un trait son *espresso*.

≫ **Gustapanino** *(plan général C4, 88) : via Michelozzi, 13 r. Ouv 11h-23h.* Sandwich 3 € env. À l'angle du borgo Tegolaio et face à l'église Santo Spirito, un petit comptoir où l'on s'accoude le temps d'une *piadina* ou d'une *foccacia* composées à la commande. Produits frais, pain chaud et moelleux, et pourquoi pas un verre de rouge pour agrémenter le tout ?

RESTAURANTS (OSTERIE, TRATTORIE, PIZZERIE ET RISTORANTI)

Dans les quartiers de Santa Maria Novella et de San Lorenzo *(plan général B-C-D2-3)*

Très bon marché

|●| **Trattoria da Nerbone** *(plan général D2, 90) : à l'intérieur du mercato centrale di San Lorenzo.* ☎ 055-21-99-49. *Ouv lun-sam 7h-14h slt. Fermé dim, ainsi que 2 sem en août et 1 sem à Noël.* Compter 10-15 € pour un repas complet. CB refusées. En activité depuis 1872, et ça semble bien parti pour quelques siècles encore. Très populaire dans le coin, on s'y presse devant les quelques mètres carrés du comptoir. À côté, quelques tables en marbre accueillent les vieux habitués et les nombreux touristes. Côté plats, la mai-

son propose de savoureuses spécialités (également à emporter). On vous conseille notamment le *passato di ceci* (purée de pois chiches), le *lampredo* (intestin de veau bouilli dans son jus et saupoudré de poivre), un chianti au verre, *il conto e basta !*

|●| **Caffè Giacosa** *(zoom C3, 91) : via della Spada.* ☎ 055-277-63-28. *Ouv jusqu'à 20h30 (2h en juil-août).* Autour de 7 €. Café conçu par le créateur florentin Roberto Cavalli, connu pour ses imprimés inspirés de l'art et de la peinture. Petite restauration que l'on savoure

assis si on a de la chance, le plus souvent debout ou à emporter. Quelques tables en terrasse pour goûter également au chocolat chaud (fameux) en grignotant une pâtisserie. Chic et pas si cher.

Bon marché

|●| *Il Vegetariano (plan général D1, 92) :* via delle Ruote, 30 r. ☎ 055-47-50-30. ♿ *À 2 mn de la piazza dell' Indipendenza, en remontant la via San Zanobi. Fermé sam midi, dim midi et lun. Congés annuels en août et pdt les fêtes de fin d'année. Menus 10-25 € ; à la carte, compter env 15 €. Café offert sur présentation de ce guide.* Comme au théâtre, cette adresse se dévoile à chaque lever de rideau : passé les vitraux, on découvre d'abord une petite salle façon bistrot, qui donne dans une salle conviviale avec des tables en bois, des vitrines chargées de bocaux remplis d'épices, de grosses poutres en bois et une fresque sur l'un des murs (attention à la queue du chat !), le tout débouchant dans une petite cour ombragée impeccable dès le printemps. Tableau noir avec les plats du jour : tartes aux légumes, couscous végétariens, pâtes, aubergines farcies, soufflés, quiches, soupes traditionnelles... Très bon pain et savoureuses pâtisseries.

|●| *I Due G. (plan général C2, 93) :* via B. Cennini, 6 r. ☎ 055-21-86-23. • abuba@libero.it • *Ouv tlj sf dim et j. fériés. Compter 20 € max pour un repas complet.* Délicieuse cantine de quartier avec les traditionnelles nappes à carreaux ! Elle se distingue par ses belles spécialités florentines (signalées clairement sur le menu) à prix doux et par ses desserts maison.

|●| *Trattoria Guelfa (plan général C2, 94) :* via Guelfa, 103 r. ☎ 055-21-33-06. *Ouv midi et soir sf mer. Congé annuel en août. Menu à 12 € tt compris, ou env 20 € max à la carte. Un digestif vous sera offert sur présentation de ce guide.* Cadre plutôt hétéroclite : tables habillées de nappes vert et blanc, murs agrémentés de croquis humoristiques, bouteilles, vieilles marmites et calebas-

ses. En travers de la pièce, une barre de bois où se cramponne un nounours sur une balançoire. Laissez-vous donc tenter par les spécialités de la maison : *penne* aux cèpes, à la crème de truffe et au jambon toscan. Sinon, les sympathiques patrons prendront le temps de commenter (en français) la carte et de vous guider dans le choix des vins.

|●| *Trattoria Il Contadino (plan général B3, 95) :* via Palazzuolo, 69-71 r. ☎ 055-238-26-73. *Tlj sf dim. Formule le midi à 9,50 € tt compris, à 10,50 € le soir.* Petite cantine familiale sans prétention, mais toujours pleine à craquer. Et pour cause ! Les deux petites salles carrelées ne sont pas désagréables avec leurs photos en déco, et les serviettes en tissu sont une attention délicate pour les convives. Côté cuisine, pas de quoi crier au génie culinaire mais pour le prix, c'est copieux et on a bien aimé que les produits surgelés soient mentionnés (c'est plus honnête !). Et pour 0,50 € de plus, vous aurez droit au quart de rouge... mais mieux vaut avoir l'estomac bien accroché !

|●| *Trattoria Mario (plan général D2, 96) :* via Rosina, 2 r. ☎ 055-21-85-50. • *trattoriamario@libero.it* • *Quasiment sur la place du marché. Ouv tlj le midi sf dim et en août. Compter env 15 € pour un repas complet (sans la boisson). CB refusées.* Une *trattoria* de quartier comme on les aime, avec un menu qui change tous les jours (tripes le lundi, poisson le vendredi...). Quelques tables dans une petite salle agréablement fraîche, où l'on s'attable sans façon pour profiter d'une atmosphère conviviale assurée par les habitués. On y concocte de bonnes spécialités florentines *(braciola in salsa, tagliata e fagioli...)* à des prix plus que raisonnables. Accueil simple et sympathique.

Prix moyens

|●| *Ristorante La Spada (plan général C3, 97) :* via della Spada, 62 r. ☎ 055-21-88-46. *Ouv tlj sf lun et mer midi.*

Fermé 1 sem en août. Menus à 11 € le midi (couvert et service compris !), et 20-28 € le soir. Repas 25 € env. Vino santo *offert sur présentation de ce guide.* Rôtisserie faisant planer une odeur alléchante détectable depuis la rue avec ses poulets embrochés, ses légumes rissolés et ses plats de traiteur qui laissent présager de la qualité de la cuisine. Du coup, on s'attable avec plaisir dans l'une des deux arrière-salles (la plus petite pour les amoureux), avant de se régaler de plats toscans sans surprise mais bien ficelés. Accueil souriant.

|●| *Trattoria Gozzi* (plan général D3, **98**) : piazza San Lorenzo, 8. ☎ 055-28-19-41. ♿ *Ouv le midi slt. Fermé dim, ainsi qu'en août. Compter 20-25 €.* Une jolie *trattoria* de quartier, où d'immenses lustres en fer forgé illuminent une joyeuse assemblée d'habitués. Côté cuisine, c'est bon, bon, bon... à commencer par les soupes *(minestre).* Rien à redire non plus concernant les classiques toscans que sont la *pappa al pomodoro,* la *ribollita,* la *trippa alla fiorentina* ou la fameuse *bistecca.* Et pour finir, une petite trempette suffira amplement. Nous voulons parler des *biscottini di Prato* à manger après les avoir trempés dans un verre de *vino santo.* Très bon accueil.

|●| *Trattoria Za-Za* (plan général D2, **99**) : piazza del Mercato Centrale, 26 r. ☎ 055-215-411. ● *info@trattoriazaza. it* ● *Ouv midi et soir. Carte 18-32 € suivant les appétits. Salades et pizze 6-9 €.* Chez Za-Za, il y en a pour tout le monde et pour tous les budgets. Deux terrasses idéalement situées, sur la place animée du marché central, et de nombreuses salles aux multiples tables et recoins dans un décor aux murs de pierre bien étudié avec bouteilles de vin et mobilier de récup'. En principe, en arrivant pas trop tard, on est quasi sûr de trouver de la place sans trop attendre ! Il y en a aussi pour tous les appétits et tous les goûts : beau choix d'*anti-*pasti, de pâtes (celles à la crème de truffes sont carrément délicieuses), de plats de viandes et de desserts (bonne *panna cotta*). Sans oublier le produit phare de la maison : la pizza *Za-Za,* copieusement garnie. N'oubliez pas de jeter aussi un œil au menu entièrement consacré aux produits de la mer. Ici, pas de chichis. Faut qu'ça tourne, dans la joie et la bonne humeur, s'il vous plaît !

|●| *Trattoria le Antiche Carrozze* (zoom C4, **100**) : piazza di Santa Trinita (à l'angle du borgo San Apostoli). ☎ 055-265-81-56. ● *info@leantichecarrozze.it* ● *Ouv tlj midi et soir. Pâtes et pizzas env 8 €, secondi 12-16 €.* Ambiance rustique pour cette *trattoria* aux salles conviviales avec tables et chaises en bois, proposant de belles salades et de grosses *pizze* au feu de bois. Le soir, atmosphère plus romantique, genre bougies sur les tables et *tutti quanti* ! Un resto rare dans ce coin où les prix flambent plus que de raison. En plus, c'est bon, alors ?

|●| *Trattoria al Trebbio* (zoom C3, **101**) : via delle Belle Donne, 47/49. ☎ 055-70-89. Tlj sf mar. Antipasti *et* primi *6-8 €. Secondi 8-12 €.* Jolie salle à l'italienne avec grappes d'ail et déco florale. Cuisine de bonne femme bien ficelée et une excellente *bistecca alla fiorentina* (moins chère qu'ailleurs mais aussi bonne). Beaucoup d'employés du quartier en ont fait leur cantine le midi.

|●| *Lampara* (plan général C2, **102**) : via Nazionale, 36 r. ☎ 055-21-51-64. *Ouv tlj midi-minuit.* Pizze *autour de 8 €, plats 9-16 €.* Dès l'entrée, le décor est planté avec le feu de bois qui attend ses grillades. Choix de pizzas apprécié par de nombreux florentins. Petite salle vite bondée, mais c'est surtout pour la cour intérieure qu'on vient ici : au calme et à la fraîche. Pas de la grande cuisine mais suffisamment honorable pour être mentionnée ici. Bonne ambiance.

Dans les quartiers du Duomo, de la piazza della Signoria et de la piazza della Repùbblica *(zoom D3-4)*

De très bon marché à bon marché

|●| *Osteria I Buongustai* (zoom D4, **103**) : via de' Cerchi, 15 r. ☎ 055-291-304. *Ouv lun-sam 8h-19h30 (23h ven-*sam). Résa conseillée. Repas env 10 €. Un petit bout de vitrine et un étroit couloir en guise de devanture. Pour un

peu, on la louperait, cette *osteria* ! Une foule de travailleurs s'y presse chaque midi, attendant dehors pour trouver une place sur l'une des 5 tables avec bancs de la salle du fond. Le service est enlevé et l'on s'installe là quelques instants pour des *antipasti*, une généreuse plâtrée de pâtes ou une salade composée, accompagnés d'un verre de vin maison. Et *basta* !

|●| *La Mescita* *(plan général E2, **104**) : via degli Alfani, 70 r. Ouv lun-sam jusqu'à 17h. Fermé en août. Formule plat unique + boisson à 10 €. CB refusées.* Minuscule débit de boissons à l'ancienne (depuis 1927 !) avec du carrelage aux murs où les vrais piliers soudés au zinc ne daignent pas s'approcher des deux ou trois petites tables. Vous pourrez aussi bien y prendre un sandwich ou goûter, pour une croûte de pain, à la petite restauration exposée derrière la vitrine du comptoir (charcuterie, pâtes, légumes)... et bien sûr, boire un petit coup. Attention, le coin est envahi par les nombreux étudiants des facs voisines,

et donc vite complet. Une autre sympathique adresse étudiante non loin : ***Brunellesco,*** *via degli Alfani, 69 r. Ouv lun-ven jusqu'à 20h.* Le plus : une petite terrasse protégée de la circulation pour manger tranquillement son *panini* en lisant le journal.

|●| *Coquinarius Caffè* *(zoom D3, **105**) : via dell'Oche, 15 r.* ☎ *055-230-21-53.* ● *coquinarius@tin.it* ● *Ouv lun-sam 12h-23h et dim midi. Fermé en août et pdt les fêtes de fin d'année. Compter 20-25 € pour un repas, boisson comprise. Digestif offert à nos lecteurs.* Petite adresse idéalement située derrière le Duomo. Belle salle haute de plafond, avec une déco chaleureuse dans l'esprit d'une auberge (bois foncé et pierre apparente). Côté cuisine, les salades et les pâtes sont à l'honneur. Notre préférence va aux raviolis fourrés au gorgonzola et à la poire. Un délice ! Les desserts sont faits maison. Victime de son succès, la qualité et la quantité nous ont semblé à la baisse alors que le service reste absolument adorable.

Prix moyens

|●| *Ristorante Pennello* *(zoom D3-4, **106**) : via Dante Alighieri, 4 r.* ☎ *055-29-48-48. Fermé dim-lun, ainsi qu'en août. Menu à 20 € ; compter 25 € à la carte.* Ce restaurant très touristique doit son succès à sa bonne cuisine, c'est la moindre des choses, mais aussi à sa situation centrale au pied de la maison où vécut Dante. Salle voûtée simple, aux murs tout blancs qu'égayent quelques tableaux. Pas mal d'atmosphère, mais le service pourrait être plus aimable à l'heure du coup de feu. Dans le fond, une autre salle avec une petite terrasse et une pergola. Carte bien fournie. Goûtez aux *minestrone, zuppa di farro, rognone, agnello in umido, trippa, osso buco.* Venir de préférence le midi, l'éclairage au

fluo le soir ne nous a pas convaincu.

|●| *Ristorante Paoli* *(zoom D3-4, **107**) : via dei Tavolini, 12 r.* ☎ *055-21-62-15. Tlj sf mar et en août. Menu à 21 € tt compris ; à la carte, plats 8-15 € pour un repas complet.* Le *Paoli* est l'un des passages obligés des groupes touristiques en goguette à Florence. Et pour cause ! Installée dans une église du XIIIᵉ siècle, la salle de restaurant est coiffée d'impressionnantes voûtes ornées de fresques. Un décor superbe qui justifie à lui seul le déplacement... d'autant que côté nourritures terrestres, ce n'est pas ce qu'il y a de meilleur ni de plus imaginatif mais ça reste une honorable cuisine florentine traditionnelle.

Dans les quartiers de Santa Croce et de Sant'Ambrogio *(plan général E-F3-4 et zoom E3-4)*

Bon marché

|●| *Da Rocco* *(plan général F4, **108**) : sous la halle du Mercato Sant'Ambro-* | *gio. Ouv jusqu'à 14h30 sf dim. Plats autour de 4 €.* Une tranche de vie pour le prix d'un plat de pâtes ! Dans ce petit traiteur escorté de quelques tables, les habitués viennent autant pour le spectacle du marché que pour les assiettes bien pleines. Cuisine toute simple de bistrot, sans tambour ni trompette, mais qui nourrit son homme et dont le menu change tous les jours. Et puis c'est communautaire... Il manque un ingrédient ? On interpelle l'étalage voisin. Et pour le café, le bistrot d'en face fera bien l'affaire ! Parfait pour tâter l'atmosphère florentine à moindres frais.

|●| *Enoteca Verdi (plan général E4, 109) :* via Verdi, 36 r. ☎ 055-24-45-17. *Tlj sf dim jusqu'à 20h.* Idéal pour les petits budgets, cette charcuterie-fromagerie-traiteur propose *primi, secondi* avec *contorni* pour des prix dérisoires, le tout servi dans des barquettes en alu. Il ne vous reste qu'à rejoindre les employés du quartier et les touristes dans la salle du fond qui sert office aussi d'*enoteca.* C'est donc au milieu de bonnes bouteilles sur des comptoirs en bois, juchés sur un tabouret que l'on se nourrit de pâtes du jour, poulet, rôti, etc. Bons produits frais. Parfait pour le midi.

|●| *Il Gatto e la Volpe (zoom E4, 110) :* via Ghibellina, 151 r. ☎ 055-28-92-64. *Ouv tlj.* Pasta *autour de 7 €, compter 20 €/pers pour un repas.* Dans une *trattoria* de quartier animée par les nombreux étudiants qui s'y pressent, copieux plats de pâtes pour caler les gros appétits. Idéal pour faire des rencontres, pour dîner entre amis, avec un niveau sonore généralement élevé. Nourriture honnête, service jeune et souriant.

|●| *La Pentola dell'Oro (plan général E3, 119) :* via di Mezzo, 24-26 r. ☎ 055-24-18-21. Voir la rubrique « Chic ».

|●| *Il Pizzaiuolo (plan général F3, 111) :* via dei Macci, 113 r. ☎ 055-24-11-71. *Tlj sf dim et 1 sem en août.* Pizzas 6-8 €. *Digestif offert à nos lecteurs.* Le temple de la pizza napolitaine. Quelle ambiance ! Le ton est donné : dialecte local et carte des vins n'alignant que des flacons du Sud de la Botte, et on se régale de pizzas à pâte épaisse, façon napolitaine. Le service manque en revanche de chaleur, mais à voir les files d'attente, c'est le moindre des soucis de la maison. Dommage.

|●| *Ristorante-pizzeria I Ghibellini (plan général E3, 112) :* piazza San Pier Maggiore, 8-10 r (angle du borgo degli Albizi et de la via Palmieri). ☎ 055-21-44-24. *Tlj sf mer.* Plats 4-8 €. Grosse pizzeria de quartier bien établie, très appréciée pour sa terrasse déployée sur une jolie placette. Également un grand espace au sous-sol et au fond pour les joyeuses bandes ; plus bruyant donc. Énorme sélection (une cinquantaine) de pizzas croustillantes à pâte fine, ou quelques plats classiques de bonne tenue comme l'*antipasto* de la *veterina* ou les tripes *alla fiorentina.* Beaucoup de monde au déjeuner.

|●| *Pallottino (zoom E4, 113) :* via dell' Isola delle Stinche, 1 r. ☎ 055-28-95-73. ● info@trattoriapallottino.com ● *Tlj sf lun.* Plats 6-10 €, repas env 25 €. Petit resto classique, agréable et sans mauvaise surprise. Deux salles accueillantes avec des tables communes en bois, des photos, des bouteilles, des fleurs aux murs... et quelques bougies le soir pour faire bonne mesure. Le service pourrait être un peu plus souriant, mais les prix sont corrects et, surtout, les spécialités toscanes sont bonnes, fraîches et bien présentées. Pas mal de monde d'ailleurs, dont un certain nombre de touristes pour ne rien vous cacher.

Prix moyens

|●| *Teatro del Sale (plan général F3, 114) :* via dei Macci, 111 r. ☎ 055-200-14-92. ● info@teatrodelsale.com ● *Fermé dim-lun, en août et 31 déc-9 janv.* Résa conseillée pour le soir. Après s'être acquitté de la carte de membre valable 1 an (5 €), le petit déj (5 €), le déj (15 €) et le dîner (25 €) sont déclinés sous forme de buffet (boissons comprises). Le dernier-né de *Cibreo* (le 4e du nom) fait dans le conceptuel. Un ancien garage à motos transformé en une épicerie fine, un resto et une salle de spectacle. Un sacré pari ! Le résultat est une réussite. Une véritable salle de spectacle digne de nos

Bouffes Parisiennes. Quant au buffet (italien, cela va sans dire !), il est excellent et copieux. Détail amusant : verres taillés dans des culs de bouteilles. Certains produits ont comme un goût de revenez-y. L'épicerie, petite par la taille mais grande par la qualité, aligne une sélection des meilleurs anchois, huiles d'olive ou miels du marché. Tous les soirs, un spectacle (une pièce de théâtre, un concert, des lectures). Attention, il faut impérativement arriver tôt le soir (avant 20h pour dîner), car le spectacle commence à 21h30. À partir de cette heure, le buffet n'est plus servi. Ambiance haute en couleur ! À faire au moins une fois pendant votre séjour à Florence.

|●| *Trattoria Il Cibreo (plan général F3, 111) :* via dei Macci, 122 r. ☎ 055-234-11-00. ● cibreo.fi@tin.it ● *Fermé dim-lun, ainsi qu'en août et la 1ʳᵉ sem de janv. Résa refusée : venir tôt ou tard. Compter autour de 35 € pour un repas.* À ne pas confondre avec le resto du même nom (voir plus bas), tout simplement pour votre équilibre... budgétaire. Toutefois, ce bistrot classique estampillé

slow-food bénéficie des mêmes cuisines que son illustre voisin ! Qualité et fraîcheur des produits garanties, pour une cuisine de terroir de bon ton privilégiant les spécialités toscanes. Très bons desserts. Reste assez cher et le service peu aimable n'aide pas à faire passer la douloureuse.

|●| *Baldovino (plan général E4, 115) :* via di San Giuseppe, 22 r. ☎ 055-24-17-73. ● info@baldovino.com ● *Fermé lun hors saison. Plats 6-12 € ; un peu moins de 30 € à la carte. Apéritif maison offert sur présentation de ce guide.* Au premier coup d'œil, le bal des vins fait plus dans la valse triste ! Mais si le menu n'annonce qu'un banal vin de table, les amateurs peuvent exiger la carte prestige en provenance directe de l'*enoteca* voisine (c'est la même maison !). Choix étendu pour accompagner sans jurer un bon plat de pâtes, des charcuteries bien choisies ou même une honorable pizza. Terrasse agréable sur le flanc de Santa Croce, ou trio de petites salles accueillantes. D'ailleurs, il y a toujours beaucoup de monde.

Un peu plus chic

|●| *Trattoria Acqua al Due (zoom E4, 116) :* via della Vigna Vecchia, 40 r (à l'angle de la via dell'Acqua). ☎ 055-28-41-70. ● stefanoin@inwind.it ● *Ouv le soir slt jusqu'à 1h. Compter 20-25 € pour un repas complet. Digestif offert sur présentation de ce guide.* Connu pour ses *assaggi* (assortiments) de pâtes, de viandes, de fromages et même de *dolci* : génial pour déguster les spécialités toscanes. En revanche, on ne choisit pas : c'est selon l'humeur du chef. Du coup, il n'est pas toujours évident de se glisser dans l'atmosphère bruissante des deux petites salles conviviales, chasse gardée de nombreux habitués !

|●| *Boccadama (plan général E4, 117) :* piazza di Santa Croce, 25-26 r. ☎ 055-24-36-40. *Ouv tlj. Résa souhaitée le soir. Compter 15 € sans le vin.* Idéalement située, cette *enoteca* se distingue par sa très grande sélection de vins (plus de 400 étiquettes répertoriées). Plusieurs guides aident à s'y retrouver, dont le *Bethane et Dessauve*

français, mais les conseils des sommeliers sont pro et ne font pas de mal à votre porte-monnaie. La carte affichée sur le grand tableau noir change au gré du marché. À l'affiche, risotto, pâtes (spécialité de lasagnes), légumes de saison, le tout simple et très correct. Les tables en bois et les chaises peintes donnent un avant-goût printanier de la campagne toscane. Terrasse face à Santa Croce, prise d'assaut aux beaux jours.

|●| *Finisterrae (plan général E4, 118) :* via dei Pepi, 3-5 r. ☎ 055-263-86-75. ● info@finisterraefirenze.com ● *Ouv tlj sf lun soir. Résa conseillée (téléphoner à partir de 18h). Compter 20 €.* Même proprio que le Boccadama. Les grandes régions méditerranéennes sont à l'honneur et mises en scène dans des salles ravissantes décorées thématiquement : la Provence (petit clin d'œil à Marseille), l'Espagne, le Maroc (poufs et arcades) ou encore la Grèce. Notre préférée est... l'Italie bien sûr avec sa petite terrasse en teck, particulièrement réus-

sie. En fonction de l'envie du moment, vous dégusterez *pastilla,* tapas, pâtes, pizzas, bouillabaisse, *tzatziki...* Bon et original.

Chic

I●I *La Pentola dell'Oro* (plan général E3, **119**) : via di Mezzo, 24-26 r. ☎ 055-24-18-21. ● *info@lapentoladello ro.it* ● *Ouv tlj sf dim. Compter env 15 € au bistrot, et 40-45 € au resto gastronomique.* En fonction des envies et de l'embonpoint du portefeuille, cette *trattoria* familiale s'adresse à deux types de convives : au rez-de-chaussée, le petit bistrot aux tables à plateaux de marbre avec la télé en fond sonore rassemble les habitués venus en voisins goûter une bonne cuisine de ménage toscane, tandis que la cave voûtée propose aux gourmets une cuisine plus élaborée, n'hésitant pas à remettre au goût du jour quelques vieilles recettes oubliées et à renouveler les plus classiques. Une occasion unique de goûter de délicieuses spécialités maison, pour ceux qui le peuvent.

Carrément chic

I●I *Ristorante Il Cibreo* (plan général F3, **111**) : via A. del Verrocchio, 8 r. ☎ 055-234-11-00. ● *cibreo.fi@tin.it* ● *Fermé dim-lun, ainsi qu'en août et la 1re sem de janv. Compter env 75 € pour un repas complet (sans le vin).* L'un des grands classiques du circuit gastronomique florentin. Tables espacées et meubles anciens confèrent à la salle une atmosphère intime et chaleureuse, idéale pour apprécier les spécialités du pays transcendées par le talent du chef. Carte des vins bien montée, n'hésitant pas à faire quelques incursions parmi les domaines français et même du Nouveau Monde.

Dans l'Oltrarno *(San Niccolò, Pitti, Ponte Vecchio, Santo Spirito, San Frediano ; plan général B-C4-5)*

Bon marché

I●I *Trattoria La Casalinga* (plan général C4, **120**) : via dei Michelozzi, 9 r. ☎ 055-218-624. *Fermé dim. Compter 15 € pour un repas complet (sans la boisson). Plats du jour à partir de 6,50 €.* C'est la cantine bien typique des petits budgets de l'Oltrarno. N'hésitez donc pas à entrer dans cette première salle sans charme, ou celle du fond aux allures de réfectoire, et prenez place dans ce brouhaha incessant (ça crie en salle comme en cuisine). Ici, on mise sur l'assiette et son contenu. Les classiques italiens (y compris les fameuses *trippe alla fiorentina*) figurent sur la carte, plats copieux, service rapide. Pour le prix, franchement rien à redire. I●I *Il Magazzino* (zoom C4, **121**) : via dei Sapiti, 20 r. ☎ 055-21-59-69. *Tlj midi et soir.* En vraie *tripperia,* la maison cuisine dans les règles d'excellentes tripes à la florentine et des *lampredotti.* Les récalcitrants se rattraperont sur les bonnes *pasta* ou les délicieux plats de lapin. Dans tous les cas, les savoureux desserts maison mettront tout le monde d'accord ! Petite salle guillerette, envahie le midi par les employés et les artisans travaillant dans le quartier. I●I *La Mangiatoia* (plan général C5, **122**) : piazza di San Felice, 8-10 r. ☎ 055-22-40-60. *Fermé lun. Le soir, service jusqu'à 22h. Compter 3-4 € pour un antipasti ; 4,50-8 € pour les pizzas.* Une petite pizzeria-*trattoria*-traiteur sans prétention, où l'on s'accoude sans façon pour déjeuner sur le pouce, à moins de préférer les petites salles pour un repas plus élaboré. Pizzas copieuses et préparées avec de bons produits frais ; plats du jour (raviolis, *penne,* gratin d'aubergines...) de bonne tenue. Service efficace et souriant. Une adresse agréable à l'atmosphère populaire.

I●I *I Tarocchi (plan général D-E5, 123) :* via dei Renai, 12-14 r. ☎ 055-234-39-12. Tlj sf lun. Compter 20 € ; et moins de 8 € pour une pizza. Café offert sur présentation de ce guide. Dans le quartier le plus florentin de Florence, un établissement convivial propice aux retrouvailles entre copains. Cuisine sans chichis, généreuse et de bonne tenue, à l'image des belles pizzas propres à satisfaire les plus gros appétits ! Aux beaux jours, terrasse agréable sur une rue tranquille. Ambiance familiale et bon enfant assurée par un fort contingent d'habitués.

I●I *Al Tramvai (plan général B4, 124) :* piazza T. Tasso, 14 r. ☎ 055-22-51-97. Fermé dim et lun midi et 3 sem en août. Résa conseillée. Primi piatti 6-8 € et secondi 8-10 €. Tout le monde connaît cette *trattoria* minuscule nichée au cœur du quartier populaire de San Frediano. Son décor évoque l'intérieur d'un tram, d'où son nom. La carte change tous les jours pour satisfaire les nombreux habitués, mais on retrouve les spécialités toscanes comme... la *pappa al pomodoro*, la *ribollita* (en hiver) et la *panzanella* (en été). Le tout se déguste au coude à coude dans une atmosphère conviviale très agitée. Le genre de train que l'on n'est pas pressé de quitter au prochain arrêt !

Prix moyens

I●I *All'Antico Ristoro di'Cambi (plan général B4, 125) :* via Sant'Onofrio, 1 r. ☎ 055-21-71-34. ● info@anticoristoro dicambi.it ● Ouv midi et soir jusqu'à minuit. Fermé dim et la 2e quinzaine d'août. Antipasti et primi 6-8 € ; secondi 7-15 €. Repas complet autour de 25-30 €. C'est toujours avec le même plaisir que nous retrouvons cette auberge conviviale, certes excentrée, mais chère au cœur des Florentins gourmands. La belle terrasse et la salle voûtée baignent dans une joyeuse cacophonie, hommage bruyant à une excellente cuisine de ménage toscane. Et tant qu'à sacrifier à la tradition, profitez-en pour goûter leur fabuleuse *bistecca* si tendre et savoureuse. Pour corser le tout, magnifique carte des vins avec de nombreux crus abordables. Du coup, obtenir une table relève parfois de la gageure : arrivez tôt, ou tard, ou réservez.

I●I *Trattoria da Ruggero (plan général A-B6 , 126) :* via Senese, 89 r. ☎ 055-22-05-42. Bus n° 33, arrêt Piazzale di Porta Romana. Fermé mar-mer, de mi-juil à mi-août et 1 sem à Noël. Résa conseillée. Compter env 20 €. Certes il faut un peu de courage pour venir jusqu'ici, mais ce *slow-food* vaut le détour. Les vraies valeurs de la cuisine traditionnelle sont bien là. Les plats sont parfaitement mitonnés, à base de produits frais, et tout est fait maison : *arista de maiole, braciola della casa, tartuffo al cioccolato*... Un air de campagne qui se retrouve aussi dans le décor. On s'y sent bien et on oublie le temps. Et si vous y déjeunez, vous serez requinqué et prêt pour une longue promenade dans le jardin de Boboli. Accueil sympathique (en v.o. ou v.f.).

I●I *Antica Mescita San Niccolò (plan général E5, 127) :* via di San Niccolò, 60 r. ☎ 055-234-28-36. Ouv tlj sf dim et 1re quinzaine d'août. Au déjeuner, formule buffet à 10 € ou plats 9-14 €. Café offert à nos lecteurs. Établissement chaleureux, qui s'est installé dans les murs de l'ancien *alimentari* hérité des années 1920. L'intérieur, avec ses tables en bois et ses carreaux de faïence tapissant les murs, conviendra parfaitement aux habitués des *osterie* traditionnelles florentines. Sinon, la salle voûtée du sous-sol n'est autre que la crypte de l'église attenante ! La carte renferme le meilleur de la cuisine du terroir. Assortiments de *crostini* en guise d'entrées. Incontournables – et tellement bonnes – *zuppe* et *minestre* (*pappa al pomodoro, ribollita*, etc.). Bonnes viandes, à commencer par le *coniglio briaco* (cuit dans du vin), et excellents *contorni*.

I●I *Osteria Santo Spirito (plan général C4, 128) :* piazza di Santo Spirito, 16 r. ☎ 055-238-23-83. Tlj. Résa conseillée. Compter 20-25 €. Sur une de nos places préférées ! La terrasse est très agréable à souhait avec ses bougies et ses arbres en pot préservant l'intimité du lieu. Également une jolie salle pour les frileux, un tantinet théâtrale avec sa vieille porte de guingois, ses murs colorés et son mobilier éclectique. Cuisine toscane de qualité, bien servie et joliment présentée. On a un faible pour les *gnocchi al tartufo*.

|●| *Trattoria del Carmine* (plan B4, *129*) : piazza del Carmine, 18 r. ☎ 055-21-86-01. Fermé dim en été et 2 sem en août. Compter 18-20 €. Ce n'est pas pour la déco intérieure (plutôt kitsch) que les gens du quartier affluent vers cette *trattoria*. Ils y apprécient une cuisine simple, mais qui sonne juste (mention spéciale pour le *cremino al cioccolato*), servie de préférence sur la petite terrasse ombragée de ce recoin discret de la place. Prix honnêtes et service efficace.

Chic

|●| *Napo Leone* (plan général B4, *131*) : piazza del Carmine, 24 r. ☎ 055-28-10-15. ● info@trattorianapoleone.it ● Ouv ts les soirs jusqu'à 1h. Compter 20-30 € le repas. Cette adresse a su rapidement conquérir le cœur et l'estomac des Florentins gourmands. Il faut reconnaître que la maison a de sérieux atouts en main : sa déco branchée misant sur l'éclectisme n'a rien de m'as-tu-vu (patchwork réussi de meubles vieillis et de bibelots amusants), ses spécialités variées (pâtes, pizzas, viandes...) sont cuisinées avec de bons produits, joliment présentées et secondées par une carte des vins aguichante, enfin l'équipe pour servir le tout arbore un sourire des plus chaleureux. Belle terrasse aux beaux jours.

|●| *Alla Vecchia Bettola* (plan général A4, *132*) : viale Vasco Pratolini, 3/5/7. ☎ 055-22-41-58. ☕ Fermé dim-lun ainsi que 2 sem en août et pdt les fêtes de fin d'année. Compter 35 € pour un repas complet sans la boisson. CB refusées. Décor des *osterie* florentines d'antan (carreaux de faïence aux murs, vieux zinc en marbre, présentoir chargé de charcuteries alléchantes...), ambiance conviviale caractéristique de ce quartier populaire (favorisée par les tablées communes) et nourriture traditionnelle de qualité constante. Entre autres bonnes choses, on vous recommande les *penne alla bettola* (sauce

|●| ♈ *Il Santo Bevitore* (plan général C4, *130*) : via di Santo Spirito, 64-66 r. ☎ 055-21-12-64. ● info@ilsanto bevitore.com ● Fermé dim midi et 15 j. en août. Compter env 20 €, sans le vin. Une cuisine toscane de bonne qualité, avec toujours une pointe d'originalité (comme le *tortino dei carciofi* aux prunes) et des détours dans différentes régions italiennes : assiette de fromages sardes, par exemple. Accueil bien souriant et service impeccable, dans cette œnothèque gastronomique, où d'avisés conseils sont prodigués quant au choix du vin (il y en a pour tous les goûts et pour toutes les bourses, ou presque). Le cadre n'est pas en reste : une jolie salle mi-lambrissée partagée en son milieu par un pilier imposant.

tomate, crème de lait, poivre et vodka). Sinon, les amateurs d'abats ne seront pas déçus. Une valeur sûre, avec un joli petit coin de terrasse aux beaux jours.

|●| ☯ *Olio & Convivium* (plan général C4, *133*) : via di Santo Spirito, 4 r. ☎ 055-265-81-98. ● olio.convivium@ conviviumfirenze.it ● Fermé dim et lun soir. Assiettes variées de charcuteries et fromages 14-22 € et plat du jour à 15 € ; compter 30-35 € le soir. Les espérances sont grandes lorsqu'un traiteur de renom se lance dans la restauration. *Olio* ne les déçoit pas ! Sélection sans faille des meilleurs produits toscans, tous au service d'une cuisine élaborée riche en saveur. D'ailleurs, la maison n'a pas rompu avec la tradition : dans la partie épicerie fine, 25 huiles d'olive sont proposées en dégustation et les rayonnages chargés de fromages, *prosciutto* ou pâtes incitent à faire ses emplettes en sortant de table. À condition toutefois d'avoir trouvé une place dans la jolie salle, accaparée par les habitués.

|●| *Ristorante Beccofino* (plan général C4, *134*) : piazza degli Scarlatti, 1 r. ☎ 055-29-00-76. Ouv mar-dim 19h-23h. Compter en moyenne 30-35 €/pers. Resto-bar très tendance où toute la jeunesse branchée florentine se presse. Cadre sobre et aéré, tout de bois clair, à l'image de la cuisine ouverte et du vaste bar central autour duquel

s'organise la salle… où navigue une arête de poisson géante ! Le chef a fait ses classes à New York et mitonne une cuisine raffinée. Le risotto aux lardons est succulent et les asperges au parme-san se révèlent d'une fraîcheur indéniable. Ceux qui aiment ce genre d'endroit y reviendront, les autres préféreront la tranquillité d'une petite *trattoria*. Tables en terrasse, face à l'Arno.

Plus chic

|●| ♟ *Enoteca Le Barrique (plan général B4, 135) :* via del Leone, 40 r. ☎ 055-22-41-92. *Ouv le soir slt. Fermé lun et 2 sem en août. Compter 12 € pour une assiette de charcuterie ou de fromage et 30-35 € pour un repas complet. Apéritif maison offert sur présentation de ce guide.* Beau choix de vins italiens et étrangers (français, chiliens, sud-africains…) conseillés par le patron qui ne pousse pas à la consommation (ça mérite d'être souligné). À déguster : les suggestions du jour et d'appétissantes spécialités de la cuisine florentine (tagliatelles aux courgettes, raviolis de pâte au vin, poulpe, filet de mérou…). Et, dès les premiers rayons de soleil, on partage les tables entre la jolie salle chic et un jardin tranquille à l'ombre d'une treille. Une de nos adresses préférées.
|●| *Il Tegolaio (plan général C4, 136) :* borgo Tegolaio, 17 r. ☎ 055-906-12-58. ● mail@iltegolaio.it ● *Fermé lun et 1 sem mi-août. Ouv le soir slt et brunch le dim.* Une adresse confidentielle, dans une rue calme, avec quelques tables dispersées dans une salle à l'ambiance zen. Ce style épuré et moderniste s'intègre parfaitement à l'architecture ancienne du lieu. La cuisine, elle, s'accorde avec le décor : créative (cannelloni de betterave), parfois même audacieuse (sanglier au cacao) et raffinée (thon rouge aux pistaches). Il faut dire que la jeune chef est passée chez *Ducasse.* Et pour le choix des vins, laissez-vous guider. Une nouvelle adresse à laquelle on souhaite longue vie !
|●| *Trattoria Cammillo (zoom C4, 137) :* borgo San Jacopo, 57 r. ☎ 055-21-24-27. *Fermé mar-mer, en août et en déc. Compter 50 €. Digestif offert sur présentation de ce guide.* Cadre classique bon teint et sans extravagance pour ces deux salles voûtées élégantes, ornées de tableaux et de luminaires discrets. Nappes blanches et serveurs en nœud pap' complètent le tableau, environnement idéal pour une cuisine toscane de bon goût travaillée dans le respect de la tradition.

Bars à vin *(vinai, enoteche)*

Chaque année, de nouvelles adresses apparaissent sur la « scène florentine », témoignant du succès de cette formule, idéale selon nous, pour un déjeuner rapide et relativement économique… La nourriture, qui s'articule principalement autour de la charcuterie et du fromage, est certes un peu répétitive mais toujours de qualité. De plus, c'est vraiment le meilleur moyen de découvrir les vins de la région.

Dans le centre (autour du Duomo)

Bon marché

🖎 ♟ *I Fratellini (zoom D4, 140) :* via dei Cimatori, 38 r. ☎ 055-239-60-96. *Ouv 8h-20h30. Fermé dim, 2 sem en fév, 2 sem en août et 2 sem en nov. CB refusées.* Petite échoppe qui propose (depuis 1875 !) un verre de vin et un *panino* à consommer debout dans la rue (il y a tout de même des râteliers pour poser son verre entre deux gor-gées). Le comptoir est souvent bondé, mais c'est tout bonnement divin ! Une vraie relique tenue avec amour par deux frères, l'un préparant les sandwichs à la commande (à partir de 2,10 €), l'autre s'occupant de verser les ballons de *chianti* ou même de *brunello.* Typique et démocratique !
♟ *Fratelli Zanobini (plan général C-*

D2, **141**) : via Sant'Antonino, 47 r. ☎ 055-239-68-50. Ouv tlj sf dim 8h-14h, 15h30-20h. Caviste réputé, avec un petit comptoir pour les dégustations, usé par des générations de connaisseurs. C'est d'ailleurs un des plus anciens magasins de la ville, qui propose environ 3 000 étiquettes (en comptant les mousseux, les spiritueux et les vins français !). Vous y trouverez à coup sûr les crus que vous avez goûtés au restaurant et que vous souhaitez rapporter chez vous. Bons conseils. On s'y désaltère, mais en revanche il n'y a pas grand-chose pour caler une petite faim.

|●| ♟ *All'Antico Vinaio* (zoom D4, **142**) : via dei Neri, 65 r. Ouv 10h-15h, 17h-21h. Fermé dim soir et lun. Ici, tout est dans l'atmosphère : à la bonne franquette, comme en témoignent ces bou-teilles disposées autour de rangs serrés de verres que les amateurs remplissent eux-mêmes (le patron vous a tout de même à l'œil !). Et à ras bord s'il vous plaît ! Pour accompagner le *chianti,* des *panini* garnis de bonnes petites choses, fraîches et variées puisqu'elles proviennent du petit traiteur en face. Le tout se livre pour une poignée d'euros, et se déguste au comptoir perché sur un tabouret haut.

|●| ♟ *Casa del Vino* (plan général D2, **143**) : via dell'Ariento, 16 r. ☎ 055-21-56-09. Ouv lun-ven 9h30-19h, sam 10h-15h (fermé sam en mai-juil). Minuscule bar à vin où l'on déguste debout (deux chaises et une table pour ceux qui auront de la chance !) un choix de charcuteries, *crostini* et *panini* du jour.

Prix moyens

|●| ♟ *Cantinetta da Verrazzano* (zoom D3-4, **144**) : via dei Tavolini, 18-20 r. ☎ 055-26-85-90. Ouv lun-sam 8h-21h. Voici le « temple » de Verrazzano, un fameux producteur de vins du Chianti dont on parlait déjà au XIIe siècle ! On y vient bien sûr pour les vins du domaine, au verre ou à la bouteille, mais aussi pour ses délicieuses *focaccie* cuites au four à bois et ses charcuteries artisanales. Les pressés s'accouderont au comptoir le temps d'une dégustation sauvage, les autres s'attarderont dans l'une des deux salles cossues tapissées de belles boiseries sombres ou sur l'une des deux tables en terrasse prise d'assaut à l'heure de l'apéro. L'un des incontournables de la tournée des bars à vin.

Chic

|●| ♟ *Cantinetta Antinori* (zoom C3, **145**) : palazzo Antinori, piazza Antinori, 3. ☎ 055-29-22-34. ● cantinetta@antinori.it ● Ouv tlj sf sam et dim midi, ainsi qu'en août et à Noël. Antipasti et primi 9-16 €, secondi 21-25 €. Pour les amateurs de crus italiens, la maison Antinori se démarque par la qualité et la grande régularité de ses vins. Son savoir-faire est immense, héritage de générations d'œnologues en poste depuis 1385. Son gigantesque domaine produit aujourd'hui pas moins de dix rouges : du Tignanello ou du Solaia – vins phares du producteur – au Santa Cristina (entrée de gamme), en passant par le Tenute del Marchese, le Badia a Passignano ou le villa Antinori (trois bons *chianti classici*). Sans parler des excellents blancs provenant des propriétés d'Ombrie... Du coup, une dégustation à la *Cantinetta* fait partie des grands classiques florentins. Le cadre est soigné (une salle cossue nichée dans le palais du comte), la clientèle résolument chic et le service impeccable. Cuisine à l'avenant, à la fois traditionnelle et élégante, un peu chère tout de même.

Dans l'Oltrarno

Bon marché

|●| ♟ *Le Volpi e l'Uva* (plan général D4, **146**) : piazza dei Rossi, 1 r. ☎ 055-239-81-32. ● info@levolpieluva.com ● Sur une petite place à deux pas du ponte

Vecchio. Tlj sf dim 11h-21h. Un miracle ! À l'abri des regards, l'endroit ne subit pas l'assaut des touristes qui se bousculent deux rues plus loin. Un établissement rudement sympa, avec un grand bar fait de barriques aux lignes rebondies prometteuses... et son mur garni de bouteilles. Œnophiles avertis, les patrons sauront guider votre choix. Belle sélection de vins rouges et de blancs (secs ou liquoreux) privilégiant les petits producteurs (Pian Cornello, notamment, pour les vins de Montalcino, ou bien encore le producteur du Terra di Ripanera). Côté cuisine : délicieuse charcuterie que l'on déguste en terrasse avec le fameux pain sans sel *(filone)* ou – mieux encore – avec un pain salé, la *schiacciata* (compter environ 5 € pour une assiette).

Prix moyens

|●| ♟ *Enoteca-bar Fuori Porta* (plan général E5, **147**) : via del Monte alle Croci, 10 r. ☎ 055-234-24-83. ● info@fuoriporta.it ● *À côté de la porte San Miniato et des remparts de la ville. Ouv tlj sf dim et 2 sem en août.* C'était autrefois un bar-tabac qui faisait également épicerie. C'est maintenant le rendez-vous des amoureux du vin : pas loin de 600 étiquettes d'Italie ou d'ailleurs, négociées à un tarif raisonnable. Un vrai délice que de s'installer sur la terrasse presque à la campagne, pour boire un *nobile* ou un *brunello* tout en cassant la croûte (des *crostini* ou des *bruschette,* par exemple, mais on peut étoffer le menu avec un bon plat de pâtes ou une salade). Les deux salles ne sont pas moins agréables, mais venir tôt pour prendre de vitesse les nombreux habitués !

♟ *Bevo Vino* (plan général E5, **148**) : via di San Niccolò, 59 r. ☎ 055-200-17-09. ● berovino@katamail.com ● *Ouv tlj 12h-1h.* Comme son nom l'indique, bar à vin au mobilier de bois clair, très agréable pour grignoter en dégustant de nombreux crus toscans, choisis avec soin par le patron. Une adresse pour connaisseurs qui échangent leurs impressions sur ces fameux breuvages.

Et l'*aperitivo* ?

Une formule magique pour marier tous les plaisirs à moindres frais ! À l'heure fatidique de l'*aperitivo* (on ne vous fera pas l'injure d'une traduction littérale), certains établissements ont eu l'idée géniale de proposer un buffet de petits plats typiques accessibles dès le premier verre de vin payé. Le succès est tel que tout le monde s'y met, du restaurant classique au bar branché, en passant par les salons de thé ! Très convivial, nourrissant et nettement meilleur qu'un bol de cacahuètes ! Petite sélection éclectique (se référer aux rubriques concernées) :

♟ |●| *Rifrullo* (plan général E5, **198**) : via di San Niccolò, 55 r. ☎ 055-234-26-21. Voir « Où sortir ? Où écouter de la musique ? » à San Niccolò.

♟ ♪ *Negroni* (plan général E5, **200**) : via dei Renai, 17 r. ☎ 055-24-36-47. L'un des meilleurs. Voir « Où sortir ? Où écouter de la musique ? » à San Niccolò.

♟ *Zoe* (plan général E5, **199**) : via dei Renai, 13 r. ☎ 055-24-31-11. *Petite rue parallèle au Lungarno Serristori (qui longe l'Arno).* Voir « Où sortir ? Où écouter de la musique ? » à San Niccolò.

♟ *Colle Bereto :* piazza Strozzi, 5 r. ☎ 055-28-31-56. *Ouv 9h (11h dim)-2h. Aperitivo à partir de 19h.* Voir « Où boire un verre ? Où prendre un café ? » dans le centre historique.

♟ *La Torre* (plan général F5, **201**) : Lungarno Benvenuto Cellini, 65 r. ☎ 055-68-06-43. Voir « Où sortir ? Où écouter de la musique ? » à San Niccolò.

♟ *Chiaroscuro* (zoom D3, **182**) : via del Corso, 36 r. ☎ 055-21-42-47. Voir « Où sortir ? Où boire un verre ? Où prendre un café ? » dans le centre historique.

♟ |●| ♪ *BZF Pub* (plan général D2, **195**) : via Panicale, 61 r. ☎ 055-274-10-09. ● bzf.it ● Voir « Où sortir ? Où écou-

OÙ MANGER ?

ter de la musique ? » dans le quartier de Santa Maria Novella.

🍸 🎵 **Dolce Vita** (plan général B4, **149**) : piazza del Carmine, 6 r. ☎ 055-28-45-95. Voir « Où sortir ? Où écouter de la musique ? » à San Frediano.

🍸 **Dublin Pub** (plan général C3, **191**) : via Faenza, 27 r. Aperitivo 18h-22h. Voir

« Où sortir ? Où écouter de la musique ? » dans le quartier de Santa Maria Novella.

🍸 **Rex** (plan général E3, **197**) : via Fiesolana, 25 r. ☎ 055-248-03-31. Voir « Où sortir ? Où écouter de la musique ? » dans le quartier de Sant'Ambrogio.

Où savourer de bonnes glaces ?

Déjà que les Italiens sont plutôt costauds sur les glaces, alors si l'on vous dit qu'à Florence on trouve les meilleures d'Italie, c'est qu'elles sont sacrément bonnes !

🍦 **Grom** (zoom D3, **160**) : via del Campanile, 2 (à l'angle de la via dell'Oche). ☎ 055-21-61-58. Tlj 11h-minuit. À deux pas du Duomo mais rien à voir avec la folie touristique des glaces aux alentours. Ici on fabrique de délicieuses glaces bios utilisant les meilleurs produits. Elles sont préparées uniquement avec des fruits de saison. C'est bien simple : délicieux, incomparable, bref, nos préférées.

🍦 **Gelateria Vivoli** (zoom E4, **161**) : via dell'Isola delle Stinche, 7. ☎ 055-29-23-34. Ouv 7h30-minuit sf lun et 3 sem en août. Très bonnes glaces (amaretto, millefoglie, zabaione...) que des générations d'amateurs se disputent depuis les années 1930 ! À emporter bien sûr, sinon quelques comptoirs de marbre précèdent un petit salon de dégustation confortable, étoffé d'un plafond à caissons et d'une petite fresque. Cossu ! Et toujours beaucoup de monde... Latteria appartenant à la maison, juste à côté, qui vend de beaux fromages (fermé 13h-17h).

🍦 **Gelateria Carabe** (plan général D2-3, **162**) : via Ricasoli, 60 r. ☎ 055-28-94-76. Ouv tlj sf lun 10h-1h. Réputée pour ses granite absolument délicieuses, vous n'aurez que l'embarras du choix des parfums : kiwi, figue, melon, pêche... (ce sont des fruits frais bien sûr). Tout est fait maison, sans oublier les glaces tout aussi excellentes et la spécialité de la maison : le cannoli siciliani. Petite adresse familiale très prisée des autochtones. Une valeur sûre.

🍦 **Vestri** (plan général E3, **163**) : Borgo degli Albizi, 11 r. ☎ 055-234-03-74. Ouv lun-sam 10h30-20h. Petite maison du chocolat qui a eu la bonne idée

d'adapter ses recettes aux glaces artisanales : peu de parfums, mais souvent originaux (celui au piment est divin) et toujours délicieux. Celle au chocolat est évidemment succulente, mais les habitués viennent aussi y faire la queue pour y « siroter » le chocolat chaud maison. Proposée en deux tailles de gobelet (le petit suffit), cette boisson est un vrai nectar concentré.

🍦 **Perchè No !...** (zoom D4, **164**) : via dei Tavolini, 19 r. ☎ 055-239-89-69. Tlj jusqu'à... tard. Cette gelateria existe depuis 1939, et on ne s'y était jamais arrêtés ! Nous y voilà, suivant les conseils d'amis florentins, face à un vaste choix de sorbets, glaces traditionnelles et glaces sans crème (un peu plus light), à se bousculer en faisant la queue avant de choisir cornet ou pot entre 2 et 10 € suivant le nombre de boules. Notre must : la chocolat (pas le sorbet, plus fade), la café aux pépites de chocolat ou encore la caramel. Mais il y en a tant d'autres, que chacun y trouvera forcément son compte.

🍦 **Gelateria dei Neri** (zoom E4, **165**) : via dei Neri, 20-22 r. ☎ 055-210-034. Tlj 11h-minuit. Que l'élégance de la façade ou la vue des serveurs en blouse blanche ne vous fasse pas reculer. Bien au contraire. On entre, certes, dans un laboratoire, mais ici sont proposés pas moins de 38 parfums différents (du sorbet fruits des bois à la crème de profiteroles !). En cornet ou en pot, les prix sont plutôt moins chers qu'ailleurs (compter de 1,40 à 5 € suivant le nombre de boules). Des parfums classiques comme le délicieux cioccolato fondente (extra noir) ou plus osés comme le choco-pistache-piment, ricottafigue, pignon... Miam ! Et pour se rappeler que le *Nutella* est né en Italie, crêpes à la fameuse crème de noisettes à 2,50 €.

¶ **Gelateria La Carraia** *(plan général B4, 166) : piazza N. Sauro, 25 r.* ☎ *055-28-06-95. Juste en face du ponte alla Carraia. Tlj 11h-23h.* Vaste choix de parfums maison pour ce glacier très apprécié des Florentins, donc plutôt bon signe ! À savourer sur les berges de l'Arno.

Où déguster une bonne pâtisserie ?

Ce ne sont pas les adresses qui manquent, mais les plus exigeants feront bien de pousser jusqu'au :

|●| **Dolci e Dolcezze** *(plan général F4, 170) : piazza Cesare Beccaria, 8 r.* ☎ *055-234-54-58. À l'est du quartier de Sant'Ambrogio. Ouv mar-sam 8h30-20h, dim 9h-13h.* Guère plus grande qu'un timbre-poste, cette boutique coquette figure en bonne place sur le carnet d'adresses de tout bec sucré qui se respecte. Pour nous (et pour les Florentins), c'est même l'une des meilleures pâtisseries en ville. Les plus pressés pourront satisfaire leur gourmandise en dégustant au comptoir : tartes au chocolat, *crostate* ou *budini*.

|●| **Robiglio** *(plan général E2, 171) : via dei Servi, 112 r.* ☎ *055-21-27-84. Ouv 7h30-19h30, sf dim et 3 sem en août.* Une institution à Florence dont les gourmands chantent les louanges depuis 1926. Testez la spécialité du coin, la *torta campagnola,* faite de marmelade de fruits, d'amandes et de noisettes. À déguster dans une jolie salle à l'ancienne ou sur la petite terrasse, avec un bon café. Également différents petits plats salés servis à l'heure du déjeuner. Plusieurs adresses dont celle (également avec terrasse) à l'angle de la via dei Medici et de la via Tosinghi, à côté du Duomo.

OÙ SORTIR ?

Où boire un verre ? Où prendre un café ?

Dans le centre historique

|●| ▼ ♪ **Colle Bereto** *(zoom D3, 180) : piazza Strozzi, 5 r.* ☎ *055-28-31-56. Ouv 9h (11h dim)-2h.* Un café design ordonné autour d'un grand bar, chaises en plexi et lumières multicolores. On peut s'y restaurer de plats simples et d'une grande fraîcheur, à base de bons produits italiens. Très agréable aussi pour boire un café après une visite du palazzo Strozzi, le lieu est surtout très prisé le soir. *Aperitivo* d'enfer et au 1er étage, soirées animées à la discothèque. Terrasse en bois sur la belle place ouverte dès que le soleil pointe son nez. Un des lieux branchés les plus attrayants de Florence.

▼ **Cibreo Caffè** *(plan général F3-4, 181) : via Andrea del Verrocchio, 5 r.* ☎ *055-234-58-53. Ouv 8h-1h, fermé* dim-lun ainsi qu'en août et 31 déc-9 janv. Autrefois, c'était une pharmacie, d'où le magnifique comptoir en bois. Le reste des boiseries et le plafond à caissons proviennent d'églises. Une réussite esthétique qui confère à ce tout petit café beaucoup de chaleur, d'autant que l'endroit est généralement bondé... mais la terrasse en saison permet de doubler sa superficie ! Pour boire un verre ou picorer parmi les mets délicats des cuisines du *Cibreo* (attention, presque aussi cher que le *Ristorante*).

▼ **Chiaroscuro** *(zoom D3, 182) : via del Corso, 36 r.* ☎ *055-21-42-47. Ouv tlj 8h (9h sam, 15h dim)-21h30. Fermé 3e sem d'août.* Apéritivo à 9 €. *Sur présentation de ce guide, 10 % de réduc sur tout le* menu. Cette maison du café, connue pour la pertinence de sa sélection internationale de cafés, de thés et de chocolats, a gentiment glissé dans le domaine de la restauration. Les gourmands ne rateront pas le rituel du café agrémenté de cannelle, du thé millésimé, ou du chocolat enrichi de piment mexicain pour en exhaler les arômes ; mais les petits plats frais du midi n'ont rien de déshonorant ! Et le soir, l'*aperitivo* pas franchement branché, attire les Florentins avec l'un des meilleurs buffets de la ville. Au fond, petite salle coquette et lumineuse.

♟ *J.J. Cathedral* *(zoom D3, 185) : piazza di San Giovanni, 4 r.* ☎ *055-28-02-60. Ouv tlj jusqu'à 2h-3h.* Petit pub irlandais discret, stratégiquement situé en face du baptistère. L'intérêt principal réside dans la modeste terrasse sur la place et surtout le minibalcon équipé d'une table, d'où vous aurez le monde, ou plutôt la foule, à vos pieds... si toutefois vous avez la chance de le trouver libre. Impeccable pour un café à prix démocratique dans la journée, ou une pinte bien tirée dès la tombée de la nuit.

♟ *Giubbe Rosse* *(zoom D3, 187) : piazza della Repùbblica, 13-14 r.* ☎ *055-21-22-80.* ● *info@giubbe rosse.it* ● ♿ *Ouv tlj 8h-2h. Café offert sur présentation de ce guide (si repas pris).* Brasserie littéraire historique génialement située. Au début du siècle passé, c'était le lieu de rencontre des poètes, artistes et écrivains. André Gide et même Lénine y seraient venus. Les plafonds voûtés en brique, les grosses poutres en bois, les ventilos et les vieux lustres contribuent au charme nostalgique de l'endroit. Parfait pour siroter un *espresso* (pas donné) sur la terrasse en suivant des yeux l'animation de la *piazza*. On peut également y avaler une pizza ou un plat du jour.

♟ *Rivoire* *(zoom D4, 188) : piazza della Signoria.* ☎ *055-21-44-12* ● *rivoire. firenze@rivoire.it* ● *Ouv tlj sf lun 8h-0h30 (21h l'hiver).* On indique par principe cette institution florentine, stratégiquement située en face du Palazzo Vecchio, mais sachez simplement que son fameux chocolat se négocie au prix du champagne (ou presque) !

♟ *Fratelli Zanobini* *(plan général C-D2, 141) :* voir la rubrique « *Bars à vin* (*vinai, enoteche*) ».

|●| ♟ *Caffè degli Innocenti* *(plan général C2, 189) : via Nazionale 57/59 r. Ouv tlj sf dim.* Dans ce quartier qui regorge de pensions bon marché, un café pratique pour prendre son petit déj ou pour venir partager un *aperitivo* (6 €) entre amis. Également quelques plats pour le midi si vous êtes dans le quartier.

Du côté de l'Oltrarno

♟ *Bar Hemingway* *(plan général B4, 183) : piazza Piattellina, 9 r.* ☎ *055-28-47-81. Tlj 16h-1h (2h ven).* Une poignée de fauteuils en osier, un divan et quelques photos évoquant la vie aventureuse du célèbre écrivain américain composent un décor des plus cosy dans ce charmant petit café. Atmosphère relax, idéale pour savourer l'une des spécialités de café ou de chocolat de la maison. Bel éventail de cocktails, comme il se doit.

♟ ♪ *Cabiria Café* *(plan général C4, 184) : piazza di Santo Spirito, 4 r.* ☎ *055-21-57-32. Tlj 8h-2h sf mar.* Agréable terrasse sur cette jolie place florentine, dominée par l'imposante église de Santo Spirito (et sa façade inachevée). Habitués et promeneurs se partagent les places au soleil dans la journée, picorant parmi les copieux en-cas fraîchement préparés, puis glissent insensiblement vers la carte des cocktails lorsque le jour décline. Et lorsqu'il fait bien noir, place aux jeunes sur fond de musique électro ! Petite salle sympa au fond.

♟ *Caffè Pitti* *(plan général C5, 186) : piazza Pitti, 9.* ☎ *055-239-98-63.* ● *in fo@caffepitti.it* ● *Ouv jusqu'à 2h.* Dans le quartier de l'Oltrarno, en face de l'imposant palais Pitti. En fait, cet endroit est autant un resto qu'un bar, mais on le mentionne pour sa terrasse idéalement située et son cadre chic agréable. Découvrez les petits recoins où l'on s'installe pour trinquer à l'écart des dîneurs. Atmosphère intime assurée, alors pour les confidences, n'allez pas plus loin, c'est ici que ça se passe !

Où sortir ? Où écouter de la musique ?

Un conseil : pour connaître la toute dernière programmation, consulter les maga-zines mensuels *Firenze Spettacolo* ou *Florence-concierge.* Se reporter à la rubri-que « Informations et adresses utiles ».

BARS DE NUIT, BARS MUSICAUX

Dans le centre historique (Santa Maria Novella, Duomo et Sant'Ambrogio)

🍷 *Moyo (zoom E4, 190) :* via dei Benci, 23 r. ☎ 055-247-97-38. Tlj jusqu'à 2h ou 3h. Tout récent, tout beau, ce vaste bar néo-rétro ne désemplit pas. Du coup, la belle salle épurée, ornée de sièges à hauts dossiers formant un « M » (eh oui, pour « Moyo » !), de chandeliers et d'un lustre de style, déborde largement sur la placette, où l'ambiance bat son plein jusqu'à une heure avancée de la nuit. Les DJs aux platines y sont probable-ment pour quelque chose !

🍷 *Dublin Pub (plan général C3, 191) :* via Faenza, 27 r. ☎ 055-248-03-31. ● info@rexcafe.it ● Ouv 17h-2h. Aperi-tivo 18h-22h. En plein quartier routard, un pub irlandais classique comparti-menté et tapissé de boiseries. Le pays de Joyce et ses délicieuses bières à la pression (Kilkenny, Guinness...) s'exportent bien dans la Botte. Consé-quence plutôt agréable, on y est sou-vent au coude à coude, dans une cha-leureuse ambiance latino-celtique.

🍷 *The Fiddlers Elbow Pub (plan géné-ral C3, 192) :* piazza di Santa Maria Novella, 7 r. ☎ 055-21-50-56 ● fiddlers florence@fastwebnet.it ● Ouv tlj 11h-2h (3h w-e). Happy hours 18h-21h. Pub irlandais bien caractéristique, à la déco plutôt mieux réussie que dans certains rades peu authentiques. Plusieurs sal-les en enfilade où, là encore, se pres-sent expatriés et amoureux de l'Irlande (ou tout simplement de la bière). Joyeuse animation et vaste terrasse face à Santa Maria Novella aux beaux jours.

🍷 ♪ *Red Garter (zoom E4, 193) :* via dei Benci, 33 r. ☎ 055-234-49-04. Ouv tlj 20h30-1h30 (3h w-e). Happy hour jusqu'à 21h30, 21h ven-sam (pas fous !). L'une des plus vieilles enseignes de Flo-rence, qui n'a plus beaucoup de cote parmi la jeunesse locale, mais fait tou-jours le plein de touristes nord-américains bien décidés à se déchaîner sur la ministe de danse. Et comme les cafés-boîtes ne courent pas les rues, c'est toujours bon à prendre ! Musique *live* et baby-foot finissent d'ajouter à l'animation.

🍷 *The William (plan général E4, 194) :* via Magliabechi, 7-9-11 r. ☎ 055-263-83-57. Ouv tlj 12h30-1h. Happy hours 18h-20h30. Un incontournable du quar-tier de Santa Croce, qui occupe d'ailleurs presque la moitié de la rue. Évidemment plusieurs salles encom-brées d'un bric-à-brac d'objets (on pré-fère celle de droite, avec des murs d'entrepôt irlandais – ben tiens !) et une terrasse. À part ça, du bruit, du pas-sage, bref, une atmosphère pleine d'entrain assurée par des bataillons d'Anglo-Saxons mêlés aux Italiens en goguette.

🍷 |●| ♪ *BZF Pub (plan général D2, 195) :* via Panicale, 61 r. ☎ 055-274-10-09. ● bzf.it ● Ouv tlj sf lun 16h-2h. Un lieu multiple, se convertissant selon les heures en galerie d'art, en café litté-raire, en salle de concert... ou même tout à la fois ! Très apprécié à l'heure de l'*aperitivo* (19h-21h30), lorsque étu-diants sages et *pre-clubbers* déchaînés se partagent le buffet sur fond de musi-que électronique. Jazz le mardi.

🍷 ♪ *Jazz Club (plan général E3, 196) :* via Nuova de' Caccini, 3 r (à l'angle du borgo Pinti). ☎ 055-247-97-00. ● casi nomarchese@hotmail.com ● Ouv tlj sf dim 21h30-1h30, concerts autour de 22h30. Entrée : 8 € (prix de la carte de membre valable 1 an). Bien caché en sous-sol, ce classique réunit dans sa petite salle conviviale tous les amateurs de jazz du canton depuis une vingtaine d'années. Concerts de bonne tenue tous les soirs, jam-session le mardi.

♊ *Rex (plan général E3, 197) :* via Fiesolana, 25 r. ☎ 055-248-03-31. ● rexcafe. it ● *Ouv tlj 17h-3h. Aperitivo mediteraneo à partir de 18h, et 10 % de réduc sur les boissons pour nos lecteurs.* Cet endroit ne pêche pas par manque d'ori-ginalité : feu d'artifice de couleurs vives, reflétées par des mosaïques de verres ou de céramiques, le tout rythmé de luminaires design. Très baroque tout ça ! Bons cocktails qui délient les langues d'une clientèle jeune, bruyante et cosmopolite.

DANS L'OLTRARNO

Installé au-delà de l'Arno, ce quartier de Florence a lui aussi son lot d'endroits sympas, voire carrément farfelus, où sortir le soir. On adore !

À San Niccolò *(plan général E5)*

Un de nos quartiers préférés, délimité par les remparts et ses trois portes (San Niccolò, San Miniato et San Giorgio), le fort du belvédère, la piazzale Michelangelo et l'Arno. Ici, à 10 mn à peine du ponte Vecchio et du centre monumental, on respire déjà une atmosphère tranquille. Le soir venu cependant, le quartier s'anime, notamment autour des endroits suivants :

|●| ♊ *Enoteca-bar Fuori Porta (plan général E5, 147) :* voir la rubrique « Bars à vin *(vinai, enoteche)* ».

♊ *Rifrullo (plan général E5, 198) :* via di San Niccolò, 55 r. ☎ 055-234-26-21. *Ouv tlj 7h(15h30 lun)-1h.* Un des *aperitivi* les plus courus de la ville par les trentenaires grâce à son ambiance, son buffet alléchant et ses créatures qui se déhanchent au son d'une musique lounge. *Mamma mia !* Un des meilleurs *cocktail-lounges* au dire des autochtones (près de 80 breuvages au choix !). Fait également resto, sauf le dimanche soir où *l'aperitivo* est encore plus pantagruélique. Terrasse ombragée géniale à l'arrière.

♊ *Zoe (plan général E5, 199) :* via dei Renai, 13 r. ☎ 055-24-31-11. *Petite rue parallèle au Lungarno Serristori (qui longe l'Arno). Ouv tlj sf dim midi 9h-1h30.* Aperitivo *18h-22h.* L'un des endroits branchés du quartier qui, le soir, regorge de monde jusque sur le trottoir. Petite terrasse attenante débordante de jeunes et de (un peu) moins jeunes. À l'intérieur, un joli couloir tout rouge avec quelques tables noires où se retrouvent de belles créatures florentines (des deux sexes).

♊ ♪ *Negroni (plan général E5, 200) :* via dei Renai, 17 r. ☎ 055-24-36-47. *Ouv tlj jusqu'à 2h.* Aperitivo *avec un monde fou 19h-22h.* DJs aux platines en fin de semaine et musique *lounge* le reste du temps. L'une des bonnes étapes du *Florence by night* ! La salle cosy aux lignes modernes accueille quelques petites expos temporaires, mais c'est en terrasse que les jeunes s'éparpillent volontiers dès le printemps.

♊ *La Torre (plan général F5, 201) :* Lungarno Benvenuto Cellini, 65 r. ☎ 055-68-06-43. *Ouv tlj 9h-3h (plus tard ven-sam).* On y boit et mange jusque tard le soir, chose rarissime à Florence. Un monde fou là encore (surtout à l'heure de *l'aperitivo,* on s'en doute). Le décor ? Une salle verte et une salle rouge, avec de curieux dessins géométriques aux murs. Bar à cocktails pour échauffer les esprits et terrasse au pied de la tour pour s'aérer un peu.

À San Frediano *(plan général B4)*

Suivant le cours de l'Arno, vous échouerez peut-être sur les rivages du borgo San Frediano, coincé entre la via dei Serragli à l'est, le giardino Torrigiani au sud, les murailles à l'ouest et le fleuve au nord. Ici, c'est la piazza del Carmine et la piazza Santo Spirito qui font battre le quartier.

☕ **Dolce Vita** (plan général B4, **149**) : piazza del Carmine, 6 r. ☎ 055-28-45-95. Ouv 17h-2h (3h ven-sam). Fermé lun. Le Dolce Vita doit son succès à une bonne alchimie : une déco néo-rétro mêlant avec aplomb un bar translucide, un mobilier design et une antique mob, une terrasse irrésistible et une bonne dose de musique électronique servie par un DJ derrière ses platines. Chaude ambiance à 50 m des fresques pieuses de Masolino et Masaccio !

☕ **Cabiria Café** (plan général C4, **184**) : piazza Santo Spirito, 4 r. ☎ 055-21-57-32. Voir « Où boire un verre ? Où prendre un café ? ».

DISCOTHÈQUES

♫ |●| ☕ **You Are Beautiful** (mais tout le monde l'appelle **YAB**, zoom C4, **205**) : via de Sassetti, 5 r. ☎ 055-21-51-60. ● yab@yab.it ● Fermé mar et dim. Compter 25 €, dîner compris, sinon entrée 20 € avec une boisson (ce qui n'est pas du tout valable, autant casser la graine !). Boîte de nuit sympathique, car on vient d'abord y dîner avant de danser jusqu'à l'aube. Lundi soirée hip-hop, mercredi universitaire, jeudi disco, vendredi aussi et samedi, c'est plutôt destiné aux moins de 20 ans. Une boîte commerciale pour jeunes de style smart avec un décor sobre aux lumières bleutés. Un des endroits branchés du moment.

♫ **Colle Bereto** (zoom D3, **180**) : piazza Strozzi, 5 r. ☎ 055-28-31-56. Discothèque ouv jusqu'à 2h (parfois plus le w-e). Voir « Où boire un verre ? Où boire un café ? ».

♫ **Tenax** : via Pratese, 46. ☎ 055-30-81-60 (infoline) ou 055-63-29-58. ● tenax.org ● Dans le secteur de l'aéroport. Ouv lun-ven et lors de concerts. Prix de l'entrée variable en fonction de la notoriété des artistes, mais assez élevé dans l'ensemble. Une des boîtes les plus classieuses. Sa réputation a largement dépassé les frontières toscanes et draine une faune étudiante et post-étudiante qui vibre à l'unisson au rythme de la house et de la techno. Les DJs les plus célèbres s'y produisent régulièrement.

♫ **Space Electronic** (plan général B3, **206**) : via Palazzuolo, 37. ☎ 055-29-30-82. À deux pas de la piazza della Stazione. Ouv 22h-3h (4h sam). Entrée : 14 € avec une boisson ; 9 € pour les étudiants. Grosse boîte (la plus grande de Florence pouvant accueillir jusqu'à 800 personnes) sur deux niveaux, où afflue une clientèle très jeune, principalement anglo-saxonne, qui ingurgite avidement la musique commerciale, house et hip-hop assénés sans modération par les DJs. Karaoké au 1er niveau et dance-floor avec laser et écran vidéo à l'étage.

♫ **Central Park** (hors plan général par A2) : via del Fosso Macinante, 2. ☎ 055-29-30-06. Ouv tlj sf dim 23h-4h. Entrée payante. Cinq pistes de danses avec des musiques différentes et des espaces à ciel ouvert, piétinées au rythme de la musique commerciale, du rock ou des tubes eighties, par une masse de fêtards endiablés. Conservez bien votre carte dans laquelle le barman fait des p'tits trous à chaque fois que vous prenez un verre (sinon, c'est 60 € !). On paye ses consommations à la sortie.

♫ **Maracana** (plan général C3, **207**) : via Faenza, 4. ☎ 055-21-02-98. ● maracana.it ● Fermé lun-mar. Dîner (buffet) 23-28 €, ou entrée à 16 €. Un lieu incroyable dont la déco s'inspire du célèbre stade brésilien. Resto 20h30-23h, puis disco à dominante latin music et house jusqu'à 4h ou 5h du mat'. Draine beaucoup de monde, tous horizons et âges confondus. Certains soirs, spectacles caliente.

OÙ SORTIR ? / SHOPPING

SHOPPING

N'oubliez pas que les magasins sont souvent fermés entre 13h et 15h30 (voire 16h), et les jours fériés. L'usage veut que la fermeture hebdomadaire soit le lundi pour les boutiques de luxe et le mercredi pour les boutiques d'alimentation.

Plaisirs de bouche

À Florence, œnologie et gastronomie ne sont pas une mince affaire ! Une multitude de boutiques vendent huiles d'olive, pâtes aux formes originales, sauces... Nous en avons retenu quelques-unes.

🌸 **Botteghina** (plan général C5, **300**) : piazza Pitti, 9 (juste en face du palazzo Pitti). ☎ 055-21-43-23. Ouv tlj 11h-18h. Petite épicerie fine spécialisée dans la truffe. Elle est vendue nature en bocaux, ou incorporée à toutes sortes de préparations : terrines, crèmes, pâtes, huile... La maison propose également une belle sélection d'huiles d'olive. La célèbre marque Mussini a d'ailleurs sa place dans les étals. Pas donné.

🌸 **La Bottega dell'Olio** (zoom C4, **301**) : piazza del Limbo, 2 r (à côté de l'église S.S. Apostoli). ☎ 055-267-04-68. Ouv 10h-19h, sf lun mat et dim. L'huile d'olive dans tous ses états ! La maison la décline de toutes les manières possibles : sous forme d'huiles extra-vierges provenant des meilleurs producteurs (possibilité de déguster), d'huiles aromatiques supposées exalter les saveurs d'une sauce, de pâtés, de crèmes et même de savons à la douceur inégalable. Gourmands et élégants y trouveront leur compte.

🌸 **Pegna** (zoom D3, **302**) : via dello Studio, 26 r. ☎ 055-28-27-01. Ouv 9h-13h, 15h30-19h30, sf mer ap-m et dim (en été ouv dim aussi). À deux pas du Duomo. Petit supermarché de luxe qui a le mérite d'offrir un large éventail de bons produits toscans à ceux qui n'ont plus le temps de galoper d'adresse en adresse. Les vins de la région ne manquent pas, et le choix de pâtes aux multiples formes ne vous laissera pas insensible... Une adresse bien connue des Florentins (gourmets).

🌸 **Bacco Nudo** (plan général F4, **303**) : via dei Macci, 59/61. ☎ 055-24-32-98. Ouv tlj sf dim 9h-13h, 16h-20h. Deux boutiques côte à côte, l'une avec des produits italiens pur jus qui font saliver, l'autre spécialisée dans le vin avec de grandes bouteilles, mais aussi un beau choix à moins de 3 €, au tonneau (mais non moins recommandables dans l'ensemble). Une super adresse pour rapporter des délices toscans.

🌸 **Olio & Convivium** : via di Santo Spirito, 4 r. ☎ 055-265-81-98. Tlj sf dim. Voir « Où manger ? Dans l'Oltrarno. Chic »

🌸 Capitale du Chianti, Florence regorge de caves où l'amateur trouvera une sélection de rêve de flacons précieux ! Parmi les plus sympas et les plus sérieuses (ttes fermées dim) : **Casa del Vino** (plan général D2, **143**), via dell'Ariento, 16 r, ☎ 055-21-56-09. Le **Volpi e l'Uva** (plan général D4, **146**), piazza dei Rossi, 1, ☎ 055-239-81-32. **Enoteca-bar Fuori Porta** (plan général E5, **147**), via del Monte alle Croci, 10 r, ☎ 055-234-24-83. **Fratelli Zanobini** (plan général C-D2, **141**), via Sant'Antonino, 47 r, ☎ 055-239-68-50.

La Florence des artisans

Ville touristique, certes, Florence n'a pas pour autant oublié le savoir-faire hérité de générations d'artisans talentueux.

Le travail du cuir

Les tanneries d'antan ont disparu depuis longtemps avec leur cortège d'exhalaisons nauséabondes, mais la ville a conservé vivace la tradition du travail du cuir. Le centre regorge d'ateliers de maroquinerie de qualité et accueille chaque jour le grand marché au cuir de San Lorenzo devenu très touristique.

🌸 **Scuola del Cuoio** (plan général E4, **304**) : via San Giuseppe, 5 r. ☎ 055-24-45-33. Ouv lun-sam 9h-18h, dim à partir de 10h (sf de mi-nov à mi-mars). Fondée il y a des siècles par les moines franciscains, l'école du Cuir confectionne de beaux objets de qualité en suivant les exigences de la mode. Les artisans y travaillent sous les yeux des visiteurs, ce qui leur permet d'effectuer quelques retouches à la volée si telle ceinture n'est pas tout à fait à la taille, ou pour apposer des initiales sur un produit. Prix presque raisonnables. On y accède par l'église de Santa Croce (mais il faut s'acquitter du droit d'entrée), ou en passant par une cour longeant le chevet de l'édifice.

❀ *Bojola* (zoom C3, *305*) : via dei Rondinelli, 25 r. ☎ 055-21-11-55. *Ouv lunsam 9h30-19h30 (lun coupure déj 13h-15h30).* Difficile de ne pas trouver son bonheur dans cette immense boutique connue et reconnue : sur 4 niveaux, large palette de sacs, sacoches, valises et autres accessoires en cuir élaborés avec des peaux rigoureusement sélectionnées et fignolées dans le moindre détail. Du bel ouvrage, mais tout travail mérite salaire...

La mosaïque florentine

Spécialité florentine développée par les Médicis pour leur usage personnel, la technique délicate de la pierre dure subjugue l'amateur d'art par la beauté des couleurs et la précision du détail. Mais les œuvres d'art raffinées admirées à la *Galeria Palatina* ou au *Museo dell'Opificio delle Pietre Dure* ne sont pas tout. Même si leur nombre décroît dangereusement, il reste des artisans habiles encore au travail, répétant des gestes appris au XVIe siècle.

❀ *I Mosaici di Lastrucci* (plan général E-F4, *306*) : via dei Macci, 9. ☎ 055-24-16-53. *Ouv tlj 9h-13h, 15h-19h, sf dim en hiver.* Lorsque Bruno Lastrucci et son fils esquissent une nouvelle œuvre, ils ne savent jamais à quel moment ils en viendront à bout. Qu'importe. La technique de la pierre dure est un art exigeant, qui requiert autant d'habileté que de patience dans la découpe des pierres naturelles, comme le porphyre, le marbre ou l'agate, soigneusement taillées en biseau avant d'être assemblées avec de la cire d'abeille. En poussant les portes de cet ancien couvent on découvrira d'abord l'atelier, où l'on vous expliquera en détail ces techniques, avant d'admirer les « peintures éternelles » exposées dans la galerie.

Ébénisterie et sculptures sur bois

Une idée cadeau originale... à condition d'avoir gardé un peu de place au fond du coffre !

❀ *Bartolucci* (zoom D4, *307*) : via della Condotta, 12 r. ☎ 055-21-17-73. *Ouv tlj 9h30-19h30.* Petits et grands n'en croiront pas leurs yeux en découvrant cette boutique magique, ressuscitant le monde merveilleux des jouets en bois. On y trouve de tout, à tous les prix, du cheval à bascule aux petites horloges en passant par les boîtes à musique... à l'effigie de Pinocchio évidemment !

❀ *Le marché de la Piazza dei Compi* (plan général F3, *308*) : à l'angle de la via Pietrapiana et du borgo Allegri. *Ouv lun-sam 9h-13h, 15h-19h (et le dernier dim du mois, sf en juil).* Plus qu'un passe-temps, le plaisir de chiner est pour certains un art à la rigueur quasi scientifique ! Petite brocante un peu fourre-tout, entre vieux meubles et bouquins d'occasion. La petite halle voisine, dessinée d'après un ancien projet de Vasari, abritait un marché aux poissons comme en témoignent les médaillons visibles au-dessus de la colonnade.

❀ *Antiquaires* (plan général C4) : via Maggio. C'est dans cette partie de l'Oltrarno que se concentrent la plupart des antiquaires de prestige. Meubles anciens, marqueteries, ou même de vraies pièces de collections des XVIIe et XVIIIe siècles encombrent des arrière-boutiques dignes d'un musée. Certains parmi ces antiquaires sont même des restaurateurs hors pair, voire des créateurs de génie.

Terre cuite et céramique

Réputées à juste titre, les céramiques toscanes sont du meilleur effet pour décorer la maison ou le jardin. Mais pour s'y retrouver dans la jungle des boutiques qui n'hésitent pas à proposer des contrefaçons asiatiques bon marché aux touristes crédules, mieux vaut s'adresser aux gens de métier.

❀ **Sbigoli Terrecotte** (plan général E3, **309**) : via San Egidio, 4 r, face à la piazza G. Salvemini. ☎ 055-247-97-13. Ouv lun-sam 9h-13h, 15h-19h. Trente-cinq ans de métier et toujours autant de passion. Voilà qui résume l'histoire de cette petite affaire familiale, où le père tourne lui-même ses collections de pots, de vases ou de vaisselle classiques, avant de les décorer à la main aidé de sa femme et de sa fille. Et si quelques pièces ne sortent pas de ses propres fours, il s'agit toujours d'une sélection du meilleur de la production florentine, notamment de la célèbre fabrique d'Impruneta à 10 km au sud de Florence.

Papiers marbrés, papiers princiers

Originaire d'Orient, la technique du papier marbré a rapidement fait des émules pour la grande liberté qu'elle offrait aux artisans. Lorsqu'ils disposent les gouttelettes d'encre sur un bain gélatineux, puis les mêlent à l'aide de peignes et de stylets spéciaux, ils peuvent laisser courir leur imagination pour donner aux motifs toutes les formes possibles. Mais on n'a pas le droit à l'erreur : une seule feuille de papier absorbera le dessin définitif. Il n'est donc pas étonnant que la plupart des maisons commandent désormais leur papier aux imprimeries ! Pas toutes.

❀ **Enrico Giannini** (plan général C4, **310**) : via dei Velluti, 10 r. ☎ 055-239-96-57. Ouv lun-sam (parfois fermé sam) 9h30-12h30, 15h-18h. Une dynastie dont le savoir-faire est reconnu depuis 1856 ! Avec un tel passé, Enrico Giannini ne pouvait décevoir. Il a donc fait mieux. En réalisant des paysages et même des scènes animalières grâce à cette technique difficile, il fut distingué en tant qu'artiste, et une exposition au palais Strozzi lui fut consacrée il y a quelques années. Des grands couturiers viennent même s'inspirer de ses motifs pour leurs futures collections ! Il continue toutefois à confectionner de beaux carnets, des albums photos, ou de jolies boîtes, à des prix encore raisonnables (20-35 € en moyenne). Surtout pour des objets uniques ! Sa fille a ouvert une boutique en face du Palazzo Pitti « Giulio Giannini e Figlio » au 37 r, piazza dei Pitti.

La mode à l'italienne

Les classiques, qu'on ne présente plus

Les plus grandes marques sont évidemment représentées à Florence, notamment via Tornabuoni, le Faubourg Saint Honoré florentin.

❀ **Ermenegildo Zegna** (plan général C3) : via Tornabuoni, 3 r. ☎ 055-26-42-54. Ouv lun-sam 10h-19h30, dim 12h-19h. L'un des chantres de la mode homme italienne compte parmi ses clients fidèles Bruce Willis et John Travolta. À la fois chic et décontracté.

❀ **Gucci** (zoom C3) : via Tornabuoni, 73 r (angle via della Vigna Nuova). ☎ 055-75-92-21. Ouv lun-sam 10h-19h. La marque la plus emblématique de Florence et l'une des plus célèbres d'Italie. Pour ses fameux sacs à main que les divines du monde entier s'arrachent.

❀ **Prada** (zoom C3) : via Tornabuoni,

67 r. ☎ 055-28-30-11. *Ouv lun-sam 10h-19h30 et le dernier dim du mois.* Style seventies revu et corrigé avec comme matières nobles... le plastique et le Nylon ! Très chic et absolument pas démocratique.

🐚 ***Ferragamo*** *(zoom C4) : via Torna-*

buoni, 14 r. ☎ *055-29-21-23. Ouv lun-sam 10h-19h30.* Tout le monde n'a pas les moyens de s'offrir les services du bottier des stars de Hollywood, mais le très beau palais Ferroni mérite une halte, ainsi que le musée de la Chaussure niché dans les étages.

Les challengers

🐚 ***Elio Ferraro*** *(zoom C4, 311) : via del Parione, 47 r.* ☎ *055-29-04-25. Ouv lun-sam 9h30-19h30.* Ni chiffonnier ni collectionneur, le styliste florentin Elio Ferraro a bouleversé le monde de la mode en ouvrant une boutique dédiée aux tenues *vintage*. Il a rassemblé essentiellement des créations originales des années 1960 et 1970, toutes signées par de grands couturiers italiens comme Gucci ou Ferragamo. L'engouement est tel qu'il n'est pas rare d'y croiser un couturier à la recherche d'une de ses anciennes créations. Évidemment, même *vintage,* une robe du soir ne se négocie pas au prix d'un T-shirt.

🐚 ***Angela Caputi*** *(plan général C4, 312) : via di Santo Spirito, 58 r.* ☎ *055-21-29-72.* ● *angelacaputi.com* ● *Ouv mar-sam 10h-13h, 15h30-19h30.* Si les parures des grands joailliers du ponte Vecchio vous paraissent inabordables, suivez donc les Florentines chez leur nouvelle coqueluche. Angela Caputi dessine de beaux colliers, broches et boucles d'oreilles en perles de résine colorée du plus bel effet. Une fantaisie qui fait des émules puisque la maison possède déjà deux boutiques à Florence (l'autre se trouve Borgo S. Apostoli, 44 146 ☎ 055-29-29-93).

Achats dégriffés

Peu de gens savent que les marques célèbres ont leurs magasins d'usine au sud-est de Florence. Pour ceux qui ont un peu de temps ou qui ont une furieuse envie de shopping, ces magasins démarquent leurs stocks et collections précédentes à 50 %. Évidemment ces marques prestigieuses sont très chères à l'origine, mais en fouillant bien, on peut vraiment faire de bonnes affaires.

Pour plus de renseignements, on peut aussi consulter le site (très bien fait) ● out let-firenze.com ●

🐚 ***The Mall*** *: via Europa, 8, Leccio Regello, 50060.* ☎ *055-865-77-75 (info lun-sam 9h-18h). Pour s'y rendre, prendre l'autoroute A 1 sortie Incisa Val d'Arno, puis la SS 69 en direction de Pontassieve. Traverser le village ainsi que celui de Leccio ; à la sortie de celui-ci, tourner à gauche. Vous pouvez aussi prendre le train à la gare Santa Maria Novella à Florence jusqu'à Incisa Val d'Arno. Il existe également un service de navette qui relie Florence au Mall (compter 25 €/pers). Ouv tlj 10h-19h.* Grandes marques prestigieuses à des prix vraiment intéressants : Emanuel Ungaro, Fendi, Ermenegildo Zegna, Giorgio

Armani, Gucci, Valentino, Salvatore Ferragamo, Yves Saint Laurent, Yohji Yamamoto. Chaussures Tod's et Hogan.

🐚 ***Dolce & Gabbana Outlet*** *: localité S. Maria Maddalena, 49.* ☎ *055-833-13-00. À deux pas du Mall, à Rignano Sull'Arno. Ouv lun-sam 9h-19h, dim 15h-19h.* La collection de la saison précédente à des prix pouvant atteindre 50 % de réduction.

🐚 ***Prada*** *: localité Levanella. Au sud des deux adresses précédentes. Prendre l'autoroute A 1 ; sortir à Montevarchi.* Assez mal indiqué. Le stock de la célèbre marque italienne à des prix défiant toute concurrence.

Informations utiles

Les entrées

– En réaction à la déferlante touristique qui submerge Florence chaque année, les différents organismes culturels ne font plus de cadeaux. Les musées sont chers et les réductions rares. On regrette (au passage) *l'inexistence de pass* dans l'une des villes au patrimoine culturel le plus riche au monde ! Un comble ! Et donc un sacré budget à prévoir ! Par ailleurs, l'entrée de certains musées est majorée lorsqu'ils accueillent une exposition temporaire... que vous ayez ou non l'intention de la voir. La dictature de la culture est en marche !

– Seuls les *musées d'État* accordent la gratuité aux citoyens de l'UE de moins de 18 ans et de plus de 65 ans, ainsi qu'un rabais de 50 % aux 18-25 ans. Les enseignants ont, eux aussi, sur présentation de leur carte, droit à une réduction. Les musées concernés sont : les *cappelle Medicee*, le *cenacolo di Sant'Apollonia*, le *cenacolo di San Salvi*, la *crocifissione del Perugino*, la *Galleria degli Uffizi*, le *Palazzo Pitti (Galleria del Costume, Galleria Palatina, Museo delle Porcellane, Museo degli Argenti, Galleria d'Arte moderna)*, la *Galleria dell'Accademia*, le *Museo archeologico*, le *Palazzo Davanzati*, le *Museo del Bargello*, le *Museo dell'Opificio delle Pietre Dure* et le *Museo di San Marco*.

– *Le 8 septembre, tous les bâtiments de la piazza del Duomo sont gratuits* pour célébrer la naissance de la Vierge Marie. À cette occasion également, certains lieux d'habitude fermés sont ouverts comme les terrasses de la cathédrale. Sachez simplement que vous pouvez commencer à faire la queue dès 6h du matin.

La réservation

Elle s'impose pour certains musées, comme la *Galleria degli Uffizi* (galerie des Offices) et la *Galleria dell'Accademia* (galerie de l'Académie). ☎ *055-29-48-83 (lun-ven 8h-30-18h30, sam jusqu'à 12h30, répondeur vocal en anglais ou en italien qui vous dirige vers une personne parlant toutes les langues ou presque, en tous cas, le français). Supplément de 3 € ; ce n'est pas donné mais ça permet d'échapper aux queues délirantes. Pour plus de renseignements :* ● firenzemusei.it ● Méfiez-vous des sites internet fantaisistes proposant des réservations à prix exorbitants avec des marges énormes.

Les horaires

Ils changent fréquemment, selon la saison et l'année. De plus, il y a parfois des travaux de rénovation dans l'un ou l'autre musée, qui ferme alors temporairement. Ne boudez donc pas votre guide préféré si vous trouvez porte close : c'est indépendant de notre volonté (la volonté de qui d'ailleurs ?). Heureusement, l'office de tourisme distribue une liste mise à jour qu'il faut absolument vous procurer dès votre arrivée à Florence.

Sachez également que les billetteries ferment 30-40 mn avant le musée lui-même.

La tenue

Attention à votre *tenue vestimentaire* pour la visite des églises. En effet, la nécessité d'une tenue correcte et d'un minimum de discrétion semblent parfois échapper à certains visiteurs. Comment peut-on avoir si peu de respect de soi (ne parlons même pas des autres) pour s'affubler en short et marcel, par exemple, parce qu'on est en vacances ? Ayez toujours sous la main quelque chose pour vous couvrir les épaules. Le mieux est de glisser dans votre sac un foulard qui vous sera utile tout au long de votre séjour. Certaines églises mettent néanmoins à disposition des visiteurs aux épaules nues une sorte de cape bleue en papier qu'on rend quand la visite est terminée. Pas franchement seyant, mais c'est tout de même mieux que de rester dehors !

DANS LE CENTRE HISTORIQUE (zoom D3-4)

🎎🎎🎎 **Piazza del Duomo** *(zoom D3) :* elle comprend en fait trois œuvres architecturales : la *cattedrale Santa Maria del Fiore* ou *Duomo,* le *campanile di Giotto* et le *battistero* (baptistère).

🎎🎎 **Campanile di Giotto** *(zoom D3) : accès tlj 8h30-19h30. Entrée : 6 €.* Haut de 84 m, commencé par Giotto, c'est sûrement l'un des plus beaux d'Italie. L'alternance des marbres polychromes dans le style florentin et les ouvertures de fenêtres qui assouplissent l'ensemble en font un chef-d'œuvre. Observez également l'intérieur du Campanile, parfaitement gothique. Le contraste architectural entre l'intérieur et l'extérieur est étonnant.
Si vous avez le courage de gravir les quelque 400 marches qui conduisent au dernier étage, vous ne le regretterez pas : panorama superbe. Claustrophobes, s'abstenir.

🎎🎎🎎 👥 **Cattedrale Santa Maria del Fiore ou Duomo** *(zoom D3) :* ☎ 055-230-28-85. *Ouv lun-sam 10h-17h (16h45 sam, 15h30 le 1ᵉʳ sam du mois), dim et j. fériés 13h30-16h45. Entrée libre. Visites guidées gratuites en français, italien et anglais. Attention, shorts interdits.*
La façade originelle était l'œuvre du grand sculpteur Florentin Arnolfo di Cambio. Jusqu'au XVᵉ siècle, de grands artistes se succédèrent pour compléter cette façade en conservant l'esprit d'origine. Malheureusement, elle fut détruite au XVIᵉ siècle et resta en briques jusqu'au XIXᵉ siècle. On retrouve, aujourd'hui, au *museo dell'Opera del Duomo* les originaux du XIVᵉ et ceux du XVᵉ siècle. Sa façade actuelle, du XIXᵉ siècle, construite « à l'ancienne », témoigne de la richesse de l'époque : rosaces, nombreuses sculptures, niches, marbres polychromes, etc. La construction du dôme fut un véritable problème. Plusieurs tentatives furent effectuées (y compris par Botticelli) et tout manqua plusieurs fois de s'écrouler. Vint Brunelleschi, un sculpteur qui s'intéressait à l'architecture. Il proposa aux autorités de réaliser un dôme de forme ovoïde à double paroi. L'ensemble devait s'appuyer sur des chaînages intérieurs. On le crut fou mais, pour lui, la résistance des matériaux et les poussées qui entraient en jeu pouvaient être calculées. Il éleva ce dôme en se passant d'échafaudages, ce qui força l'admiration générale. Michel-Ange lui-même, un siècle plus tard, ira travailler au Vatican en emportant le souvenir du dôme de Florence.
L'intérieur de la cathédrale est d'une grande simplicité. En entrant à gauche, magnifique tombeau sculpté par Tino di Camaino, grand sculpteur siennnois du *Trecento*. En se retournant, belle fresque d'anges musiciens. Remarquez les deux fresques, à gauche de la nef, représentant chacune un cavalier. D'un côté (vert), une œuvre de Paolo Uccello, traitée en fresque monochrome et figurant l'aventurier anglais Sir John Hawkwood et de l'autre, réalisé vingt ans plus tard (1456), le *Cavalier blanc* (Niccolò da Tolentino) d'Andrea del Castagno. Ces portraits commémoratifs sont à rapprocher des statues équestres qui se développèrent à la même époque (notamment à Venise et à Padoue). La *Pietà* réalisée par Michel-Ange se trouve au *Museo dell'Opera del Duomo.*
– **Cupola del Duomo :** *accès à la coupole de Brunelleschi lun-sam 8h30-19h (17h40 sam, 16h le 1ᵉʳ sam du mois). Entrée : 6 €.* Jolies fresques à l'intérieur. Et, si vous avez le courage d'affronter la montée de 463 marches (plus haut que le campanile !), vous aurez l'une des plus belles vues sur les toits de Florence. Passages un peu étroits à certains moments.

À VOIR

🎯🎯🎯 *Battistero* (baptistère ; zoom D3) : ☎ 055-230-28-85. Ouv lun-sam 12h-19h, dim et j. fériés 8h30-14h. Fermé pour Noël, 1er janv et dim de Pâques. Entrée : 3 €.

À cette époque, les non-baptisés n'avaient pas le droit de pénétrer dans les églises. Voilà pourquoi les baptistères étaient souvent construits à l'extérieur (on voit la même chose à Pise).

Ghiberti, avant d'être sculpteur, était orfèvre, ce qui explique les véritables chefs-d'œuvre qu'il réalisa. Le travail est d'une précision et d'un réalisme extraordinaires. La fameuse porte principale est décorée de scènes de la Bible. Observez, notamment, ces foules reproduites sur des espaces réduits, un peu à la façon des peintures du Moyen Âge. L'art de la perspective et du trompe-l'œil

> ## LES CLÉS DU PARADIS
>
> *Un concours fut organisé en 1401 pour la réalisation de la nouvelle porte (côté nord). Ghiberti l'emporta devant Brunelleschi, mais la porte ne fut achevée qu'en 1424. L'année suivante, Ghiberti fut de nouveau sollicité pour réaliser la porte principale (côté est), pour laquelle il fit preuve d'une grande innovation technique. Fier de son œuvre, il se représenta sur un des médaillons qui la décorent. C'est Michel-Ange, pourtant avare de compliments, qui la surnomma un siècle plus tard la « porte du Paradis ».*

acquiert ici ses premières lettres de noblesse. Pas étonnant que Ghiberti ait mis 27 ans pour réaliser cette œuvre ! À noter que les originaux de la porte du Paradis sont actuellement visibles au *Museo dell'Opera del Duomo*. Tandis qu'au musée du Bargello, on peut voir, au 1er étage, les deux médaillons originaux de Brunelleschi et Ghiberti réalisés pour le concours de 1401.

À l'intérieur du baptistère, on trouve une admirable mosaïque du XIIIe siècle. Noter, en bas, à droite du christ, la scène classique du *Jugement dernier,* avec les monstres et autres diables dégustant les méchants.

🎯🎯🎯 *Museo dell'Opera del Duomo* (zoom D3) : piazza del Duomo, 9. ☎ 055-230-28-85. Ouv lun-sam 9h-19h30, dim et j. fériés 9h-13h40. Fermé à Pâques et à Noël. Entrée : 6 € ; réduc. Audioguide en français pour 4 €.

Cet ancien « dépôt » modernisé rassemble les œuvres qui ornaient jadis le Duomo, le baptistère et le campanile, remisées ici suite aux différents projets de réaménagement ou pour raison de conservation. Un musée à ne surtout pas manquer, en particulier si vous êtes amateur de sculpture. Une rénovation récente permet d'admirer de véritables chefs-d'œuvre dans le calme, car il y a souvent peu de monde. La visite commence par quelques fragments en marbre de l'époque étrusque, puis romaine. Avant d'aborder la *salle de l'ancienne façade de la cathédrale* (celle qui fut détruite en 1587), avec de nombreuses sculptures d'Arnolfo di Cambio et de Donatello, ne ratez pas la petite salle dédiée à Tino di Camaino, grand sculpteur siennois dont on peut admirer le talent à travers le magnifique *Christ bénissant.* On pénètre alors dans une grande salle où irradie le talent d'Arnolfo di Cambio (XIVe siècle). De ce dernier, architecte de talent, mais également élève du fameux Nicola Pisano, on remarquera, entre autres, la *Madonna della Natività,* dans une pose bien lascive et la statue du pape Boniface VIII, pape détesté par Dante qui lui fit visiter l'enfer dans sa divine comédie (cette statue fut restituée à la cathédrale par l'un de ses descendants après que celui-ci l'eut rachetée à un antiquaire), ainsi que la troublante Madone aux yeux de verre. Intéressante série des *Évangélistes,* mais ce sont évidemment le *Saint Jean* de Donatello et le *Saint Luc* de Nanni di Banco qui retiennent l'attention.

À côté, dans la *salle des peintures,* l'étonnant et célèbre *Martyre de saint Sébastien* (il aura eu son compte !) attribué à Giovanni del Biondo, et magnifiques bas-reliefs en marbre issus de l'enceinte du chœur de la cathédrale. Dans la chapelle octogonale voisine, collection de reliquaires (dont le doigt de saint Jean), quelques pièces d'orfèvrerie religieuse du XVe siècle et une belle Vierge de Bernardo Daddi. Avant d'accéder par l'escalier à la *Pietà* inachevée de Michel-Ange, traverser le lapidarium contenant des pièces d'architecture et de sculpture de la cathédrale, du baptistère et du campanile. À noter quelques belles terres cuites des Della Robia. Enfin, on accède à la *Pietà,* magnifiquement présentée. Son isolement la rend encore plus pathétique.

Réalisée sur le tard, la Pietà était destinée par l'artiste à son propre tombeau ; il s'y est d'ailleurs probablement représenté sous les traits de Nicodème, le vieillard soutenant le corps du Christ. Elle n'y parviendra jamais, car Michel-Ange, excédé par la longueur du travail et la mauvaise qualité du marbre, prit un beau jour son marteau pour l'achever... à sa manière (en la faisant voler en éclats). Francesco Bandini la racheta et la fit rapiécer par un disciple du maître. D'ailleurs, le personnage de Marie-Madeleine est un ajout tardif qui jure quelque peu avec le génie du reste de la composition. Alors qu'il suffirait d'un coup de marteau...

À l'étage, toujours, admirer les deux *cantorie* (ces tribunes d'église où se produisent les chantres), chefs-d'œuvre absolus de la Renaissance florentine. L'une est signée Luca della Robbia, l'autre Donatello. L'occasion de comparer deux styles contemporains (plusieurs panneaux de composition plus riche, plus classique pour le premier, une grande fresque plus dynamique pour le second, lequel des deux est le plus beau ? À vous de voir). Ne ratez pas dans cette salle, les statues du campanile et en particulier l'*Habacuc* et le *Jérémie* de Donatello. Dans une salle au fond, remarquables panneaux du campanile (attribués en partie à Andrea Pisano et Luca della Robbia), figurant l'évolution de l'homme depuis la création jusqu'aux voies spirituelles. Ils racontent la Genèse et illustrent les planètes, les vertus, les arts, les sciences, etc. Les panneaux illustrant les métiers sont absolument extraordinaires de détails et de fraîcheur. Dans une salle voisine, la célèbre *Madeleine* en bois, vieillissante et pathétique, de Donatello (conçue pour le baptistère) vole la vedette au somptueux autel de saint Jean en argent (pour lequel plus de 400 kilos du précieux métal furent nécessaires !). C'est un des chefs-d'œuvre de l'orfèvrerie du XVe siècle, en restauration jusqu'en 2009. Prenez le temps d'admirer le *Saint Jean-Baptiste* de Michelozzo au centre et les panneaux latéraux du bas (à gauche, la *Naissance de saint Jean* par Antonio del Pollaiolo et à droite la *Décollation de saint Jean* par Verrochio). Restent de beaux manuscrits enluminés et des broderies sur la vie de saint Jean. Mais gardons un brin d'énergie pour la fin : à partir de la salle des panneaux, en redescendant vers les niveaux inférieurs, les visiteurs découvrent les outils utilisés par les ouvriers de Brunelleschi et une collection de maquettes en bois représentant en particulier les différents projets pour la façade de la cathédrale. On débouche enfin dans un patio renfermant plusieurs panneaux en bronze d'origine de la porte du Paradis du Baptistère par Ghiberti, un véritable trésor. Chaque panneau évoque plusieurs épisodes bibliques, le sculpteur ayant estimé qu'il n'était pas forcément nécessaire de séparer les différentes histoires. Voir aussi le *Baptême du Christ* par Sansovino.

🎎🎎🎎 *Galleria degli Uffizi* (Galerie des Offices ; zoom D4) : piazzale degli Uffizi, 6. ☎ 055-238-86-51. ● uffizi.firenze.it ● Ouv 8h15-18h50, sf lun. Fermé à Noël, 1er janv, 1er mai. Entrée : 6,50 € + 3 € si résa. Audioguide en français pour 5 € et plan du musée à l'entrée.

C'est bien évidemment le fleuron des musées florentins, mais surtout l'un des plus anciens et des plus beaux musées du monde. Incontournable est un faible mot...

– *Attention :* la direction du musée mène depuis plusieurs années une vaste campagne de travaux d'agrandissement (passant de 6 000 à 13 000 m²), pour présenter enfin au public les richesses inestimables qui sommeillent encore dans les dépôts. De quoi faire des envieux ! Tout devrait rentrer dans l'ordre courant 2007, mais certaines œuvres décrites ci-dessous n'auront peut-être pas encore trouvé leur place définitive lors de la parution du guide. Sachez toutefois que toutes les peintures majeures, même déplacées, restent visibles, pour ne pas décevoir les visiteurs.

– En haute saison, attendez-vous à des queues de 2h à 4h ! *Réservez* pour y échapper (voir introduction à ce chapitre), même si le délai d'attente peut être de plusieurs jours, voire de plusieurs semaines. Sinon, n'hésitez pas à vous présenter 15 à 20 mn avant l'ouverture des portes. Rares sont les touristes aussi matinaux.

Pour la petite histoire

L'histoire de cet incroyable musée est indissociable de celle des Médicis. Dès le XVᵉ siècle, Cosme l'Ancien, sous des dehors sévères et avares, se montra généreux envers les arts et encouragea des talents comme Donatello ou Filippo Lippi. C'était le début d'une longue tradition de mécénat, qui connut son apogée avec le fin politique Cosme Iᵉʳ, puis l'esthète François Iᵉʳ. Le premier confia à Vasari la création de l'académie de dessin et la construction du palais des Offices, le second transforma en musée (1581) les galeries de cet immense bâtiment administratif. Réservée au départ à une élite, la Galerie des Offices ne fut ouverte officiellement qu'en 1765.

> ### LA VOIE ROYALE
> *Le plus original fut sans doute l'aménagement progressif du corridor de Vasari... Les Médicis habitaient au Palazzo Pitti, de l'autre côté de l'Arno, mais se rendaient chaque jour au Palazzo Vecchio et au palais des Offices où ils avaient concentré leurs administrations. Cosme Iᵉʳ fit construire par Vasari un long couloir suspendu entre les deux sites. Pour égayer la promenade, les Médicis eurent bientôt l'idée d'y accrocher des portraits. Endommagé par les ravages de la Seconde Guerre mondiale et par un attentat terroriste le 27 mai 1993, cet ensemble remarquable a désormais recouvré l'essentiel de son faste médicéen, mais aujourd'hui encore, n'est ouvert qu'à quelques (trop) rares privilégiés...*

Les tableaux sont classés par ordre chronologique au fil des différentes salles. Sans être exhaustif, voici les plus belles œuvres des Offices.

Second étage (début de la visite)

Galerie Est

En arrivant au second étage, avant d'entamer la visite à proprement parler, admirez les deux magnifiques chiens, puis, à droite, les quelques belles pièces archéologiques (en particulier une frise romaine en provenance du forum d'Auguste et une tête de César). Portraits des Médicis au mur. Remarquez aussi le couple funéraire inséré sous une statue d'Hercule combattant un centaure. Fresques décoratives d'origine datant de 1560-1580. Vasari a dirigé le chantier et fut aidé par des Flamands dont on reconnaît la main dans les panneaux de paysages.

Au mur, dans le long couloir qui dessert les salles, des portraits des célébrités de l'époque (les rois, bien sûr) et sur les côtés encore de belles pièces archéologiques en restauration jusqu'à fin 2007 au moins (salle 1).

Passons maintenant à la visite des salles de la galerie Est ; une visite qui nous a semblé très didactique, car à la fois chronologique et par école.

Salle 2 : le Duecento et Giotto

Les primitifs toscans, avec notamment les peintures des trois monstres sacrés du *Duecento* et du début du *Trecento* : la *Madone* de Cimabue, puis celle de Duccio (un Siennois) et enfin la *Madone d'Ognissanti* de Giotto qui s'affranchit là du style byzantin ; toujours le fond or, mais les traits prennent vie (noter les touches de rouge sur les joues de Marie et la poitrine qui affleure sous le fin tissu). Ces trois tableaux restaurés forment un ensemble unique de cette période de l'art italien. Les voir ensemble permet d'appréhender l'émancipation progressive des peintres de cette époque vis-à-vis des codes picturaux immémoriaux de la manière byzantine. C'est un des fleurons des Offices. Noter également les deux Christ en croix. Le premier, à droite du Cimabue, date d'avant la mort de saint François en 1221 et le second, d'après cette date. Remarquez le changement complet de l'iconographie : le Christ devient un être de chair, souffrant sur la croix.

Salle 3 : le Trecento siennois

XIVᵉ siècle siennois. Superbe *Annonciation* de Simone Martini (remarquer le salut de l'Ange, traité à la manière d'une bande dessinée) et œuvres des frères Lorenzetti, Ambrogio et Pietro. En particulier, un des chefs-d'œuvre d'Ambrogio, la *Présentation au Temple,* les panneaux du retable de la bienheureuse humilité et ceux sur la vie de Nicolas de Pietro.

Salle 4 : le Trecento florentin

Le XIVᵉ siècle toujours, mais à Florence avec les suiveurs de Giotto, parfois répétitifs (ce n'est toutefois pas vraiment le cas des œuvres présentées ici), à savoir, Bernardo Daddi, Andrea Orcagna et Taddeo Gaddi. Observez le grand retable d'Andrea Orcagna sur la vie de saint Matthieu, arrondi pour épouser la forme d'un pilier, et la fantastique *Pietà* de Giottino (il s'appelait en fait Giotto di Maestro Stefano, mais on l'a surnommé ainsi pour le distinguer de Giotto), un chef-d'œuvre de sensibilité et de mise en scène.

Salles 5 et 6 : le gothique international

Retable monumental magnifique de Lorenzo Monaco, *Le Couronnement de la Vierge*.

Une mode de l'époque consistait pour les peintres à se représenter dans leurs œuvres. Pour les repérer, c'est assez simple : c'est toujours le personnage qui vous regarde droit dans les yeux ! C'est le cas de Gentile da Fabriano qui, dans son *Adoration des Mages,* se fit représenter sous les traits d'un Roi mage. Cette commande réalisée pour les Strozzi, une famille de banquiers très influente à Florence est traitée comme une miniature, avec une remarquable utilisation des ors : certains détails apparaissent même en relief pour souligner l'aisance et la générosité du mécène. Autre *Adoration des Mages,* autre autoportrait avec Lorenzo Monaco. Cherchez bien.

Salle 7 : la première moitié du Quattrocento

Salle du début de la Renaissance. Progressivement, on abandonne le fond doré. On introduit derrière les personnages des paysages minutieusement peints, avec souvent plein de détails intéressants, en particulier les scènes retraçant la vie dans les villes au Moyen Âge. Ça vaut souvent le coup de regarder de près. Une œuvre capitale : *La Bataille de San Romano* de Paolo Uccello, décrivant la victoire de Florence sur Sienne en 1432. Triptyque dont les autres parties sont au Louvre et à la National Gallery de Londres (ça revient cher d'admirer une œuvre complète !). Observer le fantastique jeu de lignes et de perspective. Voir aussi *Sainte Anne et la Vierge à l'Enfant,* exécuté à deux mains par Masolino et Masaccio. Superbes *Federico da Montefeltro* et *Battista Sforza* de Piero della Francesca (on dit que les cheveux blonds étaient très prisés à la Renaissance et que pour la teinture rien ne valait... l'urine). Ces portraits figurent, sans doute, parmi les dix chefs-d'œuvre des Offices. Également un *Couronnement de la Vierge,* œuvre véritablement « rayonnante » de Fra Angelico (Beato Angelico), qui reste fidèle aux fonds d'or tout en s'adaptant au nouveau style de l'époque. Également, le retable de Sainte-Lucie de Domenico Veneziano. Admirez les couleurs, le cadre architectural et la précision du dessin.

Salle 8 : Filippo et son fils Filippino Lippi

Principalement des œuvres de Filippo Lippi, le maître de Botticelli, dont on peut admirer *Madone, Enfant et deux anges* et le *Couronnement de la Vierge,* où les essais de perspective ont fini par aplatir un peu la tête des anges ! À noter également l'*Annonciation* délicate de Baldovinetti. Les peintures de Filippino sont, quant à elles, plus tardives et soumises à l'influence de Botticelli.

Salle 9 : les frères Pollaiolo

On y trouve *La Force,* la plus ancienne toile de Botticelli. Les autres vertus présentées sont l'œuvre de Pollaiolo. Les frères Pollaiolo, artistes polyvalents, étaient aussi des sculpteurs, ce qui se ressent.

Salles 10 à 14 : Botticelli

Consacrées principalement à **Botticelli** avec les célèbres *Naissance de Vénus* et *Le Printemps*. Dans *La Naissance de Vénus,* thème de la naissance d'une nou-

À VOIR

velle humanité, Zéphyr souffle sur la coquille portant une Vénus frêle et diaphane. À droite, *Le Printemps* lui tend un manteau. Ici, quasiment pas de profondeur. On est fasciné par les lignes voluptueuses des drapés, des courbes du manteau, la finesse ondoyante des cheveux. Composition dépourvue de perspective pour mieux mettre en valeur le rythme quasi musical des lignes et des couleurs. On n'avait jusqu'à présent jamais poussé aussi loin le raffinement pictural. Botticelli utilisa à fond la technique de son maître, Filippo Lippi, dans la recherche de la beauté idéale. En particulier dans le personnage de Flore distribuant ses fleurs et dans l'éblouissante technique du drapé des Trois Grâces. Seule l'ondulation du tissu léger suggère le mouvement. *La Calomnie,* œuvre tardive de Botticelli, qui va, à cette époque, vers des proportions plus réduites, et peint des sujets dramatiques sous l'influence de Savonarole, qui prônait un retour à une religion pure et dure (il a fini sur le bûcher !). D'autres chefs-d'œuvre de Botticelli : *La Madone des roses, L'Annonciation* (grâce exquise du mouvement de la Vierge), *La Melagrana.* De Ghirlandaio, belle *Vierge en majesté* et *Adoration des Mages.* Triptyque *Portinari* de Hugo Van der Goes, dont l'arrivée en Italie fut un choc pour les peintres du XVe siècle, qui découvrirent grâce à lui la peinture flamande et l'observation des détails réalistes (paysages, enfants, paysans) qui n'étaient pas, jusqu'alors, de tradition florentine.

Salle 15 : Léonard de Vinci et son entourage

Œuvres de **Léonard de Vinci** dont on découvre *L'Adoration des Mages.* Cette toile est très intéressante : comme elle est inachevée, on saisit la façon de travailler de l'artiste et on apprend comment les volumes s'intègrent les uns aux autres. Également de Léonard de Vinci, la très célèbre *Annonciation.* Pensez qu'il n'avait que 17 ans quand il exécuta ce chef-d'œuvre ! Notez l'utilisation géniale de la lumière sur les visages et les chevelures. On dit que son maître Andrea del Verrochio aurait renoncé à la peinture après avoir constaté son talent. Le *Baptême du Christ,* œuvre de Verrocchio et Léonard de Vinci, permet d'apprécier la main de Léonard dans les deux anges et le paysage du fond où l'on commence à voir ce que sera le célèbre « sfumato » de Vinci. Admirables *Pietà* et *Crucifixion* du Pérugin, le maître de Raphaël. De Luca Signorelli, *Crucifixion* et une *Trinité.*

Salle 18 : la tribune, les maniéristes

Tribune de forme octogonale qui ne peut contenir que 30 personnes à la fois. Cette salle, conçue par Buontalenti en 1584 pour le duc François Ier, est magnifique et a, d'ailleurs, toujours été considérée comme la plus belle salle du palais. Les quatre éléments y sont représentés : le sol symbolise donc la terre ; les murs rouges : le feu ; les décorations nacrées et bleues : l'eau ; et les sortes de bulles sous la coupole (magnifique) : l'air. C'est pourquoi, traditionnellement, ont toujours été exposées ici, depuis les Médicis, les plus belles œuvres. Cette salle est actuellement présentée au public comme elle devait être à l'origine.

UNE BEAUTÉ… IRRÉSISTIBLE

Les statues antiques de la salle 18 sont d'une qualité remarquable, en particulier la fameuse Vénus Médicis, *la pièce la plus importante de la collection des Médicis, original grec du IIe siècle av. J.-C., découverte à la Renaissance, bien avant la célèbre* Vénus de Milo. *Elle symbolisait tellement la beauté parfaite que Napoléon la fit enlever pour l'exposer dans son projet de musée Napoléon à Paris. Après tout, pourquoi se gêner ! L'Histoire cependant en décida autrement, puisque à la suite de sa défaite à Waterloo, ce dernier s'engagea dans le traité de paix à la remettre à sa place.*

On y trouve les maniéristes Alessandro Allori, Vasari, Salviati, Bronzino (un des plus grands portraitistes de l'histoire de la peinture), Pontormo, Rosso Fiorentino, Andrea del Sarto. De Raphaël : *Saint Jean dans le désert.* Au centre, somptueuse table en marqueterie de marbre du XVIIe siècle.

Voir, également, *Les lutteurs,* remarquables dans leur représentation anatomique et leur mouvement, et le petit *Apollon.*

Salle 19 : fin Quattrocento, début Cinquecento
De Signorelli, *Madone et Enfant* ; du Pérugin, le fameux *Francesco delle Opere,* de facture très moderne ; de Piero di Cosimo, *Andromède délivrée par Persée,* typique de ce peintre un peu hors norme et excentrique. Et puis, aussi, Lorenzo di Credi, Lorenzo Costa, Francesco Francia...

Salle 20 : les peintres allemands
Les **peintres allemands** nous rappellent que les Médicis commerçaient beaucoup avec la Hollande et la Germanie. Et, bien sûr, ils en rapportaient des œuvres. De Dürer, *Portrait du père, Adoration des Mages.* Belle bande dessinée, *L'Histoire de saint Pierre et saint Paul* de Hans von Kulmbach. De Lucas Cranach, *Adam et Ève,* œuvre clairement influencée par l'*Adam et Ève* de Dürer, mais aussi *Autoportrait, Saint Georges, Luther...*

Salle 21 : Venise
Un curieux *Compianto di Cristo* de Giovanni Bellini (en noir et blanc) et une *Allégorie* sacrée dont le sujet énigmatique n'est pas encore élucidé à ce jour. Splendide *Vierge à l'Enfant* de Cima da Conegliano. Cette pièce est l'occasion d'apprécier toute la singularité de l'école vénitienne (lumière chaude et dorée, paysages doux, beauté des femmes...).

Salle 22 : Allemagne et Flandres
Intéressante salle des **maîtres flamands.** *Mater Dolorosa* de Joos Van Cleve et autres superbes autoportraits. *Sir Richard Southwell* de Hans Holbein, mais surtout *La Madone sur le trône* de Hans Memling. Belles couleurs du *Martyre de saint Florian* par Altdorfer.

Salle 23 : Mantegna et Corrège
De Mantegna, un triptyque sur *L'Adoration des Mages* avec un extraordinaire panneau central. Pour ceux qui connaissent ce tableau d'après des reproductions, vous serez étonnés de sa petite taille (ce qui témoigne de la qualité de l'œuvre). Le côté minéral de l'œuvre de Mantegna est toujours étonnant ! À voir également la douceur et la grâce du Corrège, notamment avec la petite *Vierge adorant Jésus* (actuellement en restauration).

Salle 24
Dite des miniatures. Abrite des œuvres de petite dimension qu'on aperçoit au loin, l'entrée de la salle étant barrée par un cordon, ce qui en limite l'intérêt.

Le corridor

Ici s'achève la visite de la galerie Est. Avant de poursuivre votre chemin, prenez le temps d'admirer la vue sur l'Arno, le ponte Vecchio et observez le fameux corridor qui traverse l'Arno et permettait aux Médicis de rejoindre tranquillement leur demeure privée du palazzo Pitti (il contient une célèbre collection d'autoportraits qui ne se visite qu'exceptionnellement, et sur réservation). Belle vue également sur les collines environnantes avec au loin l'église de San Miniato. Un tel panorama nous rappelle que le bâtiment des Offices a été conçu, notamment, pour contrôler la vue sur le fleuve.

Galerie Ouest

Salles 25 et 26 : Michel-Ange et le Cinquecento florentin
Les peintures de **Michel-Ange** et de **Raphaël** nous plongent en pleine **Renaissance italienne.** Les visages sont moins figés, les femmes arborent quelques timides sourires. De Michel-Ange, *La Sainte Famille (Tondo Doni)* : là aussi, le sommet dans la perfection. Attardons-nous quelques instants sur cette œuvre magistrale, la seule à avoir été peinte sur bois. Ce sont déjà les couleurs de la chapelle Sixtine. On y décèle la rigueur de Michel-Ange et son sens de la composition. Elle est organisée en plusieurs plans, allant vers la profondeur (au fond, les corps nus, presque flous, des hommes du temps du péché originel), tout en s'articulant autour d'un mouvement en spirale. À noter enfin qu'il s'agit de l'unique tableau de Michel-Ange exposé en dehors du Vatican. Offert aux Doni en cadeau de mariage, il fut racheté par les Médicis et exposé aux Offices dès

À VOIR

1580 ! De Raphaël : *Autoportrait, Francesco Maria della Rovere, La Madonna del Cardellino* (au chardonneret), *Léon X, Jules II...* Intéressant de noter, dans le portrait de Léon X, cette diagonale figurée par le bord de la table, puis le bras du pape, relayé par la main du cardinal de droite. Cela donne au tableau une dynamique très moderne.

Belle *Madone aux harpies* d'Andrea del Sarto, qui doit son nom aux sculptures visibles sur le piédestal de la Vierge. Au sujet de ce peintre, on disait qu'il ne connaissait pas l'erreur. Entre maniérisme et académisme (il fut le maître des grands maniéristes florentins, Pontormo et Rosso) : perfection de la composition et, outre le jeu complexe des courbes, on notera aussi celui des couleurs. Tranchant avec la sobriété générale, éclatent le rouge et le jaune de la robe de la Vierge et le rouge du manteau de saint Jean.

Salle 27 : le maniérisme florentin

Portraits de Pontormo qui fut, donc, l'élève d'Andrea del Sarto. Admirez également le talent de son compère Rosso Fiorentino dans la *Vierge à l'Enfant entourée de saints.* Admirable Beccafumi *(Sainte Famille),* le troisième grand maniériste, moins connu car siennois et non florentin...

Salle 28 : le XVIe siècle vénitien

Orgie d'œuvres de **Titien,** dont la *Vénus d'Urbino* d'un érotisme troublant. La femme est belle et ce n'est plus un péché de la peindre nue. L'étau de la religion commence à se relâcher. Remarquez l'opulence et les couleurs chaudes des fleurs. À comparer avec la froideur de la *Judith* de Palma Vecchio. *L'Uomo malato,* par contre, est une œuvre très sombre.

Salles 29 et 30 : l'Italie du Nord et le Cinquecento

On y trouve la célèbre *Vierge au long cou* du **Parmesan.** Il y travailla 6 ans. Chef-d'œuvre du maniérisme italien : trait précieux, teint de peau artificiel, coiffures recherchées, composition et poses élégantes, silhouettes étirées... Mais l'œuvre est restée inachevée ! À droite du tableau, à côté de saint Jérôme tenant un rouleau, on aperçoit le pied isolé d'un saint qui n'a jamais été peint.

Salles 31 et 32 : le maniérisme vénitien, Tintoret et Véronèse

Œuvres vénitiennes du XVIe siècle. *L'Annonciation, Sainte Famille avec sainte Barbe et Martyre de sainte Justine* de Véronèse. Portraits de Jacopo Tintoretto (dit le Tintoret) et *Le Concert* de Bassano.

Salle 33

Dans cette salle, sont exposées des œuvres qui montrent l'éclatement du maniérisme italien et sa diffusion en Europe, vers la France et l'Espagne notamment. *François Ier* par Clouet, *Les Deux Dames au bain* de l'école de Fontainebleau, quelques tableaux de l'école espagnole (le très reconnaissable Greco : *Saint Jean l'Evangéliste et saint François.* Mais aussi des peintres comme Moralès, Coello...), *Vénus et Cupidon* d'Alessandro Allori, Niccolò dell'Abate et quelques tableaux de Vasari, connu surtout pour avoir construit ce palais et écrit les vies des artistes, de Giotto à Michel-Ange, dans le premier livre d'histoire de l'art moderne.

Salle 34

Transfiguration, Suzanne et les Vieux de Lorenzo Lotto, un peintre de l'école vénitienne au caractère original. À mentionner aussi : Giovanni Battista Moroni.

Salles 35 à 45 : XVIIe et XVIIIe siècles

Ces salles contiennent quelques morceaux de bravoure à ne pas rater pour les courageux...

Salle 35

Madonna del popolo du Baroche, œuvre très appréciée par ses contemporains pour les détails donnant vie à la composition.

Salle 41

Pour le moment, cette Salle de Rubens et ses suiveurs est fermée pour restauration jusqu'à ... Si elle rouvre, vous pourrez admirer de Rubens, *L'Entrée d'Henri IV à Paris, Bacchus sur son tonneau.* Magnifiques portraits de Van Dyck et Jordaens. Remarquez aussi, de Sustermans, le *Portrait de Galilée regardant vers le ciel.*

Salle 42
Sculptures antiques avec de beaux effets de drapé et l'étonnant *vase Médicis,* en marbre.
Salle 44
De merveilleux Rembrandt, notamment ses autoportraits (où on le voit jeune, moins jeune et puis carrément vieux). Très belle *Adoration des bergers* de Van der Werf.
Salle 45
Peintures du XVIIIᵉ siècle. Deux portraits par Goya. De Chardin, *Jeune fille tenant un volant et une raquette.* Deux *Vue de Venise* par Canaletto et intime *Femme qui se lève du lit* de Crespi.

Ici s'achève la visite du second étage.

|●| *Cafétéria :* décor et mobilier contemporains pour un service rapide de boissons et *panini*. Une halte qui vaut surtout pour la superbe terrasse en surplomb avec vue sur le Campanile, le Duomo, le Palazzo Vecchio et, au loin, la colline de Fiesole.

Premier étage

La dernière tranche de travaux touche principalement le premier étage, nouvel espace dévolu aux peintures des XVIIᵉ et XVIIIᵉ siècles autrefois exposées au second niveau. Elles seront à terme réunies à une sélection d'œuvres provenant du fonds du musée. On peut déjà découvrir les salles accueillant les chefs-d'œuvre du Caravage, comme la célèbre *Tête de Méduse,* peinte sur un bouclier et représentée le regard baissé puisqu'elle a le pouvoir de pétrifier qui la fixe dans les yeux, ou le fameux *Bacchus* à la sensualité à fleur de peau. L'artiste, à peine âgé de 20 ans, n'avait pas craint de scandaliser ses pairs avec l'attitude équivoque du jeune dieu. Moins ambiguë mais éprouvante, la scène du *Sacrifice d'Isaac* bouleverse par le réalisme des visages d'Isaac et de son fils, fidèles reflets de l'angoisse et de l'horreur. Admirez le travail des ombres dans Le Concert, où le Caravage utilise sa fameuse technique du clair-obscur. Superbe utilisation de la lumière artificielle (souvent une bougie) également chez Gherardo delle Notti.
La collection Contini Bonacossi
Cette collection, censée être fameuse, devrait bientôt faire partie du parcours. Elle est malheureusement encore fermée au public.

🎭🎭🎭 👫 *La Piazza della Signoria (zoom D4) :* c'était le cœur palpitant de la cité. Toute l'histoire de Florence se résume en cette place. Elle fut le lieu des rassemblements populaires, des révolutions, le cadre des supplices, le décor de fêtes somptueuses. D'un côté, elle est dominée par le majestueux Palazzo Vecchio, et de l'autre, par la *loggia dei Lanzi.*
– *La loggia dei Lanzi :* plusieurs statues d'un intérêt majeur en font un véritable musée en plein air. On y découvre, entre autres, le fantastique *Persée,* en bronze, de Benvenuto Cellini, et l'*Enlèvement des Sabines* de Giambologna (Jean de Bologne, grand sculpteur du XVIIᵉ), œuvre maniériste qui préfigure déjà le baroque. Admirez la délicate représentation des mains sur les fesses des Sabines. Remarquez aussi les deux lions, de part et d'autre de l'entrée de la loggia : celui de droite, quand vous faites face à la loggia est un original antique, celui de gauche est une copie de la Renaissance.
De gauche à droite en faisant face au Palazzo Vecchio.
– *La statue équestre de Cosme Iᵉʳ de Médicis* (1587-1594). Encore une œuvre de Giambologna. Impressionnante par ses mesures parfaites.
– *Judith et Holopherne* de Donatello : l'original est à l'intérieur du Palazzo Vecchio. Ce fut la seconde statue mise en place devant le palazzo par Savonarole qui l'emprunta à la collection privée des Médicis. Il considéra à l'époque que le symbole de Judith libérant le peuple juif du tyran Holopherne symbolisait le peuple florentin se libérant du joug des Médicis.

À VOIR

– *La fontaine de Neptune :* on doit le *Neptune* à Ammannati et la fontaine, avec ses nymphes, à Giambologna (encore lui !). L'ensemble fut réalisé dans les années 1560. Déjà les peintres n'hésitaient pas à chanter les louanges du corps humain, mais leurs œuvres étaient réservées à quelques privilégiés. Là, pour la première fois, la nudité descend dans la rue. C'est aussi le cas, avec la fontaine de Jacopo della Quercia sur la place de Sienne, un ensemble sculptural novateur qui sera en partie à l'origine de la représentation classique des fontaines italiennes (Trevi à Rome, par exemple). En revanche, si l'ensemble est harmonieux, la représentation de *Neptune* fut, à l'époque, considérée comme très médiocre. Ammannati essuya les sarcasmes de Michel-Ange qui, chaque fois qu'il passait devant, soupirait : « Quel gâchis de beau marbre ! ».

– *Le Marzocco* de Donatello : l'original est au musée du Bargello. Ce lion symbolise le courage des florentins face à l'ennemi. Remarquez sous sa patte droite le blason de Florence avec sa fleur de lys rouge.

– *David* de Michel-Ange : ce marbre est encore une copie (décidément !). Ses dimensions sont d'ailleurs réduites. Les plus curieux ne manqueront pas d'aller admirer l'original à la *Galleria dell'Accademia*.

– *Hercule et Cacus* de Bandinelli (XVIe siècle) : devant l'entrée du Palazzo Vecchio. Représente avec une certaine brutalité Hercule tuant Cacus.

Le soir, la piazza est particulièrement agréable avec son animation et les lumières jouant sur la pierre jaune.

> ## LE PREMIER TAG ?
>
> *Cherchez sur le mur du palazzo, juste derrière* Hercule et Cacus, *un graffiti représentant une tête de profil. Il s'agirait d'un graffiti original du XVᵉ ou XVIᵉ siècle, dont la petite histoire dit qu'il serait de la main de Michel-Ange, mais réalisé de dos... Quel talent !*

🚶🚶🚶 **Palazzo Vecchio et son musée** *(zoom D4) : piazza della Signoria.* ☎ *055-276-82-24. Ouv tlj 9h-19h sf jeu et j. fériés en sem (jusqu'à 14h). Entrée : 6 €. Billet combiné avec la* Cappella Brancacci : 8 €. *Audioguide : env 4 €. Deux accès : l'entrée principale sur la piazza della Signoria et l'autre, beaucoup moins fréquentée, de la via dei Gondi (à gauche quand on fait face au palais). Si vous en avez la possibilité, prenez le temps de faire la visite des « Parcours secrets ». Pour 6 €, des guides francophones vous ouvriront les portes de salles fermées au public en raison de leur fragilité, comme le fameux cabinet de travail de François Iᵉʳ tapissé de tableaux figurant les arts et les sciences, ou les combles renfermant l'incroyable charpente de la sala dei Cinquecento. Également des activités ludiques proposées aux enfants à partir de 3 ans (ateliers, visites-spectacles et contes). Résa au secrétariat (à côté de la billetterie).*

Ce palais-forteresse sévère, édifié à la fin du XIIIᵉ siècle sur les ruines des demeures gibelines rasées par les guelfes, servit dans un premier temps de siège au gouvernement des prieurs, avant que les Médicis n'y emménagent. Ils en furent toutefois dépossédés un temps par Savonarole, qui s'en empara pour y installer le siège de son éphémère république florentine. Au XVIᵉ siècle, lorsque les Médicis s'installèrent au « nouveau » Palazzo Pitti, l'édifice prit le surnom de *palazzo Vecchio* (vieux). Bien plus tard, au moment de l'unification italienne (1865-1871), le palais servit un court moment de siège à la Chambre des députés. À l'intérieur, très belle cour à arcades ornées de stucs, avec la fontaine décorée du petit génie ailé de Verrocchio.

– La visite débute par la *sala dei Cinquecento,* salle immense avec un extraordinaire plafond à caissons peints. Créée à l'origine par Savonarole pour accueillir le Conseil de la république, elle fut utilisée par la suite comme salle d'audience par les Médicis. C'est pourquoi tous les thèmes choisis pour la décoration glorifient les Médicis (sur le médaillon du plafond, Cosme s'est même fait représenter en empereur romain !). Aux murs, fresques de Vasari racontant l'histoire de la ville et très belles statues du XVIᵉ siècle représentent les travaux d'Hercule. Seule celle de la *Victoire sur Sienne* (en face de l'entrée) est de Michel-Ange (admirable mouvement du personnage principal, le « Génie » dominant la force brutale). À droite, en entrant dans la salle, jetez un coup d'œil au *studiolo* de François Ier de Médicis : superbes fresques de Vasari et de ses collaborateurs, mais surtout magnifiques petits bronzes dans les niches (malheureusement difficiles à voir) par Jean de Bologne et Ammannati, notamment.

Avant de monter à l'étage, observez les très beaux plafonds des appartements de Léon X et les fresques.

– Ensuite, succession de salles et appartements aux plafonds et parois richement ornés de peintures maniéristes, et présentant de nombreuses œuvres (on ne sait plus quoi regarder, des salles ou des couloirs !) : sculptures sur bois polychromes, primitifs religieux dont la *Madonna dell'Umiltà* de Rossello di Jacopo Franchi. Petites sculptures d'Andrea della Robbia, adorable *Madonna e Bambino* de Masaccio et magnifique *Nativité* d'Antoniazzo Romano (XVe siècle).

Une fois à l'étage, vers la gauche, les salles ont moins d'intérêt (on passe toutefois devant un adorable *Chérubin au dauphin* de Verrochio) ; néanmoins, depuis la terrasse dite de Saturne, belle vue sur l'église de San Miniato et les collines environnantes.

On repasse alors au-dessus de la *sala dei Cinquecento* qu'on peut admirer à loisir pour visiter l'autre partie des appartements beaucoup plus intéressante (sur la droite).

Parmi les salles les plus marquantes :

– **Chapelle d'Éléonore,** ornée de fresques de Bronzino. Magnifique déposition de belle facture maniériste ! Orgie de plafonds peints et dorés, notamment dans la salle qui porte l'inscription « Florentia ».

– Les trois salles suivantes (Sabines, Esther et Pénélope) valent surtout pour leurs plafonds.

– **Chapelle des Prieurs,** décorée de peintures en fausse mosaïque. C'est là que Savonarole passa sa dernière nuit avant d'être supplicié.

– **Sala dell'Udienza** *(salle d'audience) :* les prieurs y recevaient les citoyens de la ville. Plafond assez outrageusement chargé. Fresques admirables d'une fraîcheur éclatante par Francesco Salviati, à notre avis un maniériste de plus grand talent que Vasari (notamment celle de la *Pesée des trésors de guerre*).

– **Salle du Lys :** juste en entrant, remarquable porte de marbre sculptée par Benedetto da Maiano (notamment le délicat *Saint Jean-Baptiste*) ; la salle abrite aussi l'une des plus grandes œuvres de Florence, le groupe *Judith et Holopherne,* sculpture en bronze de Donatello. Celle-ci trôna de 1494 à 1980 devant le Palazzo Vecchio, avant de partir en restauration, sérieusement victime des ravages du temps. Aux murs, à l'opposé de la porte de marbre, magnifiques fresques de Ghirlandaio. De cette salle également, belle vue sur le campanile, le *Duomo* et l'église de la Badia.

– On termine par plusieurs salles abritant la collection Loeser. Vaut surtout pour la seconde pièce avec un bel ange de Tino di Camaino, une superbe *Vierge à l'Enfant* de Pietro Lorenzetti et une *Madone à l'Enfant* d'Alonso Berruguete. Dans la dernière salle également, belle série de panneaux du Pontormo.

🏃🏃 **Orsanmichele** *(zoom D4) : via Arte della Lana, entre la piazza della Repùbblica et la piazza della Signoria. Ouv mar-ven 10h-17h, sam-dim jusqu'à 19h. Fermé lun.* La Vierge qui ornait cet ancien grenier à grain connut un tel succès qu'il fallut consacrer le bâtiment au XIVe siècle... Ce qui explique la forme peu habituelle de cette église (à deux nefs !). En revanche, une fois l'église consacrée au rez-de-chaussée, l'étage supérieur resta dédié au stockage du grain !

Tout autour, à l'extérieur, on perça des niches, ornées de statues réalisées par les plus grands artistes de l'époque. Chaque guilde de la ville avait été chargée de la réalisation d'une statue de son saint patron, si bien que ce bâtiment présente l'un des ensembles sculpturaux les plus importants et surtout les plus représentatifs de l'évolution stylistique. Via dei Calzaiuoli, on peut voir *Saint Jean-Baptiste* de Ghiberti (celui du baptistère), *Saint Thomas* (patron du tribunal des marchands) de Verrocchio, *Saint Luc* (patron des juges) de Jean de Bologne. Via Orsanmichele, on

À VOIR

trouve *Saint Pierre* (protecteur des bouchers) et *Saint Marc* (patron des drapiers) de Donatello. Via dell'Arte della Lana, superbe représentation dans le marbre du labeur des maréchaux-ferrants par Nanni di Banco.

À l'intérieur, les peintures du plafond ont conservé leurs couleurs éclatantes. Admirable *ciborium-retable* d'Andrea Orcagna, du XIVᵉ siècle, et belle *Madone* de Bernardo Daddi. Un détail intéressant, les trous situés dans les colonnes de gauche permettaient la livraison du blé directement du 1ᵉʳ étage au consommateur. Il est probable que le fait d'avoir consacré le rez-de-chaussée permettait de limiter les convoitises et la fraude...

🥾🥾 *Ponte Vecchio* (zoom D4) : il porte bien son nom, c'est le plus ancien de la ville (il existait déjà avant le Xᵉ siècle). Pas difficile cela dit, puisque l'armée allemande a fait sauter tous les autres le 4 août 1944 pour de nébuleuses questions stratégiques. Il est resté, à peu de choses près, tel qu'il était en 1345, date à laquelle il fut reconstruit et enrichi de boutiques et de maisons qui lui donnent son caractère bien particulier. À cette époque, des bouchers et poissonniers occupaient les lieux, mais la famille Médicis ne supportant plus l'odeur insoutenable de ces commerces les fit partir pour laisser place aux bijoutiers qui sont encore là aujourd'hui. Les maisonnettes étaient louées par l'État qui en récoltait une coquette somme. Le couloir au-dessus des maisons, qui relie les Offices au palais Pitti, date en revanche du XVIᵉ siècle. Si vous voulez bien le voir, passez-y le matin tôt (vers 7h-8h) ou le soir pour éviter la foule. Dans la journée, on le voit beaucoup mieux des autres ponts ! Petit détail qui a son importance pour les routards fauchés : une fontaine d'eau potable est disponible.

🥾🥾 *Museo del Bargello* (zoom D4) : *via del Proconsolo, 4. ☎ 055-238-86-06. Ouv 8h15-18h. Fermé 2ᵉ et 4ᵉ lun de chaque mois. Salle des petits bronzes et Salle d'armes fermées l'ap-m. Entrée à 4 € sf quand expos temporaires : 7 € ; réduc.*

C'est le Musée national de sculpture, installé depuis 1865 dans un très beau palais (appelé aussi *Palazzo del Podestà*). Édifice à l'aspect sévère du début du XIIIᵉ siècle, dominé par une tour crénelée de près de 60 m de haut. D'abord palais du Podestat (qui garantissait la liberté du peuple), il devint tribunal, prison et lieu de tortures au crépuscule de la démocratie florentine (fin XVIᵉ siècle). C'est une des visites les plus agréables de Florence car il y a souvent peu de monde et les chefs-d'œuvre y sont nombreux. C'est l'occasion de parcourir et de comprendre l'évolution de la sculpture florentine.

Rez-de-chaussée

– Dans la cour, à l'élégante architecture (difficile d'imaginer qu'elle servait jadis aux exécutions), œuvres de Bartolomeo Ammannati et adorable *Petit Pêcheur* en bronze (1877) de Vincenzo Gemito. *Canon de San Paolo* (1638) très ouvragé et orné de la tête de saint Paul, presque une œuvre d'art.

– Les salles du patrimoine médiévale contiennent théoriquement de magnifiques œuvres de Tino di Camaino, Arnolfo di Cambio... Elles sont toutefois le plus souvent dédiées aux expositions temporaires et les œuvres sont alors dispatchées dans le musée au 1ᵉʳ étage (salle du *Trecento*).

– **Salle du Cinquecento** (absolument magnifique mais à découvrir en dernier après la visite de l'étage pour des raisons chronologiques) *:* on y découvre des œuvres de jeunesse de Michel-Ange, dont *Bacchus* (la première sculpture importante de l'artiste) et *Madone avec Jésus et saint Jean,* mais également des compositions plus tardives comme *David,* ou le buste de *Brutus.* Également un buste de *Cosme Iᵉʳ* de Benvenuto Cellini (œuvre extrêmement maîtrisée), *Mercure* de Giambologna (Jean de Bologne) et des sculptures de Bandinelli, Ammannati, Vincenzo Danti, Tribolo, Jacopo Sansovino (le *Bacchus,* en particulier), Francavilla, Rustici.

1ᵉʳ étage

– La visite débute, en principe, par la **salle des Ivoires** : remarquable collection de petits ivoires ciselés (superbes diptyques), reliquaires, crosses d'évêque, coffrets sculptés. Prenez le temps de découvrir la qualité extrême de ces pièces pour la plupart d'origine française. Également, statuaire de bois polychrome : *Madone de la Miséricorde* (XIVᵉ siècle), art de l'Ombrie.

– *Salle Carrand* : elle rassemble la collection éclectique d'un riche donateur. Petites peintures flamandes du XVᵉ siècle dont de remarquables miniatures de Koffermans rappelant un peu les créatures fantastiques de Jérôme Bosch. Sinon, bel éventail de bijoux, émaux, merveilles de l'art limousin, serrures et marteaux de porte ouvragés, ou encore cette *Annonciation* et *Présentation au Temple* du Maître de la légende de sainte Catherine, les *Grotesques* d'Alessandro Allori, et des objets religieux. Avant de quitter la salle, profitez-en pour jeter un coup d'œil aux fresques admirables de l'ancienne chapelle.

– *Salle de la céramique polychrome et des beaux objets, dite aussi salle islamique* : olifant en ivoire sicilien du XIᵉ siècle, tapis et tissus anciens, casques turcs du XVᵉ siècle. Levez la tête pour découvrir le plafond à caissons.

– *Salle des sculptures* : c'est, avec la salle dédiée à Michel-Ange, le *must* du Bargello : superbe volume pour des œuvres majeures de Donatello en particulier, dont le célèbre *David,* en bronze, le *David* en marbre (une œuvre de jeunesse) et l'original du *saint Georges* d'Orsanmichele avec son fameux bas-relief où saint Georges délivre la princesse et terrasse le dragon. Les panneaux de bronze qui servirent au concours pour les portes du baptistère, par Ghiberti et Brunelleschi : la vivacité et la qualité de la mise en scène de Ghiberti sautent aux yeux, le *Sacrifice d'Isaac* de Brunelleschi est moins vivant, plus rigide... Nous sommes d'accord avec le choix des Florentins de l'époque ! Magnifiques coffres peints. Dans cette salle également, les sculptures des Florentins de la première moitié du *Quattrocento* valent le détour (Michelozzo, della Robbia, Agostino di Duccio...). Et de belles sculptures siennoises, par Vecchietta notamment.

– *Loggia* : nombres d'œuvres du bestiaire à plumes de Giambologna et le *Jason* de Pietro Francavilla, d'une grand finesse. Dans les salles de la verrerie et de la céramique : *Madone à l'Enfant* de Sansovino. Intéressante série de faïences de Castelli du XVIᵉ siècle, avec des bleus remarquables.

– *Salle du Trecento* : art florentin des XIIIᵉ et XIVᵉ siècles. Surtout Tino de Camaino, dont on remarquera *La Vierge et l'Enfant* (au torticolis). Également des œuvres de Simone di Francesco Talenti.

2ᵉ étage

– Ateliers de Luca et Andrea della Robbia, ainsi que de Buglioni, qui furent les grands représentants de la terre cuite émaillée. Explosion de couleurs et de charme !

– *Splendide salle d'armes (fermée l'ap-m)* : selles en os et ivoire ciselés, mousquets et arbalètes incrustés de nacre, or et ivoire. Armures, armes perses et turques du XVᵉ au XVIIᵉ siècle.

– *Salle Verrochio* : on y admire le superbe *David* de Verrocchio, dont la moue amusée due à la jeunesse le différencie du *David* de Donatello (au 1ᵉʳ étage), plus pensif, accomplissant sa tâche sans gloriole. À voir aussi de Verrocchio, la magnifique et sobre *Dame au bouquet*. Également des œuvres charmantes de Mino de Fiesole, Agostino di Duccio, Benedetto da Maiano...

– *Salle des petits bronzes (fermée l'ap-m)* : la présentation est un peu touffue. On y trouve pourtant de magnifiques bronzes d'artistes célèbres (Jean de Bologne, Pollaiolo...) qui méritent le détour, mais dont on ne profite malheureusement pas, car ils sont noyés dans la masse.

– *Salle baroque* : en restauration pour le moment.

🐾 **Chiesa Badia Fiorentina** *(église de la Badia Fiorentina ; zoom D4)* **:** *près du Bargello. Ouv lun 15h-18h slt. L'entrée se fait sur le côté, via Dante Alighieri.* À gauche en entrant, un chef-d'œuvre de Filippino Lippi, *L'Apparition de la Vierge à saint Bernard.* Sculptures du plafond splendides. Il a fallu 27 ans pour les réaliser. Œuvres sculptées de Mino da Fiesole (1464-1470). Les fresques du chœur, en trompe l'œil, sont de G. D. Ferretti (1733-1734).

À VOIR

🎨🎨 **Chiesa Santa Maria dei Ricci** *(zoom D3) : via del Corso. Tous les sam, concert d'orgue à 18h. Concerts classiques presque tlj à 21h15.* ☎ *055-28-93-67. La vente des billets commence 1h avt le début du concert. Voici un excellent moyen de profiter de la beauté de l'église !* Voilà un amour de petite église qui cultive une mise en lumière géniale. Ce qui marque d'abord, c'est l'absence de retable. À la place, un délire baroque où des angelots plus dorés les uns que les autres nagent dans une mer de nuages argentés. On sent vraiment que quelqu'un s'est ingénié à mettre en valeur la décoration. Ici, un rayon de lumière fend la pénombre pour atterrir sur une petite statuette timide, là, dans son alcôve damassée de velours bordeaux, un christ fait de l'œil à un gisant d'une blancheur luisante. Remarquer d'ailleurs les proportions étranges de ce dernier : ses membres inférieurs et sa tête sont manifestement disproportionnés par rapport au thorax.

À voir encore dans le centre historique *(zoom D3-4)*

Autour de la piazza della Signoria, sans être aussi spectaculaires que les précédents, voici quelques sites ou monuments dignes d'intérêt :

🎨 **Loggia del Mercato Nuovo** *(zoom D4) : via Porta Rossa.* Édifiée au XVIᵉ siècle, avec hautes arcades et pilastres d'angle. Célèbre pour sa *fontaine du Porcelet (del Porcellino)* du XVIIᵉ siècle, sanglier de bronze très expressif. Lui caresser le groin porte bonheur, paraît-il !

🎨 **Palazzo Davanzati** *(zoom C-D4) : via Porta Rossa, 13.* Palais à l'aspect sévère, bel exemple d'une demeure de grand bourgeois du XIVᵉ siècle. Fermé pour travaux.

🎨 **Palazzo Strozzi** *(zoom C3) : entre la piazza Strozzi et la via dei Tornabuoni. Ouv tlj 9h-20h. Abrite des expos temporaires, prix selon l'expo.* Exemple typique de la puissance montante de certains Florentins qui voulaient, au XVᵉ siècle, rivaliser avec les Médicis. Façade à bossages massifs. Très belle corniche.

🎨 **Piazza Santa Trinità** *(zoom C4) :* vous y trouverez un ensemble architectural assez rare comprenant une colonne provenant des thermes de Caracalla (au centre de la place), puis l'église baroque *Santa Trinità,* le *Palazzo Bartolini-Salimbeni* du XVIᵉ siècle (y pointent déjà des éléments de l'époque baroque), le *Palazzo Spini-Ferroni* (du XIIIᵉ siècle, à l'allure de forteresse), le *Palazzo Gianfigliazzi* (à côté de l'église).

🎨 **Chiesa Santa Trinità** *(zoom C4) :* ☎ *055-21-69-12. Ouv 8h-12h, 16h-18h.* Très agréable, reposante, l'éclairage des œuvres est gratuit (à l'exception des fresques de Ghirlandaio). On entre dans l'église par le transept droit. À droite en entrant, les magnifiques fresques de Ghirlandaio. À gauche en entrant, magnifiques fresques également de Lorenzo Monaco. Traversez l'église vers le transept gauche. Dans la chapelle de droite, le tombeau de Federighi (lui-même sculpteur) par Luca della Robbia et à gauche une belle *Marie-Madeleine* par Desiderio da Settignano. Les chapelles gauches de la nef (quand on fait face au chœur) contiennent de très belles fresques et peintures.

🎨🎨 **Museo di Storia della Scienza** *(musée d'Histoire de la Science ; zoom D4) : piazza dei Giudici, 1.* ☎ *055-26-53-11.* ● *imss.fi.it* ● *En été, ouv 9h30-17h (13h mar et sam) ; en hiver ouv 9h30-17h (13h mar). Fermé dim (ouv le 2ᵉ du mois, oct-mai) et j. fériés. Entrée : 6,50 € ; 7,50 € avr-sept.*
Installé depuis 1930 dans l'un des plus vieux édifices de Florence (le *Palazzo Castellani*), ce musée passionnant abrite l'une des plus riches collections d'instruments scientifiques du monde. La qualité des pièces témoigne de la passion des grands de Florence pour le monde des sciences, en particulier sous le règne du grand-duc Ferdinand au XVIIᵉ siècle. Protecteur de Galilée, cet érudit atypique en était même arrivé à négliger les affaires courantes de l'État ! Pas moins de 1 500 piè-

ces datées du XVe au XIXe siècle sont exposées de manière didactique, réparties par thèmes dans une vingtaine de salles aérées. On y voit, par exemple, la lentille du télescope avec lequel Galilée découvrit les satellites de Jupiter, ainsi qu'un globe de verre contenant... un doigt de l'illustre savant. Un peu plus loin, amusez-vous avec ce portrait d'homme qui, réfléchi dans un miroir, vous montre une femme ! Et toutes sortes d'instruments savants délicatement ciselés jalonnent le parcours, sérieux comme ces beaux compas et ces cadrans solaires, surprenants comme cette lunette en ivoire pour dame... assortie d'un poudrier ! Pour finir, les remarquables globes terrestres et les subtils mécanismes à mesurer le temps précèdent quelques salles plus éprouvantes, consacrées à la chirurgie et à l'obstétrique.

Pour les insatiables

% *Casa di Dante* (zoom D3) : via Santa Margherita, 1. ☎ 055-21-94-16. *Ouv mar-sam 9h-17h (18h été) et dim 10h-13h (16h 1er dim du mois). Fermé lun et dernier dim du mois. Entrée : 4 €.*
Dans la partie la plus ancienne de Florence, une maison-musée qui intéressera essentiellement ceux qui marchent sur les traces du célèbre auteur de *La Divine Comédie.*
Enfin, sachez que le seul portrait jamais authentifié de Dante se trouve dans... un restaurant, non loin du Bargello ! Le très chic et cher *Alle Murate (via del Procon-*

> ### DANTE À TERRE
> *Détail amusant : lors de la restauration qui eut lieu au XIXe siècle, on plaça au sol, environ 6 mètres devant le mur de la maison et le buste incrusté, un pavé, plus ou moins rectangulaire, à l'effigie de Dante. Plongez le nez vers le sol et regardez bien.*

solo, 16 r ; ☎ 055-24-06-18), censé être excellent à condition de casser sa tirelire. Récemment restauré, il se visite *(tlj, sf lun, avant 17h, entrée : 8 €, sur résa).* La visite est bien sûr gratuite si vous mangez sur place.

% *Oratorio dei Buonomini di San Martino :* en face de la Casa di Dante. *Ouv tlj 10h-12h, 15h-17h (fermé lun ap-m).* Fondée en 1441 par la confrérie des Buonomini (les hommes bons), dirigée par San Martino, qui venait en aide aux « démunis mais dignes ». Lorsque l'ordre manquait cruellement d'argent, une bougie était allumée devant la porte, signifiant « nous en sommes réduits à cette petite lueur ». La charité du voisinage jouait alors son rôle. Fresques d'origine du XVe siècle, remarquablement conservées représentant la vie de San Martino (dont on voit le portrait au-dessus de la porte extérieure).

% *Museo nazionale di Antropologia e Etnologia* (zoom D3) : via del Proconsolo, 12. Pour les amateurs de beaux objets exotiques.

% % *Museo Leonardo da Vinci :* via Cavour, 21. ☎ 055-29-52-64. *Ouv tlj 9h30-19h30. Entrée : 5 € ; réduc.* Trois petites salles dans lesquelles des machines de Leonardo construites d'après dessin ont été fabriquées. De quoi prouver, une fois de plus, le génie de cet homme. S'il en était encore besoin.

% Enfin, le *Museo Firenze com'era* (zoom E3), via dell'Oriuolo, 24. ☎ 055-261-65-45. *Ouv lun-mar 9h-14h (et mer en hiver), sam 9h-19h. Entrée : 2,70 €.* Montre le développement urbain de Florence, du XVe au XXe siècle.

DANS LE QUARTIER DE SANTA CROCE (plan général E-F3-4 et zoom E4)

% % % *Basilica di Santa Croce e museo dell'Opera* (plan général E4) : piazza di Santa Croce. ☎ 055-246-61-05. *Ouv 9h30 (13h dim et j. fériés)-17h30. Ticket com-*

biné : 5 €. Plan en français disponible à l'accueil. Visite à commencer tôt le matin !
Tenue décente obligatoire. Également l'école du Cuir, *fondée par les moines fran-*
ciscains (voir la rubrique « Achats » dans « Florence utile » en début de guide).
Peut-être le plus intéressant des édifices religieux de Florence. Il s'élève au fond
d'une vaste place très caractéristique de la ville, bordée de palais aux élégants
encorbellements.

On conseille de venir de bonne
heure, si vous voulez rêver un
peu... avant l'arrivée massive des
touristes en visite organisée.
Santa Croce fut construite pour
l'ordre des franciscains à la fin du
XIIIᵉ siècle, mais la façade en marbre blanc de style néogothique
(totalement rajeunie pour le jubilé)
date du XIXᵉ siècle. Santa Croce
doit également son immense célé-
brité aux nombreux personnages
illustres qui y sont enterrés et en
font un véritable panthéon toscan,
voire italien. L'église profite actuellement d'un ambitieux pro-
gramme de restauration, effectué
par roulement pour ne pas pénali-
ser les visiteurs. Par conséquent,
certaines œuvres décrites ci-dessous peuvent être momentané-
ment inaccessibles.

> ## FOUS DE FOOT
>
> *L'un des palais de cet ensemble remar-*
> *quable, le Palazzo dell'Antella, présente*
> *des traces de jolies fresques. À l'époque*
> *médiévale, c'est dans cet espace, alors*
> *hors les murs, que les Florentins se ras-*
> *semblaient pour écouter les prédica-*
> *teurs franciscains, participer aux fêtes*
> *populaires et assister aux différentes*
> *joutes princières. On y jouait notam-*
> *ment au fameux* calcio, *jeu de ballon*
> *local des plus virils, qui oppose les qua-*
> *tre quartiers d'origine de la cité depuis*
> *le XVIᵉ siècle. Et, comme les Transal-*
> *pins avaient déjà la passion du ballon*
> *rond, le siège de Charles Quint en 1530*
> *n'empêcha pas les équipes de s'affron-*
> *ter sous la mitraille !*

À l'intérieur, commencer la visite par le portail principal pour mieux apprécier les
volumes. L'église est très large, de style simple et rigoureux, et coiffée d'une charpente de bois pour se conformer à la tradition des ordres mendiants. Dès l'entrée,
l'une des deux statues qui, dit-on, inspirèrent à *Bartholdi* sa statue de la Liberté de
New York. Belle chaire sculptée du XVᵉ siècle par Benedetto da Maiano. Au sol,
nombreuses belles dalles funéraires en marbre parfois masquées pour les protéger
du piétinement des visiteurs. Dans le bas-côté droit (face au chœur), on rencontre
d'abord le tombeau de Michel-Ange (par Vasari, qui a sculpté le buste de l'artiste à
partir de son masque mortuaire), puis le cénotaphe de Dante (il est enterré à
Ravenne). On trouve ensuite le tombeau du poète Alfieri (par Canova), celui de
Machiavel et celui de Rossini. Le bas-côté gauche abrite pour sa part celui de Galilée (belles fresques XIVᵉ autour), la pierre funéraire de Lorenzo Ghiberti (auteur des
portes du baptistère) et les plaques commémoratives de Raphaël (enterré à Rome)
et de Léonard de Vinci (enterré à Amboise). Toujours dans ce bas-côté gauche, un
beau monument funéraire de Carlo Marsuppini par Desiderio da Settignano.

– *Le transept gauche* est malheureusement réservé à la prière. Au fond du transept, un beau crucifix de Donatello et, dans la chapelle du fond, superbes fresques
de Maso di Banco, un élève de Giotto. Également, belles fresques du giottesque
Bernardo Daddi dans la chapelle juste avant. Enfin, remarquez l'*Assomption* de
Giotto et l'intéressant retable en terre cuite émaillée de Giovanni della Robbia (quelle
famille !).

Sur l'autel du *chœur principal* : grand polyptyque du XIVᵉ siècle représentant la
Vierge, les Saints et les Pères de l'Église, immense crucifix peint par le maître de
Figline (élève de Giotto, encore un !). Les superbes fresques du chœur, illustrant le
cycle de la croix d'après la *Légende dorée* de Jacques de Voragine, par Agnolo
Gaddi (fils de Taddeo), sont malheureusement en restauration. *On peut les voir sur*
résa ven-dim par petit groupe (10 €/pers).

– *Le transept droit :* tout de suite à droite du chœur, les célèbres chapelles Bardi et
Perruzi, couvertes de fresques par Giotto. Dans la première chapelle à droite du

chœur, *Scènes de la vie de saint François*. Noter comme les personnages prennent du relief. Sur la voûte, on reconnaît la Pauvreté, la Chasteté et l'Obéissance, vertus qui caractérisent l'ordre franciscain. Dans la chapelle voisine, *Scènes de la vie de saint Jean-Baptiste* (toujours par Giotto).

Au fond, à droite du transept droit, *chapelle Castellani* (scènes de la vie de plusieurs saints par Agnolo Gaddi) *et Baroncelli-Giugni* (fresques superbes de la *Vie de la Vierge* par Taddeo Gaddi en 1332, un des élèves les plus doués de Giotto, en restauration). Au fond du transept droit, un couloir mène à la sacristie. Avant d'y entrer, magnifique déposition d'Alessandro Allori. Dans la sacristie, murs décorés de fresques, dont une superbe *Crucifixion* par Taddeo Gaddi et les *Scènes de la vie de la Vierge* par Giovanni da Milano dans la petite chapelle Rinuccini. À côté, l'*école du Cuir* où l'on voit les artisans travailler. À noter, au fond du couloir de l'école, une délicieuse annonciation à fresque.

Depuis la nef, une autre passage débouche sur un *cloître* du XIVe siècle flanqué de la fameuse et somptueuse *chapelle des Pazzi*, de style Renaissance, construite par Brunelleschi (l'auteur du dôme de la cathédrale). Intérieur d'une très grande austérité, décoré de médaillons en terre cuite de Luca della Robbia figurant les apôtres et les évangélistes. Élégance, sobriété, force et équilibre, cette chapelle incarne parfaitement le miracle du *Quattrocento* florentin.

À gauche, en sortant de la chapelle, un autre *cloître,* dessiné également par Brunelleschi. Enfin, l'ancien réfectoire abrite le ***museo dell'Opera.*** On y trouve nombre d'œuvres qui décorèrent autrefois l'église. Les salles de gauche n'ont pas un grand intérêt si ce n'est pour les passionnés : quelques sculptures d'un des plus grands sculpteurs du XIVe siècle, le Siennois Tino di Camaino. On entre ensuite dans la ***salle des vitraux.*** Juste à gauche en entrant, une superbe *Vierge allaitante* anonyme (mais quel talent !) et, au fond de la salle, le célèbre triptyque *Baroncelli* de Giotto. Enfin, une grande salle contenant le fameux *Christ en croix* de Cimabue qui, bien que restauré, porte encore les traces de la terrible inondation de 1966. À gauche en entrant, belle fresque de Domenico Veneziano représentant saint François et saint Jean-Baptiste. Magnifique *Saint Louis de Toulouse* par Donatello. Enfin, au fond, vestiges d'une fresque d'Orcagna évoquant *L'Enfer et le Triomphe de la mort,* et immense *Arbre de vie* et la *Cène* de Taddeo Gaddi.

🏃🏿 ***Museo della Fondazione Horne*** *(zoom E4) : via dei Benci, 6.* ☎ *055-24-46- 61. Ouv 9h-13h (vente des billets jusqu'à 12h). Fermé dim et j. fériés. Entrée : 5 €. Se munir à l'entrée d'un guide (prêté) détaillant les différents objets exposés, en anglais et en italien slt. Les œuvres sont décrites de haut en bas et de gauche à droite en entrant dans les pièces. Pour vous faciliter la visite, nous vous indiquons les numéros des œuvres que nous avons particulièrement remarquées.*

Occupe le petit *Palazzo degli Alberti,* une belle demeure patricienne caractéristique de la première renaissance florentine, construite au XVe siècle pour des riches marchands d'étoffes. Ce musée méconnu présente la belle collection d'un esthète londonien installé à Florence, Herbert Percy Horne. L'homme, historien de l'art, eut le bon goût de disposer ses œuvres dans un environnement approprié, en garnissant les appartements de meubles d'époque pour restituer l'atmosphère de la Renaissance. Une reconstitution fidèle qui justifie déjà une visite ! Quant à la collection, elle regroupe de magnifiques peintures, œuvres des meilleurs maîtres italiens.

– Au 1er étage, dans la grande salle, remarquez, parmi les œuvres exposées, la petite *Sainte Catherine d'Alexandrie* (n° 51) de Luca Signorelli, une sainte famille siennoise, *La Femme de Lot* (n° 7) de Francesco Furini, de belles petites crucifixions dans l'armoire en verre, le *Saint Jérôme* (n° 31) par Piero di Cosimo et trois saints par Lorenzetti. Dans la petite salle à droite en entrant, magnifique *tondo* (sorte de tableau de forme circulaire généralement placé au plafond) de Beccafumi. À droite dans cette même salle, un magnifique coffre de mariage peint. Dans la petite salle du fond, le superbe *Saint Stéphane* (n° 52) de Giotto, tableau devenu l'emblème du musée (c'est surtout pour lui que la majorité des visiteurs se déplace). On y trouve aussi, entre autres œuvres remarquables, une sainte famille de Lorenzo

di Credi, un buste de Giambologna, un superbe Beccafumi (n° 79) entouré de deux très beaux christs anonymes. Enfin, un beau buste en terre cuite du XVe siècle.
– Au 2nd étage, dans la petite salle, juste à droite en entrant, des instruments de calculs et des couverts d'époque. Dans la salle de gauche, sur le mur de droite en entrant, *Tobias, Raphaël et St Jérôme* de Neri di Bicci et une copie du portrait du duc Federico da Montefeltre (n° 87) par Piero della Francesca (l'original est aux Offices). Dans la salle principale, ne pas rater le petit christ de Filippo Lippi (caché dans une vitrine d'angle au fond à gauche, avec juste en dessous un petit coffre pour collectionneur de pièces) et l'admirable diptyque de Simone Martini (très belle *Vierge à l'Enfant* sous verre). Toujours de Lippi, *La Reine Vasti quittant le Palais* (n° 41), tout à fait admirable. Avant de quitter la maison, tentez de regarder les élégants chapiteaux sculptés de la cour intérieure, en restauration lors de notre dernier passage. Une visite reposante, loin des foules...

𝄞 🚶 *Casa Buonarroti* (plan général E4) : via Ghibellina, 70. ☎ 055-24-17-52. Ouv 9h30-14h sf mar. Fermé le dim de Pâques, à Noël et 1er janv. Entrée : 6,50 €. Il s'agit de la maison de Michel-Ange, ou plutôt de celle qu'il avait achetée, car il n'y résida guère. Au XVIIe siècle, son petit-neveu, Michel-Ange le Jeune, décida de la dédier au génie de son grand-oncle. On y trouve des œuvres de jeunesse de l'artiste, dont la célèbre *Vierge à l'escalier* et la *Bataille des centaures.* La maison expose aussi, par roulement, quelques-uns de ses croquis. À ce propos, Vasari raconte que Michel-Ange, peu avant sa mort, détruisit bon nombre de ses ébauches et brouillons de peur que la postérité ne découvre que son geste n'était pas toujours... parfait.

𝄞𝄞 *Sinagoga e Museo di Storia e Arte Ebraici* (synagogue et musée d'Histoire et d'Art hébraïques ; plan général F3) : via Luigi-Carlo Farini, 4. ☎ 055-234-66-54. Dim-jeu 10h-17h (18h juin-août, 15h nov-mars), ven 10h-14h. Entrée : 5 €. C'est la plus grande synagogue d'Italie, et l'une des plus belles, construite à la fin du XIXe siècle dans une sorte de style mozarabe, avec des lignes élégantes. Belle façade où alternent marbres blanc, rose et rouge (que l'on retrouve au sol à l'intérieur), surmontée d'un dôme de couleur verte, le cuivre d'origine ayant viré de couleur qui tranche bien sur l'ensemble. L'intérieur entièrement peint avec une coupole superbe, rappelle les formes et les volumes byzantins. Un guide pourra vous expliquer (gratuitement) les traditions hébraïques, avec pièces à l'appui, dans le petit musée à l'étage.

🍴 Tout à côté, le restaurant **Ruth's,** le seul restaurant casher de la ville. Ouv tlj sf sam. Autour de 25 €/pers. Plats italiano-orientaux.

DANS LE QUARTIER DE LA GARE CENTRALE, DE SANTA MARIA NOVELLA ET DE SAN LORENZO (plan général B-C-D3)

𝄞𝄞 *Chiesa Santa Maria Novella* (plan général C3) : piazza Santa Maria Novella. ☎ 055-264-51-84. Ouv 9h (13h ven, dim et j. fériés)-17h. Entrée : 2,50 €. Église édifiée par les dominicains à partir du XIIIe siècle. Remarquable façade en marbre polychrome. Sur la droite, l'ancien cimetière de la noblesse florentine. À l'intérieur, nombreuses fresques inspirées de *La Divine Comédie* de Dante. Dans la nef centrale, au-dessus de l'entrée, une *Nativité* à fresque de Botticelli. Au milieu, un crucifix suspendu, peint par Giotto. Dans la nef à gauche (juste après la chaire), la *Sainte-Trinité* de Masaccio (1424-1425), où l'artiste introduit un effet de trompe-l'œil (plafond à caissons, cadre en arc de triomphe) qui rappelle la structure intérieure de l'église elle-même. Les deux personnages agenouillés et priant, au premier plan, sont le commanditaire de l'œuvre et sa femme. Derrière le maître-autel, extraordinaires fresques de Domenico Ghirlandaio sur la vie de la Vierge. Scènes d'extérieur et d'intérieur d'une fraîcheur réaliste, plongée unique dans le quotidien du XVe siècle florentin. À droite, chapelle de Filippo Strozzi et fresques de Filippino Lippi (finies en 1502), qui comptent parmi les plus étonnantes de l'artiste (*Vie de saint Philippe* à droite et *Vie de saint Jean l'Évangéliste* à gauche). À gauche du chœur, la chapelle Gondi avec un magnifique *Christ en croix* par Brunelleschi. Dans la sacristie (vers le fond, à gauche) : un lavabo tout en couleurs de Giovanni della Robbia.

¶ *Museo di Santa Maria Novella* (plan général C3) : à gauche de l'église. ☎ 055-28-21-87. Ouv 9h-17 (14h j. fériés). Fermé ven et dim. Entrée : 2,70 €. On pénètre d'abord dans le *cloître vert* (ainsi nommé à cause des nuances vertes des terres de Sienne utilisées), dont les fresques sur le déluge sur le côté droit en entrant sont attribuées à Paolo Uccello. Quelle modernité malgré le mauvais état de conservation ! Découvrir, au fond, la remarquable *chapelle des Espagnols,* recouverte de fresques datant de 1365 par le Florentin Andrea Buonaiuto. La *Crucifixion* est à voir. Petit musée avec bustes-reliquaires (du XIVe siècle), tapisserie florentine très ancienne, fragments de fresques d'Andrea Orcagna, belle orfèvrerie religieuse, *Cène* d'Alessandro Allori, etc.

¶¶ ♿ *Officina Profumo Farmaceutica di Santa Maria Novella* (plan général C3) : via della Scala, 16 n. ☎ 055-21-62-76. Ouv lun-sam 9h30-19h30, dim 10h30-18h30. Fermé en août.

Poussez la porte de cette superbe maison et découvrez l'une des plus anciennes pharmacies du monde, fondée par les pères dominicains. Déjà au XIIIe siècle, ils fabriquaient de l'eau de rose contre la peste (assez peu efficace, il faut l'avouer). On y élabore toujours, à la manière des dominicains, des essences, des pommades, des savons, des shampoings. Tout est à base de plantes. Les fleurs sauvages viennent des environs immédiats de Florence et sont mises à sécher des mois entiers dans des jarres en terre cuite.

Cette officine est unique au monde et son catalogue fait rêver. Élisabeth II, la reine d'Angleterre,

> ## L'EAU DE FLORENCE... À COLOGNE
>
> *Suite à une commande de Catherine de Médicis, Giovanni Paolo Feminis, qui œuvrait à l'Officina de Santa Maria Novella, mit par écrit la recette d'une eau fraîche et citronnée, à la fois parfumée et curative (elle soignait même... les maux d'amour). Lorsque la reine quitta l'Italie pour la France, elle emmena avec elle son parfumeur et le breuvage (à l'époque, on en mettait jusque dans la soupe) prit le nom d'Eau de la Reine. Ce n'est qu'en 1725 que la mystérieuse formule prit le nom de la ville qui accueillit Feminis lorsqu'il quitta la Cour : l'Eau de Cologne.*

À VOIR

y commanderait tous ses produits. Prix évidemment très élevés, mais venez au moins admirer ses vitrines en noyer du XVIe siècle, ses voûtes ornées de fresques et ses statues veillant sur les rangées de pots pharmaceutiques hors d'âge.

¶ *Chiesa di Ognissanti* (plan général B3) : piazza Ognissanti, le long de l'Arno. Belle église, un peu chargée, décor plutôt baroque. Beau plafond peint malheureusement difficile à voir à cause de l'éclairage. Dans la nef, sur la gauche, belle fresque du XVIe siècle ; sur la droite une très belle *Pietà* réaliste (d'inspiration flamande) par Ghirlandaio. Mais surtout, au milieu de la nef, à droite, le célèbre *Saint Augustin* de Botticelli et à droite encore le non moins célèbre *Saint Jérôme* de Ghirlandaio. La sacristie de l'église est toujours fermée au public. Le cloître se visite (lun-mar et sam 9h-12h). Entrée indépendante à gauche du portail principal. On peut y admirer une magnifique *Cène* (dans le réfectoire bien sûr) toujours de Ghirlandaio.

¶¶ *Chiesa San Lorenzo* (plan général D3) : piazza San Lorenzo. ☎ 055-21-66-34. Ouv lun-sam 10h-17h, dim et j. fériés 13h30-17h30 (fermé dim oct-mars). Entrée : 2,50 €.

L'une des églises les plus importantes de Florence avec un décor intérieur à ne pas manquer. Édifiée en 1425 par Brunelleschi, l'auteur du dôme de la cathédrale (il faut dire que le commanditaire n'était autre que la famille Médicis). À sa mort, on prit d'autres architectes pour achever la façade (dont Michel-Ange), mais les problèmes techniques et les difficultés d'approvisionnement en marbre les arrêtèrent. À l'intérieur, plan de basilique à 3 nefs. Décor de marbre froid et élégant tout à la fois, et impression d'équilibre et d'harmonie car toutes les proportions furent calculées mathématiquement.

– Dans la nef en entrant à droite, dans le chœur de la seconde chapelle, un superbe *Mariage de la Vierge* par Rosso Fiorentino. Au centre de la nef les deux ambons en bronze de Donatello (à gauche l'ambon de la passion et à droite celui de la résurrection). Surtout, prenez le temps de regarder les détails, c'est fantastique. Il s'agit d'une œuvre majeure de la sculpture italienne, sorte de testament artistique d'un Donatello âgé et malade. Superbe fresque de Bronzino à gauche, juste avant le transept, figurant le *Martyre de saint Laurent*.

– *L'ancienne sacristie :* au fond du transept gauche. À ne pas rater. Produit des immenses talents de Brunelleschi (architecte) et de Donatello (décorateur sculpteur), c'est l'un des plus grands chefs-d'œuvre de la Renaissance. Admirables panneaux de bronze des portes de la sacristie. Tout de suite à gauche de l'entrée, sarcophage des fils de Cosme l'Ancien. Joli travail en porphyre et bronze de Verrocchio. Ce sarcophage est peint par Léonard de Vinci sur son *Annonciation* à la Galerie des Offices. Au milieu de la sacristie, sarcophage en marbre blanc des parents de Cosme l'Ancien. Tout le reste est l'œuvre de Donatello : le petit lavabo dans la chapelle de gauche, la frise de chérubins, les médaillons qui cernent la coupole, les évangélistes dans les tympans, les bas-reliefs en terre cuite au-dessus des portes de bronze, le buste sur le meuble à droite de l'entrée.

Dans le transept, la première chapelle à gauche (dos au chœur) contient un autre chef-d'œuvre, l'*Annonciation* par Filippo Lippi, tandis que dans la première chapelle de droite (toujours dos au chœur) voir également une *Annonciation* sculptée en perspective avec un superbe *Christ mort* en dessous par Desiderio da Settignano (1461).

– *Le cloître :* accès par la chapelle Martelli (où est enterré Donatello) ou directement de l'extérieur, sur le côté de l'église. Même entrée que la bibliothèque Laurentienne.

🎥🚶 **Biblioteca medicae Laurenziana** (bibliothèque Laurentienne ; *plan général D3*) : piazza San Lorenzo, 9. *Ouv 9h30-13h30 sf sam*. Partiellement fermée pour restauration, elle accueille des expos temporaires pour le moment. *Entrée : 3 €, billet combiné avec l'église : 5 €*. Créée par Cosme l'Ancien et enrichie par Laurent le Magnifique. Le vestibule fut dessiné par Michel-Ange et achevé par Ammannati. Lors de sa réouverture, on devrait y trouver des manuscrits de Virgile, des écrits de Pétrarque, des autographes de Léonard de Vinci.

🎥🚶 **Cappelle Medicee** (chapelles des Médicis ; *plan général D3*) : piazza Madonna d'Aldobrandini (derrière l'église San Lorenzo). ☎ 055-238-86-02. *Ouv lun-ven 8h15-17h. Fermé les 1ᵉʳ, 3ᵉ et 5ᵉ lun du mois, ainsi que les 2ᵉ et 4ᵉ dim*. *Entrée (un peu chère, vu les travaux à l'intérieur) : 6 €. Audioguide : env 4 €*.

Cette vaste crypte abrite de nombreux tombeaux de la famille des Médicis. Sous coupole, les sarcophages des grands-ducs en granit égyptien constituent un décor vraiment grandiose, d'un aspect funèbre impressionnant. Somptueux autel en marbre avec un impressionnant travail de marqueterie. Quelques reliques dans la petite salle à gauche de l'autel.

Près de la sortie, un couloir mène à la chapelle funéraire qui abrite les tombeaux de Laurent et Julien de Médicis. Ils sont chacun représentés dans une niche au-dessus de leurs tombeaux. Ceux-ci sont ornés de statues couchées, personnifiant les différents moments du jour : l'Aurore et le Crépuscule pour Laurent et le Jour et la Nuit pour Julien. Réalisées à partir de 1525, ces œuvres font partie des plus beaux chefs-d'œuvre de Michel-Ange.

– Au n° 21 via Taddea, la maison de Carlo Lorenzini detto Il Collodi... le papa de Pinocchio ! Ne se visite pas.

DANS LE QUARTIER DE SANTISSIMA ANNUNZIATA ET DE SAN MARCO (plan général D-E2-3)

¶¶¶ **Palazzo Medici Riccardi** (plan général D3) : via Cavour, 3. ☎ 055-276-03-40. Ouv 9h-19h sf mer. Entrée : 5 € ; réduc. Attention, visite de la chapelle par groupes de 7 pers maxi, pour une durée de 10 mn.

Aujourd'hui voué à un rôle administratif, ce palais construit pour les Médicis au XVᵉ siècle (puis vendu aux Riccardi) abrite une splendeur méconnue, la fresque de **La Procession des Rois mages** par Benozzo Gozzoli, cachée à l'étage dans la chapelle comme pour se protéger des regards extérieurs. Réalisée à partir de 1459, cette composition éclatante de couleurs illustre le cheminement des Rois mages vers la grotte de Bethléem ; elle subit dès la fin du XVIIᵉ siècle une première altération : vous remarquerez le décrochement du mur ouest, qui coupe les fresques de Balthazar et Melchior.

Cosme l'Ancien a choisi ce thème parce qu'il parrainait la confrérie des Mages, lesquels symbolisaient à l'époque « les parfaits vassaux du Grand Roi », c'est-à-dire de Dieu. Ils étaient également vénérés comme saints patrons des rois et des chevaliers : se placer sous leur protection n'est donc pas un acte anodin... D'autant moins que l'une des curiosités de la fresque, outre sa beauté, est de reprendre la symbolique des trois âges des rois, qui se lit le dos tourné à l'autel : sur votre gauche, Gaspar, le mage enfant ; face à l'autel, Balthazar, le mage adulte, et sur votre droite, Melchior, le vieux mage. Ces âges rappellent aussi l'histoire de la famille de Médicis : on reconnaît dans la suite de Gaspar les portraits de Piero et Carlo, fils de Cosme, mais aussi Cosme lui-même âgé, ainsi que le très jeune Lorenzo (futur Laurent le Magnifique)... L'artiste s'est également plu à faire figurer des Florentins contemporains du commanditaire dans la procession : noter la finesse et la précision de ces visages, comparés au modelé beaucoup plus classique (mais tout aussi délicat) des visages des anges en adoration, représentés sur les murs de l'abside. Les détails fourmillent, mais pour en savoir plus, un ingénieux système vidéo installé au rez-de-chaussée livre tous les secrets de cette œuvre remarquable.

À voir également au 2ᵉ étage du palais (accès par un autre escalier) la très délicate **Vierge à l'Enfant** de Filippo Lippi. Passez derrière le tableau, la tête d'homme dessinée à l'arrière est également attribué à Lippi. Mais aussi : la salle des Quatre Saisons où se réunit le Conseil provincial, la galerie baroque décorée par Luca Giordano, un chef d'œuvre qui fourmille de détails et de scènes mythologiques. Admirez également les glaces peintes de Putti et la bibliothèque Riccardiana (qui abrite de belles boiseries et qui est toujours en activité).

¶¶¶ **Galleria dell'Accademia** (galerie de l'Académie ; plan général D-E2) : via Ricasoli, 60. ☎ 055-238-86-09. Au nord du Duomo. Ouv tlj sf lun 8h15-18h50. Fermé 1ᵉʳ janv, 1ᵉʳ mai et 25 déc. Entrée : 6,50 € ; réduc. Attention, mieux vaut réserver (+ 3 €). Billet combiné avec le Museo dell' Opificio delle Pietre dure : 7 €. Loc d'audioguides en français : 5 €.

L'un des incontournables du circuit artistique florentin. Dans la première salle, qui présente au centre une copie en plâtre de l'enlèvement des Sabines de Jean de Bologne (visible dans la loggia de la piazza della Signoria), l'éclairage est franchement décevant, mais on y découvre de superbes peintures.

À gauche en entrant, deux grands tableaux du Pérugin, une Assomption et une Descente de la Croix, un touchant diptyque de Lippi représentant Marie-Madeleine et St Jean Baptiste vieillissants, deux beaux prophètes de Fra Bartolomeo. Sur le mur du fond un grand tableau de Giovanni Antonio Sogliani avec des Dottore de l'Église discutant pour savoir si la Vierge est soumise au péché originel. Également un magnifique tondo représentant une Vierge à l'Enfant par Francabiagio. Sur le mur de droite, des toiles florentines du XVᵉ siècle. Sur le mur d'entrée (il faut se

À VOIR

retourner donc), deux tableaux attribués à Botticelli tout à fait charmants (*Madone de la mer* et *Vierge à l'Enfant et saints*) et deux *Annonciations* intéressantes par le Pérugien et Bicci.

Vous entrez alors dans la salle abritant des œuvres majeures de Michel-Ange, comme les statues inachevées des *Captifs* ou *Esclaves,* où l'on décèle déjà, dans ces visages à peine dégrossis, l'angoisse et la rage et une belle *Pietà* où le Christ est très touchant dans la mort. Juste avant le *David,* à gauche, se trouve la *Vénus et l'Amour* de Pontormo (vers 1532), peint sur un dessin préparatoire de Michel-Ange. Mais, bien sûr, le célèbre *David* reste l'œuvre phare qui justifie les longues heures de queue.

Entièrement rénové en 2004, ce formidable athlète de 5,5 t et de 5,17 m de haut subjugue le visiteur par l'intensité de son regard et ses proportions apparemment parfaites. En réalité Michel-Ange s'est permis des libertés avec l'anatomie réelle afin, et c'est là tout le paradoxe, de mieux rendre compte de la réalité : regardez les mains, énormes mais pourtant parfaites... C'est d'ailleurs en partie l'essence même du mouvement maniériste qui reproduisit sans fin les postures en partie inventées par Michel-Ange (notamment à la chapelle Sixtine du Vatican).

Regardez le réalisme des dessins de la peau : on distingue même les veines sur ses pieds. On ne peut résister à vous encourager à tourner autour de ce David pour voir ses fesses ! Il ornait autrefois la piazza della Signoria jusqu'en 1873, où il est aujourd'hui remplacé par une copie. Avec *Judith et Holopherne* de Donatello, le *David* symbolisait le combat perpétuel contre la tyrannie et pour la liberté, combat que la petite cité-état de Florence mena à de nombreuses reprises. Mais ce *David*-là, avec son air calme et détendu (il n'a pas, comme souvent, le pied posé, triomphant, sur la tête coupée de Goliath), montre plus encore la victoire de l'intelligence sur la brutalité.

À droite du David, des tableaux maniéristes avec une belle allégorie de la *Fortitude* de Maso da San Friano. À gauche du David, on a surtout aimé la *Déposition* du Bronzino et celle de Pieri.

Au fond, la salle des statues de plâtre du XIXᵉ siècle, destinées à l'étude (d'où les nombreux trous pour le calcul des lignes et perspectives).

On passe alors dans trois salles dédiées aux primitifs (fin XIIᵉ-début XIVᵉ siècle) : dans la salle du *Duecento,* un *Arbre de Vie* de Buonaguida, dont il faut s'approcher pour admirer tous les détails ainsi qu'une *Crucifixion* d'un peintre florentin où la position du Christ est inhabituelle ; dans la salle des disciples de Giotto, quelques belles pièces de Bernardo Daddi (*Crucifixion* remarquable) et Taddeo Gaddi (notamment le *Couronnement de la Vierge*). Enfin, dans la salle Orcagna, admirez la *Trinité* de Nardo di Cione, la *Crucifixion* et le *Couronnement de la Vierge* de Jacopo di Cione ; un triptyque montre la *Vision de saint Bernard* par le maître de la chapelle Rinucini.

À l'étage, il existe quatre salles récemment restaurées : dans une première salle, un fabuleux *Christ en pitié* de Giovanni da Milano. Dans la 2ᵉ, un ensemble exceptionnel de tableaux florentins des XIVᵉ et XVᵉ siècles avec un polyptique de Giovanni del Biondo *(Annonciation),* tandis qu'un groupe d'œuvres de Lorenzo Monaco, dont un *Crucifix,* un *Christ avec les instruments de la Passion* et une *Annonciation* peuvent être vus dans la 3ᵉ salle. La dernière abrite entre autres des peintures en provenance du tabernacle du couvent de Santa Lucia.

🏃 **Museo dell'Opificio delle Pietre dure** (musée de la Manufacture des Pierres dures ; plan général D-E2) : via degli Alfani, 78. ☎ 055-26-51-11. Ouv lun-sam 8h15-14h (19h jeu). En raison de l'absence de financement, horaires restreints. Se renseigner. Entrée : 2 €.

Le travail des pierres dures *(pietre dure)* est un art d'une grande finesse qui rappelle la marqueterie sur bois. On l'appelle aussi la « mosaïque florentine ». Des pierres semi-précieuses comme l'onyx, l'obsidienne, la cornaline, l'agate ou le porphyre sont découpées, taillées puis incrustées dans des compositions aussi colorées que variées (bouquet de fleurs, nature morte, etc.). Pendant trois siècles, les artisans de l'*Opificio delle Pietre dure* eurent comme objectif de décorer les palais et les églises de Florence, en particulier le caveau des Médicis et la chapelle des Princes de l'église San Lorenzo. À présent, l'atelier est voué à la restauration, ainsi qu'au travail de la marqueterie de bois et de la majolique. Ce petit musée permet d'admirer quelques magnifiques exemples de composition de pierres dures, d'un étonnant réalisme et d'une remarquable finesse. Sur la mezzanine, présentation des outils et des sortes de pierres (ou d'essences pétrifiées) utilisés pour réaliser ces chefs-d'œuvre.

🏃🏃🏃 *Museo di San Marco* (plan général D-E2) : piazza San Marco, 1. ☎ 055-238-86-08. *Ouv lun-ven 8h15-13h50 (19h w-e et j. fériés). Fermé 1er, 3e et 5e dim et les 2e et 4e lun de chaque mois. Entrée : 4 €.*

On y trouve la majeure partie des œuvres de Fra Angelico, ce moine qui exécuta des fresques dans tout le monastère pour exprimer son amour de Dieu. Il s'agit en fait d'un ancien couvent dominicain du XIIIe siècle, reconstruit en 1438 sur décision de Cosme l'Ancien. Celui-ci en confia l'architecture à Michelozzo (voir notamment la bibliothèque au premier étage), qui travailla en si étroite collaboration avec Fra Angelico qu'à peine les murs construits le peintre commença les fresques. On en compte à peu près une centaine. Outre Fra Angelico, Savonarole, saint Antonin et Fra Bartolomeo y résidèrent.

> ### LE PEINTRE DES ANGES
>
> *Fra Angelico, de son vrai nom Guidolino di Pietro, commença à peindre à San Marco vers 1441. Ce n'est pas un artiste comme les autres, mais un moine qui utilise son art pour traduire sa foi, à l'abri du monde extérieur. Il en résulte une œuvre plutôt sobre mais pleine de lumière et de béatitude, dont il retirera d'ailleurs le surnom de « Beato Angelico ». Ses anges en particulier sont remarquables par leur légèreté. C'est le pape Jean-Paul II qui l'a canonisé en 1984, et il est ainsi devenu le Saint Patron des Artistes.*

À VOIR

Certainement une de nos visites préférées à Florence.
On accède d'abord au cloître du couvent, décoré de fresques des XVIe et XVIIe siècles. De là, on visite les différentes salles :
– On commence à droite par *L'Hospice des pèlerins* : que des chefs-d'œuvre de Fra Angelico, un régal pour les yeux ! Très belle *Déposition,* dégageant une grande sérénité (en contraste d'ailleurs avec l'événement). Équilibre de la composition, douceur des tons, extrême finesse de la chevelure de Marie-Madeleine. L'homme au bonnet noir, à gauche de Jésus, n'est autre que Michelozzo, l'architecte du couvent. Dans *Le Jugement dernier,* on découvre plutôt un manichéisme sublime : à gauche, les anges font la ronde dans un délicieux jardin nimbé de lumière, où les bons se congratulent, tandis qu'à droite les méchants mijotent dans des chaudrons (certains en sont même réduits à avaler des crapauds et des couleuvres).
Nombreux et somptueux retables. Un remarquable cycle sur le thème de la vie du Christ. Ravissant petit *Couronnement de la Vierge* pour le tabernacle de Santa Maria Novella. Sur celui de Linaioli (1433), *Adoration des Mages* et *Martyre de saint Marc.*
– *Le Grand Réfectoire* (à droite) et *la salle de Fra Bartolomeo* (à gauche). – Dans le grand réfectoire, au fond, *Cène miraculeuse de saint Dominique* par Sogliani (XVIe siècle) et, sur les murs, des peintures inégales. Noter la *Déposition* de Suor Plautilla Nelli (noter également le réalisme des yeux rougis !) et *Vierge trônant et saints* et *Vierge à l'Enfant* par Fra Paolino.
– Dans la salle de gauche, uniquement des œuvres de Fra Bartolomeo, disciple de Savonarole, d'un classicisme qui influencera Raphaël, *Visages* et *Madone et Enfant avec sainte Anne* (œuvre inachevée) dans le style des visages du Fayoum.
– *La salle du Chapitre* : superbe *Crucifixion,* où Fra Angelico a réussi à exprimer l'idée d'expiation et de rédemption.
– En allant vers le petit réfectoire et l'escalier qui monte au 1er étage, quelques belles toiles caravagesques.

– *Le Petit Réfectoire (Cenacolo)* : *Cène* exécutée par Ghirlandaio (en face de la petite librairie). *Pietà* de Luca della Robbia. Dans le corridor des cellules, petite expo lapidaire et plusieurs consoles en bois.

1er étage

Toutes les cellules ont été décorées de scènes de l'Évangile par Fra Angelico (ou par ses élèves sur un dessin du maître). Peintes de 1437 à 1445, comme s'il y avait représenté aussi son âme. En haut de l'escalier, le premier choc, une très belle *Annonciation* (attention au syndrome de Stendhal !). Commencer par la gauche. Vous entrez dans le premier couloir. Sur la gauche, le must, les cellules peintes de la main du maître (on aime surtout les cellules nos 1, 3, 5, 7, 9 et 10) ; sur la droite les cellules peintes par ses disciples. Dans quelques cellules, vous pouvez apercevoir, sous le niveau du sol, par des jeux de miroir, des fresques du XIVe siècle du couvent précédent recouvert par la construction actuelle de Michelozzo.

Au fond à droite, le couloir des novices, des cellules de moindre intérêt.

En continuant, on trouve les trois pièces utilisées par Savonarole (oratoire, cabinet de travail et cellule). Ce moine, dénonçant les mœurs dissolues des Médicis, réussit à les chasser de la ville. Il instaura un régime tellement dur que le peuple s'insurgea, le pendit, puis le brûla sur la piazza della Signoria. On y trouve de belles petites fresques du XVIe et, surtout, un tableau illustrant le supplice de Savonarole où l'on peut voir que les seules statues présentes à l'époque devant le Palazzo Vecchio étaient le *Marzocco* (lion assis) et *Judith et Holopherne* de Donatello.

On retourne sur nos pas jusqu'à l'escalier pour voir les cellules de droite dites du 3e couloir. Elles sont plus tardives, plus narratives. En particulier, au fond à droite, remarquable *Adoration des Mages* par Benozzo Gozzoli, le plus talentueux des disciples de Fra Angelico, dans la cellule qu'occupa Cosme de Médicis (noter qu'il bénéficiait d'un duplex...).

Dans la bibliothèque réalisée par Michelozzo, sur la droite, double rangée de colonnes et arcades. Grands psautiers enluminés.

🍴 *Chiesa San Marco (plan général D-E2) : à côté du couvent.* Date du XIIIe siècle, mais fut souvent remaniée. Façade du XVIIIe siècle. Chœur abondamment couvert de fresques. Jolie mosaïque. Momie de San Antonino Pierozzi, fondateur du couvent (1389-1459), réformateur de l'ordre des dominicains et archevêque de Florence.

🍴 *Piazza della Santissima Annunziata (plan général E2) : à deux pas de San Marco.* Très jolie place dessinée par Brunelleschi. Bordée par le *spedale degli Innocenti* (hôpital des Innocents) de Brunelleschi avec son élégant portique et les médaillons d'Andrea della Robbia, l'église Santissima Annunziata et la loge des Servites, de l'autre côté de la place par rapport à l'hôpital, réalisées par Antonio da Sangallo et Baccio d'Agnolo. Au centre, la statue de Ferdinand Ier de Médicis, œuvre tardive de Jean de Bologne (1608), aidé par Tacca qui réalisa également les fontaines baroques.

🍴 *Galleria dello Spedale degli Innocenti (plan général E2-3) : piazza della Santissima Annunziata, 12.* ☎ *055-203-73-08. Ouv 8h30-19h (14h j. fériés). Entrée : 4 €.* L'hôpital des Innocents est à proprement parler le premier édifice Renaissance de Florence. Construit à partir de 1419 par Brunelleschi, il était destiné à recueillir les enfants trouvés. L'architecte y emprunta à la fois des éléments romans et des éléments antiques. À noter, sur la façade, les médaillons d'Andrea della Robbia (1463) avec leur fameux fond bleu en terre cuite émaillée. Ils représentent de jeunes enfants, pour la plupart. Très belle cour intérieure avec, comme symbole répétitif, une échelle représentant l'hôpital (on retrouve ce signe pour l'hôpital Santa Maria della Scala à Sienne). Aujourd'hui, cet ancien hôpital abrite encore de nombreux services sociaux et une petite pinacothèque (une seule grande salle). À visiter, ne serait-ce que pour l'extraordinaire *Adoration des Mages* de Ghirlandaio, qui mit 4 ans à la réaliser (1480-1484). Les rouges y sont sublimes. En arrière-plan, *Le Massacre des innocents* et de ravissants paysages. D'autres œuvres intéressantes. À gauche, en entrant, une *Vierge de la miséricorde* du Pontormo et une *Crucifixion* maniériste de Poppi dans un magnifique cadre. À droite, un *Couronnement de la Vierge* de Lorenzo Monaco, un autre de Neri di Bicci qui réalisa également *L'Annonciation*. Superbe *Vierge à l'Enfant* de Filippo Lippi et Botticelli. Enfin et surtout *L'Adoration des mages,* citée plus haut.

🎥🎥 *Chiesa Santissima Annunziata* (plan général E2) : *piazza della Santissima Annunziata.* ☎ 055-26-61-81. *Ouv 7h30-12h30, 16h-18h30. Entrée gratuite.*
L'une des plus chères au cœur des Florentins. Œuvre de Michelozzo (qui reconstruisit également le couvent San Marco) en 1441. Ne pas manquer le cloître des vœux qui précède l'entrée dans l'église. Il contient des fresques importantes, certaines en mauvais état, d'un groupe de peintres florentins de la fin du XVe au début du XVIe siècle ; elles illustrent le travail et le cheminement de l'art pictural entre le sommet du trio Vinci, Michel-Ange, Raphaël et le maniérisme. À gauche de l'entrée se trouvent les fresques de la première époque ; en face une nativité fin XVe siècle d'Alesso Baldovinetti, puis une fresque de Cosme Rosselli (également fin XVe siècle, les autres sont d'Andrea del Sarto, 24 ans à l'époque !).
À gauche également, sous les centaines d'ex-voto, on distingue une Annonciation (du XIVe siècle), dont la légende dit que le visage de la Vierge fut terminé par des anges en 1252. Les fidèles lui vouent encore un culte, tant et si bien que les offices se déroulent souvent en direction de cette dernière et non vers le chœur. À droite, des fresques plus tardives : *Assomption* du Rosso, *Visitation* de Pontormo, *Mariage* de Franciabiagio, le reste par Andrea del Sarto. C'est à partir du cloître des vœux qu'on accède au cloître des morts (le plus souvent fermé au public) où se trouvent d'autres fresques qui racontent l'histoire de l'église. Mais une seule est vraiment digne d'intérêt : *La Vierge au sac* d'Andrea del Sarto (qui est d'ailleurs enterré dans cette église comme Jean de Bologne ou Benvenuto Cellini). À l'intérieur, l'un des décors baroques les plus fous qu'on connaisse. Plafond or et argent outrageusement chargé, décor grandiloquent, fresques.
Au fond de cette chapelle, un beau christ d'Andrea del Sarto. Les chapelles de la nef et du transept sont inégales. Quelques beaux tableaux et fresques. À noter, un beau christ de Sangallo dans la seconde nef de droite et, dans le transport droit, une puissante *Pietà* de Bandinelli qui s'est représenté dans les traits du vieillard soutenant le Christ. La sacristie et les absides derrière le chœur (qui contiennent quelques belles peintures) sont en général fermées au public.
Le réfectoire de Santa Apollonia peut également se visiter (horaires d'ouverture aléatoires). On peut y admirer de magnifiques fresques et en particulier une *Cène* et une *Crucifixion* par Andrea del Castagno, peintre typique du *Quattrocento* florentin (dessin précis, personnages sculpturaux, couleurs acidulées).

🎥 *Museo archeologico* (plan général E2) : *Piazza della Santissima. Annunziata, 9.* ☎ 055-235-75. *Ouv lun 14h-19h, mar et jeu 8h30-19h, mer et ven-dim 8h30-14h. Jardin abritant des tombes étrusques ouv sam slt. Entrée : 4 €. À l'entrée de la plupart des pièces, feuilles explicatives en français, indispensables pour éclairer votre lanterne.* Un grand musée à la disposition aérée qui présente de belles pièces, notamment étrusques, de l'âge de bronze à la période helléniste. Collection de petites statuettes en bronze, sarcophages égyptiens, poteries, pierres sculptées, hiéroglyphes très bien conservés, vases grecs, statues romaines, etc. Parcours pas toujours très clair.

🎥 *Giardino dei Semplici* (plan général E2), *via Micheli, 3.* Un jardin botanique créé en 1545 par Cosme Ier de Médicis.

DANS LE QUARTIER DE L'OLTRARNO, AU SUD DE L'ARNO (plan général C4-5)

Situé de l'autre côté de l'Arno, l'Oltrarno est le quartier où bat le véritable cœur de la ville, un quartier plus populaire, un peu à l'écart des circuits touristiques. C'est là que le passé reste vivant. Il faut parcourir ce réseau sombre de rues étroites qui débouchent sur des places et des églises pittoresques. Prenez votre temps pour flâner à l'affût des échoppes d'artisans et des nobles portails blasonnés des palais. Un quartier que nous affectionnons tout particulièrement.

> ### DIS, DESSINE-MOI UNE EGLISE...
>
> *Le patron de la gelateria Ricchi, située sur la piazza Santo Spirito, eut une idée géniale. Il demanda à tous les artistes qu'il connaissait de dessiner un projet de décoration pour la façade de l'église. Tous les dessins et peintures qui en résultèrent sont exposés dans une petite salle de la gelateria. N'hésitez pas à allumer la lumière pour les admirer. Fermé le dimanche.*

✿✿ Piazza Santo Spirito *(plan général C4) :* à découvrir à la tombée de la nuit, elle s'anime lorsque les jeunes se retrouvent sur les marches de l'église. Le jour, c'est un endroit frais et reposant.

✿✿ Chiesa Santo Spirito *(plan général C4) : piazza di Santo Spirito. Tlj 10h-12h, 16h-17h30 (mais horaires peu fiables !). Fermé mer ap-m et sam mat. Entrée gratuite.*
Là encore, un projet de Brunelleschi (1440), mais celui-ci est resté en partie inachevé, l'architecte étant mort avant la fin des travaux. Ses successeurs n'osèrent pas terminer la façade et la laissèrent à nu. À l'intérieur, on retrouve toutefois les harmonieuses proportions chères à Brunelleschi. Quant aux œuvres exposées, elles sont d'une telle richesse qu'elles mériteraient de figurer en bonne place dans les galeries des meilleurs musées florentins ! Superbes retables des autels latéraux, œuvres de Lorenzo di Credi (dont *Vierge et saints*), Filippino Lippi (très belle *Vierge à l'Enfant* encadrée de saint Martin et sainte Catherine, avec en toile de fond une reproduction très précise du quartier de San Frediano), Andrea Sansovino, Alessandro Allori et de bien d'autres artistes florentins. Mais la vraie perle de Santo Spirito, gardée jalousement dans la sacristie mais ouverte au public, est sans conteste cet émouvant christ en bois sculpté par Michel-Ange. L'artiste n'avait que 18 ans lorsqu'il a modelé le visage si délicat du Christ, lui donnant un corps d'adolescent aux proportions parfaites.
À gauche de la façade de l'église se trouve le petit **musée San Spirito** *(ouv sam 9h-16h30 slt)*. Pour les passionnés seulement. Belle nef fraîche et reposante. Quelques sculptures d'époques romaine et lombarde. Sculptures siennoises par Tino di Camaino et Jacopo della Quercia. Surtout, à droite en entrant, une *Crucifixion* du *Trecento* par Orcagna et Nardo di Cione.

✿✿✿ 🚶 Palazzo Pitti *(plan général C5) : piazza Pitti. ☎ 055-238-87-60. Entrée : 8,50 € pour les galeries Palatine et d'Art Moderne ; 6 € pour le jardin de Boboli et les musées du Costume, de l'Argenterie et de la Porcelaine ; 11,50 € pour la totale.*
Avec une façade de plus de 200 m dominant une vaste place surélevée, le palais Pitti est l'un des monuments les plus impressionnants de Florence. Début de construction en 1458, sur des plans de Brunelleschi, pour le compte du banquier Pitti. Mêlés à la conspiration des Pazzi, les Pitti furent décimés et le chantier abandonné. Ce qui n'empêcha pas Cosme Iᵉʳ de s'installer en 1560 chez l'ancien rival de sa famille... après avoir tout de même agrandi le palais et fait réaliser le passage le reliant au *Palazzo Vecchio* ! En revanche, c'est à son épouse Éléonore de Tolède que l'on doit l'aménagement des beaux jardins de Boboli. Installé sur la pente d'une colline, le palais servit dès lors de résidence aux Médicis, puis aux Habsbourg-Lorraine qui leur avaient succédé en 1736. Marie de Médicis, qui y passa sa jeunesse, s'inspira de cette noble demeure lorsqu'elle fit construire le palais du Luxembourg à Paris (aujourd'hui le Sénat). Le palais abrite plusieurs galeries, dont la célèbre galerie Palatine qui rassemble toutes les œuvres acquises par les Médicis. Les collections comprennent principalement des peintures des XVIᵉ, XVIIᵉ et XVIIIᵉ siècles, ce qui fait de la galerie un complément idéal des Offices.

🕭🕭🕭 *Galleria Palatina* (dans le Palazzo Pitti) : ☎ 055-238-86-11. Tlj sf lun 8h15-18h50.

Impossible bien sûr de tout détailler. Voici donc, dans le désordre, les principales œuvres. Et n'oubliez pas de lever la tête pour admirer les fresques, moulures et autres décorations flamboyantes qui ornent ces anciens appartements princiers. Présentation des tableaux à l'ancienne, la lumière laisse parfois à désirer mais quelle richesse ! Finalement, la meilleure façon d'en profiter est de se laisser guider par ses yeux, sans vouloir systématiquement identifier l'auteur...

– *Salle Castagnoli* : noter la superbe *table des Muses* marquetée de pierre polychrome (technique de la pierre dure développée par les Médicis).

– *Salle de Vénus :* magnifique *Concert* nimbé de lumière où éclate la complicité des musiciens, et *La Bella,* par Titien ; rare paysage de Rubens *(Paysans rentrant des champs).* Noter le délirant décor du plafond.

– *Salle d'Apollon : Sainte Famille* et *Déposition* d'Andrea del Sarto ; *Vincenzo Zeno* du Tintoret ; *Marie-Madeleine* où Titien effectua un admirable travail sur la chevelure, renforçant la sensualité du personnage ; *Charles Ier d'Angleterre* et *Henriette de France* par Van Dyck.

– *Salle de Mars : Luigi Cornaro* du Tintoret ; Murillo, Luca Giordano ; *Andrea Vesalio* de Titien ; *Le Conseguenze della Guerra,* fantastique parabole contre la guerre, de Rubens. La vie s'y exprime par la lumière, la sensualité, la couleur, et la guerre par le chaos des corps et des ténèbres. De Rubens encore, *Les Quatre Philosophes* (le personnage de gauche n'est autre que l'artiste lui-même). Belle et douce *Madone* de Murillo.

– *Salle de Jupiter :* ancienne salle des audiences. Au plafond, *Le Couronnement de Cosimo III* (placé entre Jupiter et Hercule) réalisé par Pierre de Cortone. *Les Trois Âges de l'homme,* chef-d'œuvre de Giorgione ou la maîtrise totale du fondu de couleurs ; la célèbre *Femme au voile (La Velata)* de Raphaël ; *Sainte Famille* de Rubens ; *Madone et Quatre Saints* d'Andrea del Sarto ; *Christ mort* de Fra Bartolomeo (sa dernière œuvre) ; *La Vierge au sac* du Pérugin. Noter le raffinement extrême des visages de la Vierge et de l'ange.

– *Salle de Saturne :* une orgie sublime de Raphaël avec la célèbre *Madonna della Seggiola (La Vierge à la chaise).* Tout s'y inscrit en rond, renforçant la tendresse et l'intimité de la scène. Également, *Madeleine Doni* (où Raphaël plagie carrément la pose de la Joconde) et *Angelo Doni* ; autres célèbres portraits, la *Madone du grand-duc* (car c'était l'œuvre préférée de Ferdinand III de Médicis) et la *Madone du baldaquin. Déposition* du Pérugin, *San Sebastiano* d'Il Guercino.

– *Salle de l'Iliade :* Vélasquez, Andrea del Sarto, Titien, Van Dyck, Sustermans et Artemisia Gentileschi (une des rares femmes peintres de l'époque) ; *La Gravida* de Raphaël ; *Portrait de Catherine de Médicis par l'École française du XVIe siècle.*

– *Salon d'Ulysse : Vierge de l'Impannata* de Raphaël ; Alessandro Allori, Andrea del Sarto ; *Ecce Homo* de Cigoli (son œuvre maîtresse) ; le Tintoret... Suivi de la salle de bains aménagée pour Napoléon Ier, de style Empire évidemment.

– *Salle de l'éducation de Jupiter :* Van Dyck, Véronèse ; *Le Duc de Guise* par Clouet ; *L'Amour endormi* du Caravage.

– *Salle du Poêle :* splendide carrelage et fresques figurant *Les Quatre Âges du monde* par Pierre de Cortone.

– *Salle de Prométhée : Madone à l'Enfant (La Vierge à la grenade)* de Filippo Lippi. Noter le remarquable équilibre dans la composition des personnages situés au premier plan (mais aussi des scènes se déroulant derrière, à différents niveaux de profondeur). La délicatesse du visage annonce Botticelli, dont il fut le maître. On peut d'ailleurs s'en convaincre en détaillant le *Portait d'un jeune homme,* œuvre méconnue de Botticelli exposée dans la même salle. Autres œuvres notables : *Sainte Famille* de Luca Signorelli ; *Martyre des onze mille martyrs* de Pontormo.

– *Corridor :* petite galerie renfermant une collection d'œuvres mineures d'artistes hollandais et flamands.

– *Salle de la Justice :* le Tintoret, nombreux Titien dont le *Portrait de Tommaso Mosti,* remarquable pour la finesse des traits du personnage.

– *Salle de Flora* : Cigoli, Véronèse et une *Vierge à l'Enfant* d'Alessandro Allori, composition caractéristique des œuvres peintes à l'époque de la Contre-Réforme.
– *Salle des Putti* : peintres flamands, comme Jacob Jordaens, ou *Les Trois Grâces* de Rubens.
– *Galerie Poccetti* : *Martyre de saint Barthélemy* de Ribera ; *Le Duc de Buckingham* de Rubens.
Les pièces du fond en enfilade (salles des *Allégories*, des *Beaux-Arts*, de *l'Arche*, d'*Hercule*, de *l'Aurore*, de *Bérénice*, de *la Renommée*) ne révèlent finalement que des œuvres mineures, à part *Bataille* de Salvatore Rosa, quelques Cigoli, Giovanni San Giovanni, Lorenzo Lippi et l'Empoli.

🦌 Les plus robustes feront un tour dans les **appartements royaux** *(inclus dans le prix d'entrée, fermés janv), juste en face dans l'autre aile du palais, occupés successivement par les Médicis, les Habsbourg-Lorraine et les Savoie. Riche décoration intérieure : fresques, stucs et mobilier d'époque...

🦌🦌 *Galleria d'Arte Moderna (dans le Palazzo Pitti) :* ☎ 055-238-86-16. *Tlj sf lun 8h15-18h50.* Sculptures, peintures et objets décoratifs du XVIIIᵉ siècle aux années 1920 sont exposés dans un ordre chronologique au fil des trente salles que compte cette galerie. Les œuvres de *Benvenuti* et *Bezzuoli* y ont leur place. Et si vous avez le mal du pays, *Victor Hugo* (sculpté par *Gaetan Trentanove*) vous donne rendez-vous dans la salle nº 17, de même que Napoléon Iᵉʳ, auquel est consacrée la salle nº 2. Encore quelques beaux plafonds : pensez à lever le nez !

🦌🦌 *Galleria del Costume (dans le palazzo Pitti) :* ☎ 055-238-87-13. *Tlj 8h15-16h30 (19h30 selon saison). Fermé 1ᵉʳ et dernier lun du mois.* C'est un peu l'histoire de la mode qui s'expose ici, des tenues grandioses portées par les nobles au XVIIIᵉ siècle jusqu'à la haute couture d'aujourd'hui, en passant par les styles légers des années 1960 ou de la Belle Époque. Les accessoires (ombrelles, sacs à main, bijoux...) ne sont pas oubliés. Curiosité : une salle expose les vêtements que portaient Cosme 1ᵉʳ, son épouse Éléonore de Tolède et un de leurs fils, lors de leur inhumation au XVIᵉ siècle. Ils ont été exhumés en 1947 et sont aujourd'hui présentés à l'abri de la lumière du jour après 10 ans de restauration ! Bien sûr, la peinture est présente dans cette galerie, aux mûrs comme au plafond. Des expositions thématiques s'y tiennent tous les six mois.

🦌🦌 *Museo degli Argenti (dans le Palazzo Pitti) :* ☎ 055-238-87-09. *Tlj 8h15-16h30 (19h30, selon saison). Fermé 1ᵉʳ et dernier lun du mois.* De belles salles ornées d'imposantes fresques et trompe-l'oeil. Et un festival de coupes ciselées, de reliquaires sertis de pierres précieuses, ou de délicates compositions en ambre ou ivoire. Ne manquez pas le Trésor, au 1ᵉʳ étage : collection de joyaux ayant appartenus aux grands noms de l'histoire florentine.

🦌🦌 🧍 *Giardino di Boboli :* ☎ 055-238-87-60. *Ouv nov-fév 8h15-16h30 (17h30 mars-oct, 18h30 avr, mai et sept, 19h juin-août). Fermé 1ᵉʳ et dernier lun du mois.* Autour du palais Pitti, une merveilleuse promenade du dimanche, que ne ratent jamais familles et amoureux. Voir la *grotte artificielle* de Buontalenti, réalisée en 1583 (à droite quand on fait face au palais depuis les jardins). Ce genre de décor était très à la mode au XVIᵉ siècle. Le gouffre est orné de fresques et de statues, parmi lesquelles moutons et bergers semblent se fondre littéralement dans l'environnement. En revenant vers le palais, la grotesque *fontaine de Bacchus* représente en réalité l'un des nains favoris de Cosme, à cheval sur une tortue. Faire aussi un saut au *piazzale dell'Isolotto*, un jardin aquatique avec, au centre, un îlot sur lequel s'élève la *fontaine de l'Océan* de Giambologna : monstre marin, rochers et eaux donnent à cet ensemble inspiré du théâtre maritime d'Hadrien, à Tivoli, toute sa poésie. À deux pas du bassin, la *porta Romana,* ex-porte de la ville fortifiée.

🦌 *Museo della Porcellana (dans le jardin de Boboli) :* ☎ 055-238-86-05. *Tlj 8h15-16h30 (19h30 selon saison). Fermé 1ᵉʳ et dernier lun du mois.* Dans ce pavillon qui domine le jardin, sont rassemblés de beaux services provenant des plus grandes manufactures d'Europe (Sèvres, Vienne, Berlin...). De l'extérieur, belle vue sur le paysage florentin.

⚘ *Chiesa Santa Felicità (plan général C-D4) : piazza dei Rossi, sur la via Guicciardini. Ouv 9h-12h30 et 15h-18h sf dim ap-m.* Œuvres les plus célèbres de Pontormo, peintes entre 1525 et 1528 pour Ludovico Capponi : la *Déposition,* dont les couleurs acides et la déstructuration de l'espace en font un chef-d'œuvre du maniérisme, et *L'Annonciation,* influencée par Michel-Ange ; ici, l'artiste a tenu compte de l'éclairage naturel de l'église.

⚘ *Chiesa San Felice in Piazza (plan général C5) : piazza di San Felice.* Au 6e autel, *Vierge en trône* de Ridolfo Ghirlandaio. La chapelle principale (le chœur) est de Michelozzo, avec, au centre, un grand *Crucifix* de Giotto, récemment restauré et très peu connu.

⚘⚘⚘ *Chiesa Santa Maria del Carmine et la cappella Brancacci (plan général B4) : piazza del Carmine. Église ouv 7h30-12h, 17h-18h30. Chapelle ouv 10h (13h dim et j. fériés)-17h. Fermé mar. Résa conseillée (gratuitement) au ☎ 055-276-82-24 ou 85-58 (9h-18h). Accès limité à 30 pers max pour un délai de 15 mn. Entrée : 4 € (un film de 40 mn sur l'œuvre de Masaccio est compris dans le prix). Billet combiné avec le Palazzo Vecchio : 8 €.*
À droite du transept, la fabuleuse *chapelle Brancacci,* demeurée miraculeusement intacte après l'incendie de 1771, est entièrement décorée de fresques de Masolino, Masaccio et Filippino Lippi (XVe siècle). Thèmes du Péché originel et de la vie de saint Pierre. Depuis leur restauration, la nudité d'Adam et Ève est à nouveau dévoilée, débarrassée du feuillage ajouté pudiquement par Cosme III au XVIIe siècle. Masolino, à qui l'on avait commandé l'ensemble des fresques en 1424, s'était probablement fait seconder dès le début du chantier par son jeune élève Masaccio. On mesure d'ailleurs toute la modernité de la peinture de Masaccio, aux visages expressifs débordant de vie, comparée au style plus sage et élégant de Masolino. Chez Masaccio, les corps sont tout en volume, fruit d'une étude poussée de l'anatomie et de l'application des règles de la perspective. L'homme devient ici le sujet central des compositions. Le chantier sera abandonné suite à la mort (l'assassinat selon certains) de Masaccio, jusqu'à ce que Lippi termine à sa manière ce cycle de fresques cinquante ans plus tard. Sous la voûte, trompe-l'œil impressionnant.

⚘ *La via dei Bardi (plan général D4-5)* est une petite rue bordée de vieux palais, parallèle au lungarno Torrigiani. Visiter l'atelier artisanal de reliure et du travail du papier, au n° 17 (*Il Torchio ;* fermé en août). Tenu uniquement par des femmes sympas et volubiles. Une vitrine expose un très beau travail. Vente au détail.

DANS L'OLTRARNO, AUTOUR DE SAN NICCOLÒ ET DE SAN MINIATO AL MONTE *(plan général D-E5 et E-F6)*

⚘⚘⚘ *Chiesa San Miniato al Monte (plan général E-F6) : via del Monte alle Croci.* ☎ *055-234-27-31. On y accède facilement à pied des ponts San Niccolò et alle Grazie (mais ça grimpe !) ou en bus (n° 13). Ouv tlj 8h-19h, mai-oct ; 8h-12h, 15h-18h le reste de l'année (15h-18h slt j. fériés en hiver). Entrée gratuite.*
Une des plus belles réussites du roman florentin : façade incrustée de marbre et décorée d'une mosaïque. À l'intérieur, décoration de marbres polychromes également. Un plafond de toute beauté dégageant toutefois une certaine sobriété. Pavement du XIIIe siècle. Devant le chœur, *chapelle du Crucifix,* œuvre de Michelozzo (1448). Bas-côté gauche, chapelle du cardinal du Portugal, au riche décor Renaissance. Admirer le travail de marqueterie en marbre sur la clôture du chœur. Dans

l'abside, belle mosaïque du XIIIe siècle. Enfin, jeter un œil aux fresques de la sacristie. Une de nos églises préférées.

Jouxtant l'église, le ***cimetière de San Mirciato.*** Immense et magnifique, ce cimetière, propriété communale depuis 1911, offre plusieurs styles, du néo-classique en passant par une inspiration russe ou encore Art Déco. Plusieurs chapelles et sépultures méritent le détour. À noter que l'auteur de Pinocchio, Carlo Lorenzini (« Collodi »), Libero Andreotti, Frédérick Stibbert ou encore Vasco Pratolini, pour ne citer qu'eux, y sont enterrés. Profitez-en, les touristes ont tendance à oublier cet endroit (à tort).

¶ ***San Salvatore al Monte :*** *juste en-dessous de San Miniato. Ouv 6h30-12h30, 15h-19h.* À pied, ça grimpe dur pour atteindre cette petite église qui domine Florence. On vous conseille de monter par le jardin des roses qui longe la via del Monte alle Croci. L'église en elle-même, d'une grande sobriété, avec de solides murs et une charpente en bois, ne présente guère d'intérêt.

¶¶¶ En revanche, ne manquez pas le ***coucher de soleil*** sur tout Florence à partir du belvédère sous l'église *San Salvatore al Monte.* Très touristique, certes, mais les reflets sur l'Arno et les couleurs du Ponte Vecchio valent d'affronter le monde. Inoubliable !

¶¶ ***Museo Bardini*** *(plan général D5) : piazza dei Mozzi, 1.* ☎ *055-234-24-27.* Fermé pour travaux lors de notre passage. Dommage, car ce musée renferme des trésors !

LES ENVIRONS DE FLORENCE

La campagne florentine est l'une des plus belles régions d'Italie. Les collines qui encadrent la ville offrent des points de vue de toute beauté dans un calme magique. Les cyprès accentuent cette atmosphère exceptionnelle, à l'écart du tumulte touristique. Un bon réseau d'autobus permet de la découvrir facilement.

RANDONNÉE PÉDESTRE DANS LES COLLINES TOSCANES AU SUD DE FLORENCE

Comment découvrir la Toscane sans sortir de Florence ? Il y a Fiesole bien sûr, mais il y a les collines au sud de l'Arno, que peu de visiteurs prennent le temps de découvrir. Dommage, car cet arrière-pays aux portes de la ville mérite une petite escapade. En l'espace de quelques minutes, le flâneur passe d'un monde urbain fiévreux à la douceur d'un charmant faubourg résidentiel aux allures de village toscan. Ici, comme dans les arrière-plans des tableaux des maîtres de la Renaissance, tout est fait pour maintenir l'homme en harmonie avec son environnement et le rendre heureux. Rien d'austère, de rude ou d'excessif. Dans ce vallonnement rustique, la nature semble faite pour élever l'esprit et la pensée. Même les arbres ont l'air de contribuer à cette civilisation du raffinement : cyprès élégants comme des flammes vertes, oliviers noueux et pacifiques à l'éternel feuillage vert argenté, jardins secrets et villas anciennes noyées dans la belle végétation du Sud.

La randonnée fait une bonne dizaine de kilomètres. Compter 2h30 à 3h. Prévoir des lunettes de soleil (en été) et surtout, de l'eau.

Proposition d'itinéraire

Le départ et l'arrivée de cette balade se font du *Ponte Vecchio*. De ce vieux pont sur l'Arno, prendre la via dei Bardi, tourner la tête à gauche piazza de Mozzi, n° 4, superbes fresques en face du musée Bardini, puis continuer dans la via di San Niccolò, et prendre à droite la via San Miniato pour passer sous la *porta San Miniato*. Cette belle porte médiévale marque les limites de la vieille ville, encore ceinturée ici par une longue section intacte de remparts datant de 1258. Impressionnant. Marcher quelques mètres sur la via dei Monte alle Croci (en direction de l'église San Miniato), et prendre la deuxième à droite, la via dell'Erta Canina. L'abandonner 50 m plus loin pour suivre la voie de droite à la fourche. On s'achemine alors sur une petite route insolite, qui se faufile au creux d'un vallon très vert et à peine construit. Des champs, des prés, des jardins : on est déjà à la campagne, loin du bruit et de la foule. On laisse sur la gauche, 400 m plus loin, un petit jardin public abritant des jeux pour enfants et quelques tables de pique-nique sous les frondaisons. Là, il faut continuer à suivre à droite l'allée principale de cyprès qui monte sur le flanc du coteau. Environ 300 m après ce jardin public, on tombe sur un petit croisement. Ignorer les petites allées secondaires, et suivre sur la gauche le chemin sinueux sur le flanc de la colline, qui traverse un quartier résidentiel de maisons cossues entourées de grilles (« *Attenti al cane* ! » Wouaf !).

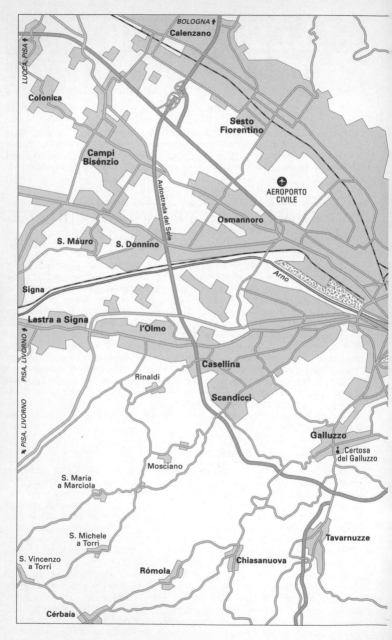

LES ENVIRONS DE FLORENCE

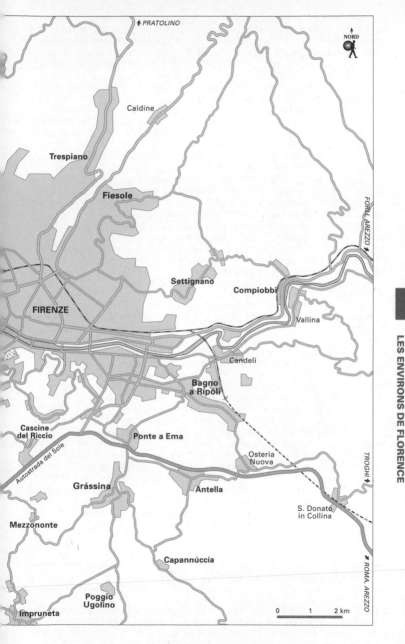

LES ENVIRONS DE FLORENCE

Au bout de ce chemin, une porte métallique réservée aux marcheurs permet d'accéder au *viale Galileo.* C'est un axe passant, mais flanqué de larges trottoirs pavés bordés d'arbres, très empruntés d'ailleurs par les joggers le week-end. En haut des escaliers, tourner à droite. Marcher environ 10 mn en direction du piazzale Galileo. En route, on a de superbes points de vue sur les jardins en contrebas et Florence au loin, dans le fond de la vallée.

Au carrefour du viale Galileo et de la *via di San Leonardo,* on tombe sur le *Chalet Fontana,* un bar-restaurant *(ouv 17h-2h sf lun).*

De là, prendre la direction d'Arcetri (via S. Leonardo) et de Pian dei Giullari en suivant les rues de gauche aux bifurcations. Même si l'atmosphère redevient instantanément sereine après la viale Galileo un peu agitée, méfiez-vous toutefois des riverains qui conduisent parfois rapidement (l'absence de trottoirs n'arrange rien !). Sur ce chemin étroit en pente, on passe à côté de l'observatoire d'astrophysique et on traverse le village d'*Arcetri,* sorte de « Beverly Hills de la Renaissance italienne », cœur vert de la banlieue sud de Florence. Avec un peu de chance, vous apercevrez peut-être les belles maisons cachées derrière des hauts murs débordant de fleurs et de plantes grimpantes. Dissimulée aussi, la *villa Caponi* possède des jardins considérés parmi les plus beaux de Florence.

À partir du croisement avec la via della Torre del Gallo, prendre à droite via Pian de Giuliari, où les hauts murs cèdent la place à de larges ouvertures livrant de beaux panoramas sur la campagne toscane. À *Pian dei Giullari,* la *maison de Galilée* se trouve au n° 42 de la rue principale, sur la droite en venant d'Arcetri. Cette maison bourgeoise n'est pas ouverte au public. Dans une niche sur le mur de façade, un buste représente le célèbre astronome Galilée. Petite *trattoria* en face (ouv midi et soir, sf mar).

Au centre du village de Pian dei Giullari, l'arrêt du bus n° 38 se trouve sur un petit carrefour fort tranquille. De celui-ci part un étroit chemin creux, le *viuzzo di Monteripaldi,* bordé de murs tapissés de plantes grimpantes. Le suivre jusqu'au bout. On débouche à 200 m environ au village de *San Michele a Monteripaldi.* De là, vue superbe et étendue sur les monts de Toscane, où l'on distingue à l'ouest la construction massive de la Certosa del Galluzzo. Le village, très modeste (une église et quelques maisons), se tient sur une colline en forme de crête.

Pour le retour, emprunter la via di San Michele a Monteripaldi, qui contourne la colline escaladée précédemment, puis tourner à droite vers le carrefour du bus n° 38 et suivre exactement le même chemin à l'envers jusqu'au *Chalet Fontana.* De ce restaurant, on conseille de redescendre à Florence par la *via di San Leonardo,* étroite, dallée et bordée de vieilles maisons cossues. On passe sous la *porta San Giorgio,* la porte la plus ancienne de Florence (1260), et on continue à descendre par la *costa di San Giorgio.* Au n° 2 de cette rue, on peut visiter le *Giardino Bardini* et accéder à la toute nouvellement ouverte *Villa Bardini* (☎ 055-234-69-88, *ouv tlj 8h30-16h30, billet combiné avec le Giardino di Boboli et le Palazzo Pitti : 9 €), même si l'entrée principale se situe via di Bardi, 1.* On poursuit notre chemin avec un petit arrêt au passage devant la façade du n° 19, où Galilée habita un temps. Les derniers mètres de cette randonnée ont quelque chose d'un « toboggan urbain » se glissant entre les murs anciens et resserrés, pour nous ramener au plus vite vers la via dei Bardi et le Ponte Vecchio.

LA CAMPAGNE FLORENTINE

Il est possible d'effectuer une très belle balade en bus ou en voiture à travers les collines entourant Florence (environ 6 km). Cette promenade est connue sous le nom de *viale dei Colli,* avenue conçue au XIXᵉ siècle par l'architecte Giuseppe Poggi. Départ de la piazza Ferrucci, près du ponte San Niccolò. Arrivée à la porta Romana (extrémité des jardins de Boboli). Cette promenade prend trois noms différents : viale Michelangelo (jusqu'à la place du même nom) ; viale Galileo

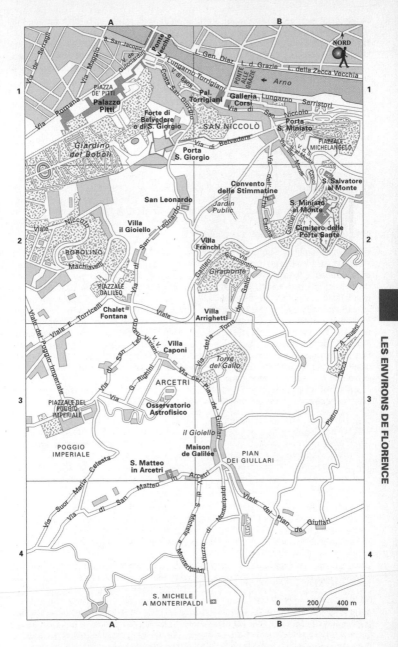

LES COLLINES FLORENTINES DU SUD

(partie centrale) ; viale Machiavelli (dernière partie, jusqu'à la porta Romana). Elle offre de somptueux panoramas sur la ville.

On peut encore, de la porta San Frediano, près du ponte Amerigo Vespucci (dans l'Oltrarno), prendre la *via Monte Olive,* qui mène en 30 mn de marche sur une colline surplombant Florence. Villas magnifiques et superbes jardins sur la route. Balade agréable, car peu connue des touristes.

LES VILLAS MÉDICÉENNES

Le principe de la villa de campagne date des Romains qui inventèrent la résidence secondaire. Après une éclipse de plusieurs siècles, les villas redevinrent à la mode grâce à la famille Médicis qui commanda à ses architectes de somptueuses résidences. Les villas de campagne étaient un lieu de repos où les riches familles pouvaient échapper aux tumultes de la ville, mais elles étaient surtout un lieu de délectation artistique et intellectuelle tel que la pensée humaniste pouvait le concevoir. Ces villas pourvues de beaux jardins (fort nombreuses dans les environs proches de Florence) n'ont pas toujours très bien traversé les siècles ; certaines d'entre elles n'en méritent pas moins le déplacement.

🏃🏃 *Villa La Petraia :* via della Petraia, 40. ☎ 055-45-26-91. Située à Castello, à 7 km à l'ouest du centre de Florence. Prendre le bus n° 28 (direction Sesto Fiorentino). Mars-oct, jardins ouv 8h15-18h30 (19h30 juin-août). Visites guidées de la villa ttes les 45 mn env. Fermé les 2ᵉ et 3ᵉ lun du mois. Billet cumulé avec la villa de Castello : 2 €. Il s'agissait ni plus ni moins du château des Brunelleschi, famille du grand architecte de Florence, passé aux mains des Médicis en 1575. Buontalenti fut chargé de rénover la villa au goût du jour, tandis que Tribolo, l'architecte paysagiste des jardins de Boboli, dessinait un parc à l'italienne aux parterres géométriques. Un grand chassant l'autre, ce fut le tour de la maison de Savoie de prendre possession de cette demeure historique... en y apposant sa marque. Victor-Emmanuel II en fit sa résidence d'été, et s'empressa de faire couvrir la cour intérieure pour la transformer en une vaste salle de bal. Même si la nouvelle décoration n'a pas laissé grand-chose du temps des Médicis, la petite chapelle et les appartements richement décorés donnent une idée du faste de ces villas.

🏃 *Villa de Castello :* via di Castello, 47. ☎ 055-45-47-91. Mêmes horaires que sa voisine la villa La Petraia (10 mn à pied). Ticket combiné : 2 €. Également dessiné par Tribolo, ce vaste jardin Renaissance, rythmé de parterres bien ordonnés et de nombreuses statues, s'étage sur le flanc d'une colline. Les allées conduisent vers un grand bassin, où patiente un monstre de bronze, et une grotte ornée de fausses roches parmi lesquelles s'affaire un peuple d'animaux. En revanche, les appartements ne se visitent pas.

🏃🏃 *Villa de Poggio a Caiano :* bourg situé à 18 km, sur la route de Pistoia par la N 66. Prendre un autobus CAP ou COPIT, départ piazza S. M. Novella ttes les 30 mn. La villa se situe au centre du village, en haut de la colline. ☎ 055-87-70-12. Ouv 8h15-19h30 juin-août ; jusqu'à 18h30 en avr-mai et sept-oct ; 17h30 en mars ; 16h30 l'hiver. Fermé les 2ᵉ et 3ᵉ lun du mois. Entrée : 2 €.

Ce fut Laurent le Magnifique qui chargea l'architecte Giuliano da Sangallo des travaux de reconstruction. Posée sur un embasement à arcades, elle se démarque de ses consœurs par son péristyle surmonté d'une frise d'Andrea Sansovino et d'un fronton de temple grec. Cette référence inédite à l'Antiquité est une commande du pape de la famille, Léon X. Malheureusement, les occupants successifs de la villa ont sérieusement mis à mal les décorations héritées des Médicis. Les Bonaparte ouvrent le bal sous la houlette d'Élisa, alors grande-duchesse de Toscane. Les fresques qui ne sont pas à son goût sont revues et corrigées sans pitié. Puis ce fut le tour de Victor-Emmanuel II de participer à ce grand nettoyage de printemps ! À l'arrivée, les 60 pièces de la demeure sont l'occasion d'une promenade instructive, mais seul le superbe salon mérite qu'on s'y attarde. On y admire des fresques d'Andrea del Sarto, de Pontormo et d'Alessandro Allori. Une palette de choix ! Cette villa fut la plus célèbre des villas médicéennes, notamment pour ses réceptions auxquelles participaient de nombreux humanistes (dont Montaigne). C'est ici d'ailleurs qu'en 1587, François Ier de Médicis et son épouse Bianca Capello moururent dans des conditions demeurées mystérieuses.

🎎 *Villa Médicis de Fiesole :* via Beato Angelico, 2 (Fra Giovanni Da Fiesole detto l'Angelico). ☎ 055-594-17. Accès par le bus n° 7. Visite en sem 8h-13h. Entrée : 6 €. C'est la première véritable villa Renaissance, construite entre 1458 et 1461 pour Cosme l'Ancien. Il s'agit malheureusement d'une propriété privée, et seuls les jardins, suspendus comme ceux de Babylone, sont ouverts au public (magnifique panorama).

Les Médicis étaient très riches, et le nombre de leurs villas ne s'arrête pas à ces quelques exemples. Pour visiter les autres, renseignez-vous à la Direction des monuments, au palais Pitti de Florence.

LA CERTOSA DEL GALLUZZO (chartreuse de Galluzzo)

🎎🎎 À 6 km de Florence. Bus n°s 36 et 37 de la piazza Santa Maria Novella. En voiture, suivre la via Senese depuis la porta Romana (panneaux). Tlj sf lun 9h-11h30 et 15h-17h30 (16h30 l'hiver). Visite guidée ttes les 30 mn. Entrée gratuite. Dressée puissamment sur une éminence à la sortie du bourg, cette vaste chartreuse fondée au XIVe siècle abrite aujourd'hui des cisterciens... qui vous proposeront tout de même de délicieuses liqueurs. On ne perd pas les bonnes habitudes ! À voir : la pinacothèque (fresques de la Passion, de Pontormo), l'église gothique (stalles délicatement ciselées du XVIe siècle) et les bâtiments conventuels. Dans la salle capitulaire, s'attarder sur la belle *Crucifixion* d'Albertinelli. Le grand cloître, décoré de médaillons des della Robbia, renferme un cimetière dont les tombes ne portent ni nom ni date, par souci d'humilité. Il est d'ailleurs bordé par les cellules individuelles des moines. Leur extrême simplicité et leurs jardinets privés rappellent que les chartreux vivaient en reclus, ne partageant que les principaux offices et les repas de fêtes.

SETTIGNANO

À 8 km à l'est de Florence. Prendre le bus n° 10 de la piazza San Marco. Charmant village assis sur une colline, célèbre pour avoir accueilli plus d'un illustre résident : Michel-Ange, D'Annunzio et Berenson. Beaucoup de villas magnifiques dans ce coin qui inspira de nombreux sculpteurs. Michel-Ange y passa d'ailleurs une partie de sa jeunesse, dans la villa Buonarroti. C'est quand même une référence...

🎎🎎 *La villa Gamberaia :* à Settignano. ☎ 055-69-72-05. Seul le jardin se visite. Tlj 9h-18h. Entrée : 10 €. Principalement dessiné au XVIIIe siècle, ce somptueux jardin s'est vu attribuer quatre bassins formant un beau parterre d'eau à la fin du XIXe siècle. Ils donnent sur un mur de cyprès percé d'arcades, fenêtres ouvertes sur un magnifique panorama. Une autre partie abrite des grottes renfermant quelques statues.

FIESOLE   (50014)   15 000 hab.

Cette petite cité autrefois très puissante est perchée au sommet d'une haute colline (à 300 m au-dessus du niveau de la mer), à 7 km au nord-est de Florence. La vue est extraordinaire. Au loin, après les oliviers et les vignes, on

LES ENVIRONS DE FLORENCE

aperçoit quelques-uns des monuments les plus remarquables de Florence, étagés sur l'horizon. À l'opposé, sur le versant nord de la ville, de belles échappées sur les douces collines de Toscane marquent le début de l'arrière-pays. Ce paysage magnifique inspira de nombreux écrivains. C'est là que Boccace (XIVe siècle) situa le refuge des héros du *Décaméron.* Plus tard, Marcel Proust y rêva du printemps « qui couvrait déjà de lis et d'anémones les champs de Fiesole et éblouissait Florence de fonds d'or pareils à ceux de L'Angelico... ». André Gide, dans les années 1930, contempla aussi la « Belle Florence » et écrivit à Fiesole une partie des *Nourritures terrestres.*

Ce gros bourg jalonné de belles villas cossues a préservé sa taille humaine. Cependant, vous devrez partager le charme de ses jolies ruelles avec les touristes, fort nombreux pendant l'été. Mais on peut profiter de cette belle balade pour pique-niquer. Apportez vos provisions et faites attention aux restos touristiques, où les portions, minables, sont à la limite de l'arnaque.

Arriver – Quitter

En bus

➢ De Florence, prendre le bus n° 7 à l'arrêt situé sur le côté nord de la gare ferroviaire, ou de la piazza del Duomo, ou encore de la piazza San Marco.

Horaires du bus n° 7

– *De Florence à Fiesole :* bus ttes les 15 mn entre 7h et 9h, et ttes les 20 mn entre 9h et 21h. Premier départ à 6h, dernier bus à 0h30. Le dim, ttes les 20 mn à partir de 6h30.

– *De Fiesole à Florence :* bus ttes les 10 mn entre 7h et 9h et ttes les 20 mn entre 9h et 21h. Premier bus à 5h30 et dernier bus à 1h. Le dim, ttes les 20 mn à partir de 6h.

Adresse utile

🛈 *Office d'information touristique* (plan A1) : via Portigiani, 3-5. ☎ 055-597-83-73. Fax : 055-59-88-22. ● comu ne.fiesole.fi.it ● L'été, lun-sam 9h-18h (17h l'hiver) et dim 10h-13h, 14h-18h | (10h-16h l'hiver). Compétent et bien documenté. Plan du centre historique de Fiesole avec le commentaire en français.

Où dormir ?

Presque pas de pensions bon marché à Fiesole. Mieux vaut dormir à Florence et venir en bus pour une demi-journée.

Camping

⚐ *Camping panoramico Fiesole :* via Peramonda, 1. ☎ 055-59-90-69. ● pa noramico@florencecamping.com ● ⚥ À 7 km du centre de Florence. Bus n° 7 depuis la gare centrale de Florence jusqu'à Fiesole, puis compter 20 mn à pied (suivre les indications). 35-38 € pour deux avec tente et voiture. Sinon, caravanes à louer (à partir de 55 €) ou | chalets pour 2-4 pers avec petite cuisine (apporter sa vaisselle !) et salle de bains à partir de 65 € (draps fournis). Un beau camping à flanc de colline. Bonnes prestations, comme une piscine bien entretenue, un resto (d'avril à fin septembre), un minisupermarché, des machines à laver... Emplacements ombragés mais un tantinet cailouteux

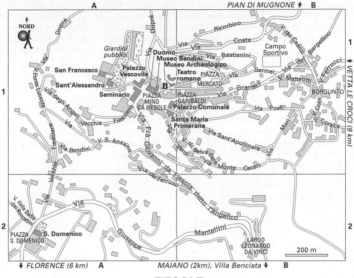

FIESOLE

pour les tentes. Sanitaires propres. Vue imprenable sur Florence. Excellent

accueil. Surpeuplé en haute saison, cela va sans dire !

Chic

🏠 **Pensione Bencistà :** *via Benedetto da Maiano, 4. ☎ et fax : 055-591-63. ● bencista.com ● En contrebas du bourg en arrivant de Florence (panneaux). Résa impérative. Compter 135 € la double, petit déj compris ; 160 € en ½ pens.* Une allée bordée de cyprès et d'oliviers conduit à ce vieux manoir toscan, agrippé à flanc de colline et entouré d'un jardin paisible. C'est aujourd'hui un hôtel de charme à l'atmosphère déli-

cieusement surannée. De la terrasse, couverte en partie d'une tonnelle de glycine, vue magnifique sur Florence. Chambres cossues de caractère, mais les plus belles sont les n°s 18 et 21 en raison de leurs balcons donnant sur le panorama florentin : pour les riches amoureux et les artistes fortunés. Salle à manger à l'avenant, confortable et décorée de meubles de style.

Où dormir dans les environs ?

Prix moyens

🏠 **Casa Palmira :** *via Faentina, località Feriolo, 50030 Polcanto (Firenze). ☎ 055-840-97-49. ● casapalmira.it ● À 12 km de Fiesole, en direction de Borgo San Lorenzo. La maison se situe à Feriolo, à droite dans une descente quelques km après le croisement de la route d'Olmo. Fermé de mi-janv à début mars. Double 85-95 € avec salle de*

bains, petit déj compris. CB refusées. Une belle demeure traditionnelle toscane, isolée dans un environnement superbe. Beaucoup de goût dans la déco lumineuse et printanière, depuis les chambres cossues jusqu'aux confortables salons agrémentés de meubles anciens chinés chez les antiquaires. Accueil très attentionné et en français des charmants proprios – tendance écolo-chic –, qui assurent un copieux petit déjeuner et proposent toutes sortes d'activités : cours de cuisine, balades à cheval... Intime et reposant. Cerise sur le gâteau : jacuzzi, et piscine. Comme des coqs en pâte !

🏠 **Agriturismo Poggio al Sole :** via Torre di Buiano, 4. ☎ 055-54-88-39. ● poggioalsole.net ● À 7 km de Fiesole, direction Olmo et Borgo San Lorenzo. Au lieu-dit Torre di Buiano, un petit panneau indique un étroit chemin sur la gauche. Fermé janv-fév. Chambre double 80-90 € selon saison, pour un min

de 2 nuits. Petit déj non compris. Pour 1 nuit slt, compter 100 €. Une agréable chambre d'hôtes dans une ancienne ferme installée à flanc de collines parmi des bouquets d'oliviers. Chambres joliment aménagées par la propriétaire (c'est son dada) et confortables (bonne literie), réparties entre la maison principale et une étable soigneusement rénovée. Depuis le jardin, très jolie vue sur la vallée. Le petit déj se prend à une table commune, c'est plus convivial. Très bonnes confitures maison. Production d'huile d'olive et de safran.

À voir

🎨🎨 **Duomo di San Remolo** (plan A1) : piazza della Cattedrale. Tlj 7h30-12h, 15h-18h (14h-17h l'hiver). Construit au XIe siècle sur l'emplacement du forum antique, il fut modifié dans un premier temps au XIVe siècle et très restauré depuis. À l'intérieur, architecture très austère de plan basilical, interrompue par un inhabituel chœur surélevé. Magnifique polyptyque de Bicci di Lorenzo (1450) sur l'autel. Fresque sur la voûte. À droite, en montant l'escalier : petite chapelle avec des fresques de Cosimo Rosselli et des sculptures de Mino da Fiesole.

🎨🎨 **Chiesa San Francesco** (plan A1) : via San Francesco, 13. En haut de la colline. L'été, lun-sam 9h-12h et 15h-19h, dim 9h-11h et 15h-19h. Ferme à 18h l'hiver. C'est en montant vers San Francesco que vous aurez la plus belle vue sur la plaine florentine. Édifiée au XIVe siècle, cette église très simple est tout à fait adorable. Sous le porche d'entrée, petite fresque du XVe représentant saint François, un peu dégradée, mais on devine sur l'ange la délicatesse du drapé. À l'intérieur, quelques primitifs religieux : Immaculée Conception de Piero di Cosimo (1510), gracieuse Annonciation de Raffaellino del Garbo, Adoration des Mages du XVe siècle. Dans la chapelle, Nativité de Luca della Robbia.
Au sous-sol, un intéressant petit **musée des Missions**. Ouv mar-ven 10h-12h, 15h-17h (slt l'ap-m les w-e et j. fériés). Entrée libre. Un peu fourre-tout : porcelaine de Chine, estampes, gravures, artisanat, instruments de musique, petite section archéologique. Avant de quitter le site, jetez un coup d'œil au charmant cloître en retrait sur la droite de l'église. Rassérénant !

🎨🎨 **Teatro romano e Museo civico** (plan B1) : via Portigiani, 1. ☎ 055-594-77. Ouv avr-fin sept, tlj 9h30-19h ; 18h mars et oct, 17h le reste de l'année. Fermé mar nov-mars. Ticket combiné avec le musée Bandini : 6,50 €.
Occupant une situation des plus stratégiques, le site de Fiesole fut occupé dès le VIe ou le Ve siècle avant notre ère par les Étrusques. À leur tour, les Romains s'y trouvèrent mieux qu'en plaine, jugeant l'air nettement plus salubre, et recouvrirent la colline de bâtiments civils importants. Les vestiges de la zone archéologique témoignent de ce glorieux passé. Emblème du site, le beau théâtre romain du Ier siècle av. J.-C. donne une petite idée de la taille de la cité, avec une capacité de plus de 3 000 spectateurs. Bien restauré, il accueille différentes manifestations pendant l'été (concert de musique classique, ballets...). Moins bien conservés, les thermes datent de l'époque impériale et furent agrandis sous Hadrien, tandis que le soubassement d'un temple et un tronçon d'un puissant mur de fortification rappellent l'implantation étrusque. Le musée attenant rassemble des statues votives, stèles et autres urnes funéraires étrusques et romaines découvertes sur le site, ainsi qu'une très intéressante collection de céramiques attiques à figures rouges. Le

samedi, le même billet permet également d'aller découvrir les collections d'orfèvrerie liturgique de la petite chapelle *San Iacopo,* située via S. Francesco.

🎥🎥 *Museo Bandini (plan A1) : via Dupré, 1. Mêmes horaires et tarifs (ticket combiné) que le théâtre romain.* Ce petit musée fraîchement réaménagé présente une
intéressante collection d'œuvres du Moyen Âge et de la première Renaissance italienne, ainsi qu'une sélection notable d'œuvres de la famille della Robbia. Belles
compositions de Bernardo Daddi, Taddeo Gaddi ou encore Lorenzo Monaco.

➤ *DANS LES ENVIRONS DE FIESOLE*

Si vous passez dans les environs, n'hésitez pas à faire un crochet par le **convento
Del Monte Senario,** sur la route de Bivigliano (au nord de Fiesole en direction de
borgo San Lorenzo, puis Pratolino). Petit monastère occupant une position digne
d'un nid d'aigle, sur un espace dégagé au sommet d'une colline ceinte d'une
épaisse forêt... comme la tonsure d'un moine ! La visite vaut surtout pour la balade,
empruntant de jolies routes étroites et sinueuses à flanc de colline, et pour la vue
panoramique somptueuse sur la campagne florentine. Petite chapelle croulant sous
les moulures dorées.

EN TRAIN

*– **Informations pour les chemins de fer** : il existe un seul et unique numéro pour toute l'Italie : ☎ 89-20-21 (prix d'un appel local, 7h-21h pour les infos, 9h-13h et 15h-18h pour les résas). Depuis l'étranger : ☎ 848-888-088. Pour les horaires et les résas :* • trenitalia.it • fs.on-line.com •

🚂 **Stazione centrale Santa Maria Novella** *(plan général B-C2) : gare principale de Florence en plein centre-ville.* • firenzesantamarianovella.it •
■ **Consigne à bagages** *(plan général C2) : à la gare centrale. À côté du quai n° 16.* ☎ 055-23-52-190. *Ouv tlj 6h-minuit. Compter 3,80 € pour 5h, puis 0,60 € de la 6ᵉ heure à la 11ᵉ ; à partir de la 12ᵉ : 0,20 €. Deposito bagagli a mano en italien.*

🚂 **Stazione Campo di Marte** *(plan général G2) : via Mannelli, 12. Deuxième gare de Florence situé à l'est à quelques km du centre historique. Cette gare est importante pour ceux qui arrivent et partent de/pour la France. En effet, liaison quotidienne Paris-Florence en train de nuit Artésia. Départ de Paris-Bercy à 19h06, arrivée à 7h16 à Florence Campo di Marte.*

EN BUS

Pour le transport dans la province et au-delà, plusieurs **compagnies de bus** :
*– **SITA** (plan général B3) : via S. Caterina da Siena, 15.* ☎ 800-37-37-60. • sita-on-line.it •
*– **LAZZI** (plan général C2) : piazza della Stazione, 3 r (à l'angle avec la piazza Adua).* ☎ 055-36-30-41. • lazzi.it • *Ouv lun-sam 6h10-20h, dim et j. fériés 7h-19h20.*
➤ **Pour Sienne** *: bus SITA.*
➤ **Pour San Gimignano** *: bus SITA.*
➤ **Pour Lucques** *: bus LAZZI.*
➤ **Pour Grosseto** *: bus LAZZI.*
➤ **Pour Volterra** *: bus SITA.*
➤ **Pour Pienza** *: bus LAZZI.*

EN AVION

✈ **Aéroport Amerigo-Vespucci** *(hors plan général par B1) : via del Termine, 11 (Peretola). Petit aéroport régional situé à 5 km au nord-ouest du centre de Florence.* ☎ 055-30-615 (infos 8h-23h30). *Rens sur les vols :* ☎ 055-30-61-700 ou 702 (24h/24). • aeroporto.firenze.it •

■ **Compagnies aériennes** : *elles sont toutes installées à l'aéroport de Florence : Alitalia,* ☎ 06-2222 (24h/24) ou 00-33-820-315-315 (en appelant en France), • alitalia.com • *Meridiana,* ☎ 199-111-333 (appel de l'Italie seulement), • meridiana.it • *Air France,* ☎ 848-884-466, • airfrance.com • *En ville : Alitalia, vicolo dell'Oro, 1* ☎ 055-27-88-232 ou 234 (lun-ven 9h-16h30).

✈ **Aéroport Galileo-Galilei** *: à Pise (à env 80 km de Florence).* ☎ 050-84-91-11 (standard) ou 050-84-93-00 (infos sur les vols). • pisa-airport.com •

➢ 7 liaisons quotidiennes entre la gare Santa Maria Novella de Florence et l'aéroport de Pise assurés par **Trenitalia** (prévoir env 1h15 de trajet).
➢ Liaisons également par bus avec les sociétés **Terravision** et **3MT**. Compter 8 € l'aller. Ticket à acheter à l'aéroport de Pise et également dans le bus. Une quinzaine de liaisons/j.

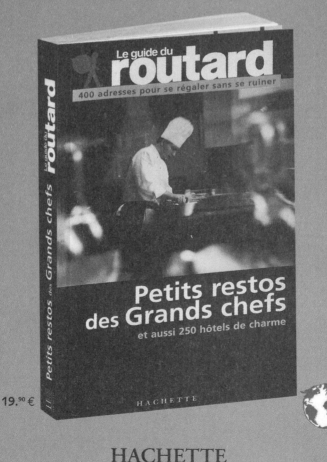

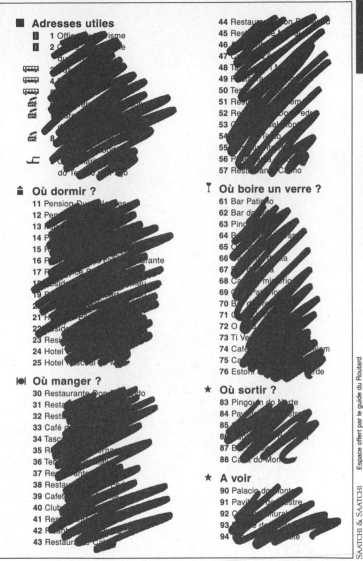

■ Adresses utiles
1 Offic... ...isme
2 ...

⌂ Où dormir ?
11 Pension Du...
12 Pen...
13 ...
14 P...
15 ...
16 R...
17 R...
21 H...
23 Resi...
24 Hotel...
25 Hotel...

◄► Où manger ?
30 Restaurante Don...
31 Resta...
32 Resta...
33 Café...
34 Tasc...
35 R...
36 Ter...
37 Re...
38 Restau...
39 Cafet...
40 Club...
41 Res...
42 R...
43 Restaur...

44 Restaur...
45 Res...
46
47
48 Tas...
49 P...
50 Ter...
51 Res...
52 Re...
53 ...
54
55
56 P...
57 Restaurant...

⌐ Où boire un verre ?
61 Bar Pati...
62 Bar de...
63 Pinc...
64 B...
65 ...
66 C...
67 ...
68 Ca...
69 ...
70 B...
71 ...
72 O...
73 Ti Ve...
74 Café...
75 Ca...
76 Eston...

★ Où sortir ?
83 Pingo...n do Norte
84 Pav...
85
86
87 B...
88 Ca...a do Mon...

★ A voir
90 Palacio do...
91 Pavil...
92 ...
93
94 ...

reporters
sans frontières

www.rsf.org

N'attendez pas qu'on vous prive de l'information pour la défendre.

Cour pénale internationale :
face aux dictateurs et aux tortionnaires,
la meilleure force de frappe,
c'est le droit.

L'impunité, espèce en voie d'arrestation.

Fédération Internationale des ligues des droits de l'homme.

www.fidh.org

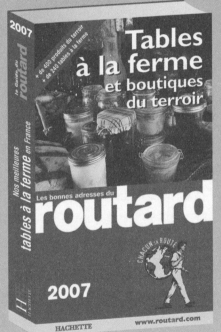

La Chaîne de l'Espoir

Ensemble, sauvons des enfants !

Chirurgiens, médecins, infirmiers, familles d'accueil… se mobilisent pour sauver des enfants gravement malades condamnés dans leur pays.

Pour les sauver nous avons besoin de vous !

Envoyez vos dons à
La Chaîne de l'Espoir
96, rue Didot - 75014 Paris
Tél. : 01 44 12 66 66 - Fax : 01 44 12 66 67
www.chainedelespoir.org
CCP 3703700B LA SOURCE

COMITE DE LA CHARTE
donner en confiance

LA CHAÎNE DE L'ESPOIR

La Chaîne de l'Espoir est une association de bienfaisance assimilée fiscalement à une association reconnue d'utilité publique.

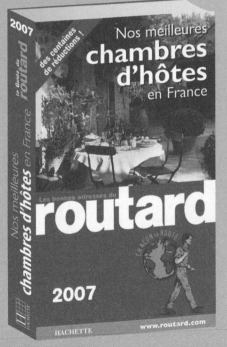

Les peuples indigènes croient qu'on vole leur âme quand on les prend en photo. Et si c'était vrai ?

Pollution, corruption, déculturation : pour les peuples indigènes, le tourisme peut être d'autant plus dévastateur qu'il paraît inoffensif. Aussi, lorsque vous partez à la découverte d'autres territoires, assurez-vous que vous y pénétrez avec le consentement libre et informé de leurs habitants. Ne photographiez pas sans autorisation, soyez vigilants et respectueux. Survival, mouvement mondial de soutien aux peuples indigènes s'attache à promouvoir un tourisme responsable et appelle les organisateurs de voyages et les touristes à bannir toute forme d'exploitation, de paternalisme et d'humiliation à leur encontre.

Survival
pour les peuples indigènes

Espace offert par le Guide du Routard

❑ envoyez-moi une documentation sur vos activités   ❑ j'effectue un don

NOM   PRÉNOM   ADRESSE

CODE POSTAL   VILLE

Merci d'adresser vos dons à Survival France. 45, rue du Faubourg du Temple, 75010 Paris.
Tél. 01 42 41 47 62. CCP 158-50J Paris. e-mail : info@survivalfrance.org

NOS NOUVEAUTÉS

G'PALÉMO (paru)

Un dictionnaire visuel universel qui permet de se faire comprendre aux 4 coins de la planète et DANS TOUTES LES LANGUES (y compris le langage des signes), il suffisait d'y penser !... Que vous partiez trekker dans les Andes, visiter les temples d'Angkor ou faire du shopping à Saint-Pétersbourg, ce petit guide vous permettra d'entrer en contact avec n'importe qui. Compagnon de route indispensable, véritable tour de Babel... Drôle et amusant, *G'palémo* vous fera dépasser toutes les frontières linguistiques. Pointez simplement le dessin voulu et montrez-le à votre interlocuteur... Vous verrez, il comprendra ! Tout le vocabulaire utile et indispensable en voyage y figure : de la boîte de pansements au gel douche, du train-couchettes au pousse-pousse, du dentiste au distributeur de billets, de la carafe d'eau à l'arrêt de bus, du lit *king size* à l'œuf sur le plat... Plus de 200 dessins, déclinés en 5 grands thèmes (transports, hébergement, restauration, pratique, loisirs) pour se faire comprendre DANS TOUTES LES LANGUES. Et parce que le *Guide du routard* pense à tout, et pour que les langues se délient, plusieurs pages pour faire de vous un(e) séducteur(trice)...

DANEMARK, SUÈDE (avril 2008)

Depuis qu'un gigantesque pont relie Copenhague et la Suède, les cousins scandinaves n'ont jamais été aussi proches. Les Suédois vont faire la fête le week-end à Copenhague et les Danois vont se balader dans la petite cité médiévale de Lund. À Copenhague et à Stockholm, c'est la découverte d'un art de vivre qui privilégie l'écologie, la culture, la tolérance et le respect d'autrui. Les plus curieux partiront à vélo randonner dans un pays paisible qui se targue depuis les Vikings d'être le plus ancien royaume du monde mais qui ne néglige ni le design ni l'art contemporain. Les plus sportifs partiront en trekking vers le Grand Nord où migrent les rennes et où le soleil ne se couche pas en été.

Parce que les causes de handicap sont multiples
Agir partout où il le faut

www.handicap-international.fr

Conflits
armés

GRANDE PAUVRETÉ

Tremblement de terre

Camps de
réfugiés

routard
ASSISTANCE
LIGHT
L'ASSURANCE VOYAGE
SPÉCIAL UNION EUROPÉENNE

VOTRE ASSISTANCE
SPÉCIAL UNION EUROPÉENNE

RAPATRIEMENT MEDICAL **ILLIMITÉ**
(au besoin par avion sanitaire)
VOS DEPENSES : MEDECINE, CHIRURGIE, (env. 50.000 FF) **7.500 €**

BILLET GRATUIT DE RETOUR DANS VOTRE PAYS : **BILLET GRATUIT**
En cas de décès (ou état de santé alarmant) **(de retour)**
d'un proche parent, père, mère, conjoint, enfant(s)

BILLET DE VISITE POUR UNE PERSONNE DE VOTRE CHOIX **BILLET GRATUIT**

si vous être hospitalisé plus de 7 jours

Rapatriement du corps – Frais réels **Sans limitation**

FRANCHISE DE 30 € PAR SINISTRE POUR LES FRAIS MÉDICAUX

AVANCES DE FONDS
A L'ETRANGER

CAUTION PENALE .... (env. 49.000 FF) **7.500 €**

HONORAIRES AVOCATS ....(env. 10.000 FF) **1.500 €**

VOS BAGAGES ET BIENS PERSONNELS A L'ETRANGER

Vêtements, objets personnels pendant toute la durée de votre voyage à l'étranger :

vols, perte, accidents, incendie, (env. 3.200 FF) **500 €**
Dont APPAREILS PHOTO et objets de valeurs (env. 1.600 FF) **250 €**

POUR LES VOYAGES HORS UNION EUROPÉENNE,
DEMANDEZ : ROUTARD ASSISTANCE ET/ OU
ROUTARD ASSISTANCE SPÉCIAL FAMILLE
Nous consulter Tél. : 01 44 63 51 00
Souscription en ligne : www.avi-international.com

routard
ASSISTANCE
LIGHT
L'ASSURANCE VOYAGE
SPÉCIAL UNION EUROPÉENNE

BULLETIN D'INSCRIPTION

NOM : M. Mme Melle |___|___|___|___|___|___|___|___|___|___|___|___|

PRENOM : |___|___|___|___|___|___|___|___|___|___|___|___|

DATE DE NAISSANCE : |___|___|___|___|___|___|___|___|

ADRESSE PERSONNELLE : |___|___|___|___|___|___|___|___|___|

|___|___|___|___|___|___|___|___|___|___|___|___|

|___|___|___|___|___|___|___|___|___|___|___|___|

CODE POSTAL : |___|___|___|___|___| TEL. |___|___|___|___|___|___|___|___|___|___|

VILLE : |___|___|___|___|___|___|___|___|___|___|___|___|___|

E-MAIL : ....

DESTINATION PRINCIPALE...

Calculer exactement votre tarif selon la durée de votre voyage

Pour un Long Voyage (2 mois…), demandez le ***PLAN MARCO POLO***
Nouveauté contrat Spécial Famille - Nous contacter

COTISATION FORFAITAIRE 2007-2008

JE VOYAGE DU |___|___|___|___|___| AU |___|___|___|___|___| = |___|___| JOURS
SOIT

JUSQU'À 3 JOURS : **6,50 €**

POUR 4 ET 5 JOURS : **7,00 €**

POUR 6-7 ET 8 JOURS : **8,00 €**

JE N'AI PAS PLUS DE 65 ANS

Chèque à l'ordre de ROUTARD ASSISTANCE – *A.V.I. International*
28, rue de Mogador – 75009 PARIS – FRANCE - Tél. 01 44 63 51 00
Métro : Trinité – Chaussée d'Antin / RER : Auber – Fax : 01 42 80 41 57

ou Carte bancaire : Visa ☐   Mastercard ☐   Amex ☐

N° de carte : |___|___|___|___|___|___|___|___|___|___|___|___|___|___|___|___|

Date d'expiration : |___|___| |___|___| Signature

Je déclare être en bonne santé, et savoir que les maladies
ou accidents antérieurs à mon inscription ne sont pas assurés.

Signature :

Faites des copies de cette page pour assurer vos compagnons de voyage.

Information : www.routard.com / Tél : 01 44 63 51 00
Souscription en ligne : www.avi-international.com

INDEX GÉNÉRAL

E

F

G

I-J

L-M-N

O-P-R

S-T